PARTE DE GUERRA

TLATELOLCO 1968

JULIO SCHERER GARCÍA
CARLOS MONSIVÁIS

PARTE DE GUERRA

TLATELOLCO 1968

Documentos del general
Marcelino García Barragán.
Los hechos y la historia

PARTE DE GUERRA. TLATELOLCO 1968
© 1999, Julio Scherer García, Carlos Monsiváis

De esta edición:
© D. R., 1999, Aguilar, Altea, Taurus, Alfaguara, S.A. de C.V.
Av. Universidad 767, Col. del Valle
México, 03100, D.F. Teléfono 688 8966

- Distribuidora y Editora Aguilar, Altea,Taurus, Alfaguara, S.A.
  Calle 80 10-23. Bogotá, Colombia.
- Santillana S.A.
  Torrelaguna, 60-28043. Madrid
- Santillana S.A., Avda San Felipe 731. Lima.
- Editorial Santillana S.A.
  Av. Rómulo Gallegos, Edif. Zulia 1er. piso
  Boleita Nte. Caracas 1071. Venezuela.
- Editorial Santillana Inc.
  P.O. Box 5462 Hato Rey, Puerto Rico, 00919.
- Santillana Publishing Company Inc.
  2043 N. W. 86 th Avenue Miami, Fl., 33172 USA.
- Ediciones Santillana S.A.(ROU)
  Javier de Viana 2350, Montevideo 11200, Uruguay.
- Aguilar, Altea, Taurus, Alfaguara, S.A.
  Beazley 3860, 1437. Buenos Aires.
- Aguilar Chilena de Ediciones Ltda.
  Pedro de Valdivia 942. Santiago.
- Santillana de Costa Rica, S.A.
  Apdo. Postal 878-1150, San José 1671-2050 Costa Rica.

Primera edición: junio de 1999

ISBN: 968-19-0595-4

© Diseño de cubierta: Enrique Hernández López
© Fotografías: *El Universal*

Impreso en México

Todos los derechos reservados. Esta publicación no puede ser reproducida, ni en todo ni en parte, ni registrada en o transmitida por un sistema de recuperación de información, en ninguna forma ni por ningún medio, sea mecánico, fotoquímico, electrónico, magnético, electroóptico, por fotocopia o cualquier otro, sin el permiso previo, por escrito, de la editorial.

ÍNDICE

ADVERTENCIA AL LECTOR

El Presidente Díaz Ordaz y parte de su gabinete.
A dos lugares a su derecha, el general García Barragán
y Luis Echeverría Álvarez, secretario de Gobernación.

Decir, ahora, que el movimiento estudiantil del 68 representa el parteaguas de la historia reciente de México es una perogrullada, y sin embargo así es, fundamentalmente por los sucesos del 2 de octubre, en que se dio fin a las demandas de justicia de los estudiantes. A partir de ese día, México fue otro país. Otro, porque se cerraron los conductos de libertad; otro, porque se perpetuó un sistema político que todavía nos asfixia; otro, porque la sociedad quedó herida, lacerada, con el asesinato de su juventud; otro, porque nunca pudimos saber la verdad, el origen de las decisiones del gobierno, y tuvimos que conformarnos con declaraciones vanas que, mientras llorábamos a los muertos, hablaban de salvaguardar a las instituciones. El presente libro subsana esta carencia y por primera vez, a través de los documentos del general Marcelino García Barragán, podemos comprender lo que en realidad sucedió.

En sentido estricto, *Parte de Guerra* es un libro colectivo. En la primera sección, Julio Scherer García relata la forma en que le fueron entregados los documentos del general García Barragán, clave y llave para comprender lo que sucedió durante aquellos meses aciagos del segundo semestre de 1968. De la misma manera, Scherer traza un retrato de las principales autoridades de entonces y del juego que tuvieron durante el Movimiento, y aun en los meses y años que siguieron, cuando se nos disfrazó la verdad. A continuación se reproducen en facsímil los partes emitidos por el general brigadier José Hernández Toledo, donde se da cuenta de las misiones cumplidas de julio a octubre de 1968 por el Batallón de Fusileros Paracaidistas, y los documentos de García Barragán transcritos tal y como le fueron entregados a Julio Scherer, pues en este caso hemos optado, para su mejor lectura, por evitar la reproducción facsimilar; cada una de las páginas originales ostenta la firma del general, la misma que aparece en la primera página de esta segunda sección. Estas dos series de documentos harán patente para el lector la visión bélica que el gobierno de la República tuvo, desde el principio, de un conflicto que debió ser solamente estudiantil. Finalmente, en su texto *El 68: Las ceremonias del agravio y la memoria*, Carlos Monsiváis ofrece una crónica definitiva del transcurso del movimiento y reexamina, a la vista de las pruebas suministradas por los documentos de García Barragán, lo que fueron aquellos hechos: nuestra historia.

Este es, repetimos, un libro colectivo, y el lector puede optar por su propio orden de lectura, según su arbitrio, experiencia, intereses y buen entender. De una cosa estamos seguros: la memoria de tan funesta desgracia cuenta hoy con la verdad. El 2 de octubre no es menos ignominioso hoy que antes, pero al menos ahora podemos conocer la verdad, sabemos la verdadera responsabilidad de los protagonistas y, sabiéndolo, podemos aspirar a una lectura mejor de nuestra historia, a una lectura que, ojalá, nos dé un mejor presente y el futuro democrático que exigían los estudiantes que marcharon por las calles de la Ciudad de México hace poco más de treinta años.

LOS EDITORES

EL TIGRE MARCELINO

JULIO SCHERER GARCÍA

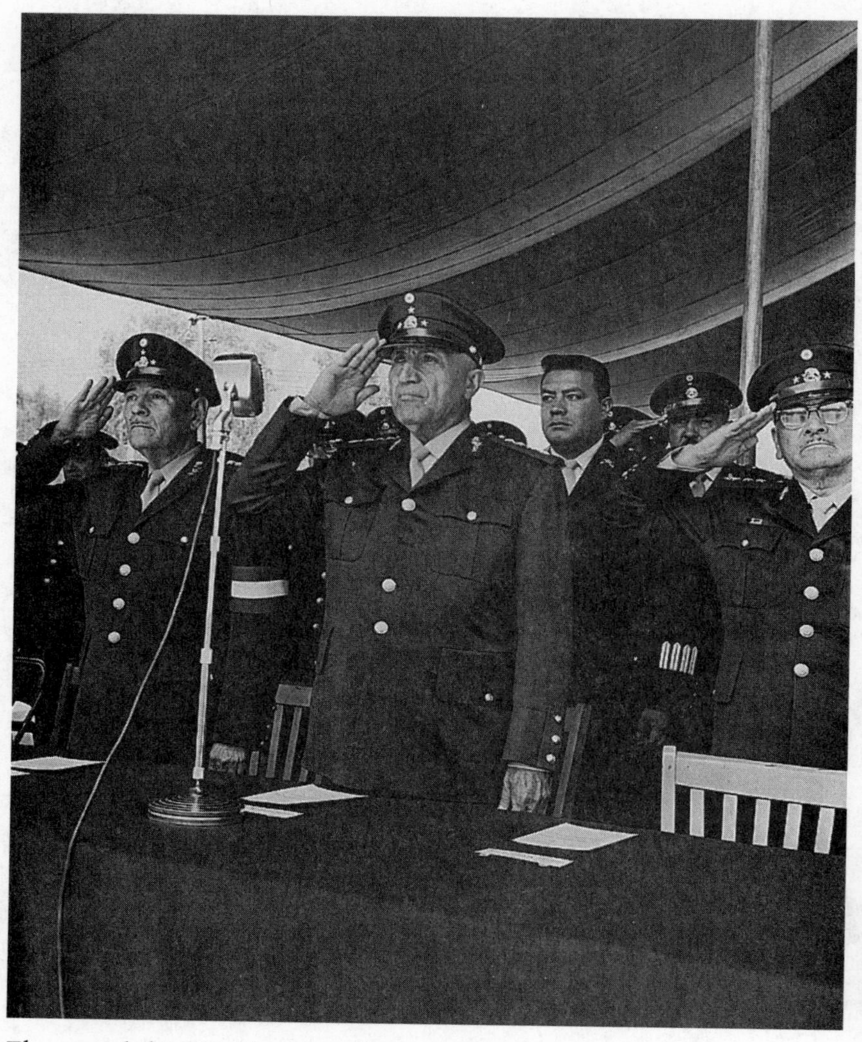

El general de división Marcelino García Barragán.

Protegida a sus lados por una doble fila de ahuehuetes, una avenida larga desembocaba en el jardín de la casa marcada con el número 435 de la calle Risco, en el Pedregal de San Ángel. Al centro de una mesa sostenida por cuatro cabezas de caballo talladas en roca, Javier García Paniagua recibía a sus amigos.

Cáustico en sus juicios, áspero en su lenguaje, obeso hasta la patología, transitaba en los extremos. Aborrecía y amaba con parecida intensidad. Hasta él llegaban sugerencias para que visitara al Presidente Ernesto Zedillo, que algo tendría que decir y algo que escuchar en el gastado santuario de Los Pinos. "¿Para qué?", respondía García Paniagua. Opinaba que Zedillo gobernaba con cautela, flojas las manos en el timón. De pupila breve, no miraba más mundo que el mundo inmediato.

Salvo momentos en los que mantuvo la esperanza de un buen futuro para el país, y así lo dijo públicamente, los hombres en el poder lo habían llevado al desengaño.

De Carlos Salinas de Gortari expresaba que era una inteligencia dañina: de cuerpo menudo y ambición desmedida, nació y creció para él mismo, y en él mismo se agotaba. De Miguel de la Madrid, decía: "Una que otra vez inspira sentimientos." Agregaba: "Cera sin pabilo." Y a José López Portillo prefería eludirlo. Era ocasional que pronunciara su nombre y no evocaba episodio alguno a su lado, cercanos como fueron. "Culto, carismático", resumía. "Lástima."
Luis Echeverría concentraba la malquerencia de García Paniagua. Pensaba que no tuvo más fidelidad que la debida a su propia persona. Así, traicionó a todos. La solidaridad es asunto de hombres y esa solidaridad no la conoció Echeverría. Responsable por omisión o

por comisión de los sucesos del 2 de octubre de 1968, como secretario de Gobernación evadió el compromiso, ocultó la cara. Le estorbaba Díaz Ordaz. Quería la Presidencia. Vio a su jefe envuelto en la tragedia y siguió de largo.

El tono de la voz le cambiaba a García Paniagua cuando hablaba de su padre, Marcelino García Barragán. "El Tigre", le decía. O "el general", lo recordaba.

* * *

Lejana la época en que, activo desde las cuatro de la mañana, levantaba pesas y cabalgaba en las instalaciones del campo militar, García Paniagua dejaba que su ánimo vagara en el monólogo íntimo. *Mi moral es la de un soldado*, decía. *Así fui educado. Respeto a las instituciones y lealtad al superior. No sé más. Pero con esos materiales se construye un hombre acreedor a la confianza. Me alejé de la política, porque me aparté de los personajes que la procuran para su provecho. Veo lo que a nadie se le oculta: rapiña o engaño, rapiña y engaño. La banda presidencial es ya sólo una seda hermosa.*

Visitaba su rancho, en Sayula, Jalisco y regresaba a la ciudad de México. El círculo de sus amigos se estrechaba y García Paniagua se entregaba a la lectura. Fue haciéndose un solitario.

Transcurrían semanas, meses y aun periodos más largos sin noticia de su existencia. Le escribí un día de septiembre de 1995:

"Don Javier:

Después de años sin verlo, confirmo arraigados sentimientos: nada puede el tiempo frente a la amistad."

Reaparecía de pronto y conversábamos. Almorzaba huevos revueltos sin la yema, "para no engordar". Se reía. "Vea que me cuido, usted que me quiere." Era afectuoso en extremo. Ya he contado que un tiempo se mantuvo atento a mi vida, amenazada, y extendió su preocupación a mi esposa y a mis hijos.

El día que operaron a Susana, avistado el cáncer, llamó insistente al Hospital Español. Una de las primeras visitas fue la suya.

—Paisano —le decía Susana—, mi piel es frágil, apenas papel de china. Un viento fresco le hace el efecto de un vendaval.

Sentada en ángulo recto, aprisionada en un collarín, le confiaba que ya sentía las llagas en el cuello.

—Sonría, paisana, no hay de otra.

Veinticuatro horas más tarde, don Javier le hizo llegar collarines de seda, de algodón, de lino, de algodón y lino, de lino y seda, de varillas de vidrio, de varillas impalpables, de varillas como terciopelo al tacto. Una nota explicaba:

"Paisana: no hay más collarines en el mundo."

* * *

Era conocida la admiración de García Paniagua por García Barragán, su adhesión apasionada. Poco se sabía, en cambio, de la manera como fueron haciéndose los sentimientos del padre hacia el hijo.

—Me cuentan que el general tuvo debilidad por usted, don Javier.

—Le cuentan bien.

—¿Diría usted que fue el hijo predilecto?

—No hay hijos predilectos.

—¿Entonces?

—Hay simpatías, afinidades, pasiones que se encuentran en el mismo cauce. Fui cadete del Colegio Militar y una madrugada, a galope tendido, mi caballo tropezó y un tiempo quedé baldado. Por esa época me enamoré de unos ojos profundos y me casé. Caminé mis propios caminos y mi camino siempre encontró al general.

—¿Su padre lo distinguió?

—Me educó a su modo.

Evoqué a don Marcelino, de la tierra oscura de El Aguacate, un poblado del municipio jalisciense de Cuautitlán que ni a poblado llegaba. Sobrados los dedos de una mano para contar sus años, la criatura mojaba la tierra y brincoteaba sobre ella. Hacía el lodo negro, la argamasa de la que saldrían los ladrillos grises que su padre vendería por el rumbo miserable. Bajo un sol redondo o el frío del invierno, sufría sin saber que sufría. El tiempo lo hizo hombre, de granito. Desdeñó el dolor.

Clavado por agujas en las venas de los pies y de las manos, cruzado por tubos y sondas, rodeado por aparatos, devorado por el cáncer, moriría limpio y fresco. En un cuarto ordinario del Hospital Militar, fatigosamente en vilo, dos coroneles lo llevaban al baño y lo ayudaban a asearse.

—Dame un abrazo —me dijo quedo una mañana, extendidos los brazos sobre la sábana impecable, dolorosas sus uñas de nácar. Me incliné sobre su piel y sus huesos, levemente le acaricié los hombros estrechos, de niño.

Expiró poco después, en Guadalajara.

* * *

—Me decía, don Javier, que el general lo educó a su modo.

—Algunas veces me colgaba de la rama de un árbol, boca abajo. Buscaba mi cara. Yo lloraba, pero él no lo advertía. El sudor arrastraba todo.

—¿Y otras veces?

—Yo temblaba, mis ojos en el machete que empuñaba.

—Quédate quieto —me decía mi padre.

Sentía fuego, asentado el machete sobre las nalgas. Un golpe sesgado podría desprenderme la carne. Yo cerraba los ojos y apretaba los labios. Imaginaba la muerte sin saber que la muerte existía. Una vez falló apenas "El Tigre" y el golpe cayó de lado. Sangré mucho. Lloraba, rebeldes las lágrimas a mi voluntad. Pero no me quejé ni emití una protesta.

—Ve con tu madre —me dijo.

Lo miré con amor.

* * *

García Paniagua se pierde en la memoria de "El Tigre".

Soldado de la Revolución en sesenta y siete combates, olvidó sus méritos, su grado de capitán y se incorporó al Colegio Militar. Reconocido como el primer cadete de su generación, fue premiado en Palacio: estaría a su cuidado la puerta de acceso al Presidente de la República, general Plutarco Elías Calles.

Un día corrió la voz: llegaba a Palacio el general Álvaro Obregón. Sus hazañas alcanzaban la leyenda y su personalidad desbordaba los corridos. Acerca de Obregón se contaban verdades y mentiras, ciertas las verdades y las mentiras. Es la aureola del hombre extraordinario. Es como es, pero es, sobre todo, como la gente quiere que sea.

No tocó García Barragán la manija de la puerta para abrir paso al mito y Obregón ya estaba cara a cara con Calles. Por una vez en su vida, el cadete quebró la disciplina y mantuvo entreabierta la puerta máxima.

Súbito, Calles se puso de pie y se cuadró. Era una estampa, la del inferior frente al superior inapelable, el soldado ante su bandera dispuesto al destino que fuera.

Seco, una máscara, el jefe de la nación rindió parte:

—Sin novedad, mi general.

También contaba García Paniagua, en pants y enormes zapatos tenis, desinteresado por la calle, alejado de la gente, acaso buscando la muerte:

Corría la sangre de la Revolución. En Michoacán, en un valle agreste, las llamas del sol y el incendio del combate se hacían un solo fuego.

La guerra cristera desataba el odio entre hermanos, que no había dolor más profundo que aborrecer al amado. Los blancos o los rojos deberían desaparecer. No cabían juntos en el espacio inmenso de la patria semipoblada.

El capitán primero de caballería, Marcelino García Barragán, mataba y esquivaba la muerte. Venció con sus hombres, ardiente el mediodía. Sobre la superficie, costra dura, pura piedra, quedaron los muertos insepultos. Eran muchos, hombres con rostro y sin biografía, muchachos la mayoría, hasta niños.

Cerca había un riachuelo, moribunda el agua. El espejo reverberaba bajo las luces del cielo. Era más que un oasis, ilusión y realidad fundidas. García Barragán ordenó a sus soldados que entraran al estanque. Desató el júbilo. Él mismo empezó a desnudarse, las botas primero, brasa que arrojó lejos. Pronto no quedó una prenda sobre los cuerpos de los vencedores. El capitán los observó, en grupo primero, después uno a uno. Colgado al cuello llevaban el escapulario, símbolo y tránsito de salvación eterna.

* * *

Gustavo Díaz Ordaz pasaba largas temporadas en Ajijic, a la orilla del lago de Chapala. Le atraía el clima y disfrutaba del golf en compañía del exgobernador de Jalisco, Juan Gil Preciado. Luchaba por sobreponerse a la matanza del 2 de octubre de 1968 y los pesares regresaban limpios, filosos. Sabía afectada a su familia, su esposa, sus tres hijos. Vivía su madre y como si un maleficio lo persiguiera, fue sepultada un 2 de octubre (1970). A la muerte del expresidente, el año 1979, seguiría la de su hijo menor, Alfredo.

En una pequeña casa que daba al bulevar Manuel Ávila Camacho, el general García Barragán me trataba como a un hombre de su entera confianza. Alguna vez me recibió en pijama, afiebrado por la bronquitis y protegido con el largo y grueso abrigo del ejército. Escupía sin cesar y hablaba sin fatiga. Tenía presente al licenciado Díaz Ordaz. Observaba que había cambiado desde la noche de Tlatelolco. Otro era su ánimo, abatido el temperamento. Bromeaba sin naturalidad y reía con estrépito. Una tristeza gris solía cubrirlo.

García Barragán viajó alguna vez a Ajijic para acompañar al licenciado Díaz Ordaz. Exhibía su presencia al lado del jefe, también una suelta familiaridad que el ejercicio del poder presidencial había hecho imposible. Pretendía, además, subrayar la conducta de algunos colaboradores del expresidente que se apartaron del capitán en su tragedia. Mencionaba a Luis Echeverría. No existía en el código de honor de un soldado alivio para una ausencia de ese tamaño.

Del exregente, Alfonso Corona del Rosal, celebraba que hasta el fin hubiera sido adicto a Díaz Ordaz, pero no lo tomaba en cuenta. Le parecía una figura secundaria, político y militar, político cuando convenía, militar si se ofrecía, coleccionista de la obra de Siqueiros, hombre de sociedad, de mascada fina, presidente de la Federación de Polo, deporte de aristócratas. No obstante, Corona del Rosal brillaba como nunca brilló el secretario de la Presidencia, Emilio Martínez Manatou. Atildado hasta la perfección, de baja voz insinuante, se atrevió a soñarse jefe de la nación.

(Inminente la Olimpiada, Martínez Manatou reunió a los periodistas en una larga y forzada comida, de tétrico buen humor. En nombre del Presidente pidió el esfuerzo común para llevar alto el nombre de México ante el mundo. Nuestro país era muy grande para mantenerlo encerrado un día más en el 2 de octubre. Por lo pronto, los muertos debían quedar atrás.)

De Julio Sánchez Vargas tampoco se ocupaba el general. Procurador de la República, incumplió la ley y vetó la justicia. Bajo su firma, muchos terminaron en la cárcel. Uno fue Heberto Castillo, exaltado con honores oficiales que en vida despreció.

Desde joven unido al poder, el poder fue el único contacto de Sánchez Vargas con el mundo. No fue casual que Díaz Ordaz lo enviara a la Procuraduría en 1968. Ahí se mantuvo, atento a Los Pinos. En la brújula de Sánchez Vargas no había otro punto cardinal. Fue de los que exaltó con voz estentórea el patriotismo de Díaz Ordaz, la salvación de México en su puño firme.

A propósito de su trato con el expresidente, contaba García Barragán:

Una vez llegué a Ajijic en un Volkswagen rojo, llamativo. Me acompañaba Javier.

—¿Y su escolta? —me gritó el licenciado Díaz Ordaz cuando descendíamos del carro.

—Aquí la traigo —le grité a mi vez.

—¿Dónde?

Desenfundé la pistola y me miré los gemelos, encubiertos pero ostentosos:

—No se preocupe, señor, que no ando solo.

* * *

Un día, remoto entonces, vivo ahora, me dijo el general que dejaría al juicio de la historia su testimonio sobre la matanza del 2 de octubre. Las versiones propaladas le parecían incompletas. Ya investigaba lo ocurrido.

Fechadas el ocho de julio de 1975, en Guadalajara, había escrito cartas confidenciales. Conocí una de ellas. Decía, bajo su firma:

"Estoy tratando de reunir las opiniones de los Jefes que intervinieron bajo mi mando en los sucesos del 2 de octubre de 1968.

"Mucho le estimaré me envíe por escrito una descripción de sus impresiones personales, tanto de los asuntos en que usted haya participado personalmente, como de lo que haya observado de sus compañeros y Unidades que actuaron en esa fecha. - Hágalo con mucha discreción, porque esto quedará únicamente entre usted y yo.

"Los hechos ya están consumados y la Historia que se escribe a largo plazo se encargará de darnos a cada uno el lugar que nos corresponde.

"Aprovecho la ocasión para saludarlo cordialmente y reiterarme su amigo de siempre".

Me contuve. Tranquilo en apariencia, pregunté al general:

—¿Escribe sus memorias completas o sólo el 68?

—Sólo el 68.

Me miró, grave.

—A su tiempo, Javier hablará contigo (el general me hablaba de tú o de usted, el afecto parejo).

—¿Qué tiempo, general?

Dejó la pregunta sin respuesta y no insistí. Retomé el tema, sin embargo:

El tres de octubre informó al país que no decretaría el estado de sitio. ¿Por qué una declaración de ese calibre? ¿Peligraban las instituciones, cercano el caos?

Me explicó García Paniagua:

El día tres, cerrada la noche, el Presidente Díaz Ordaz citó a García Barragán en Los Pinos y le entregó un sobre. Contenía un proyecto de decreto: la suspensión de las garantías individuales. El Presidente quería la opinión de su secretario de la Defensa. Fue claro el militar: informó lo conducente y frente a su hijo rompió el papel. De ahí su declaración, horas después. Pasada la Olimpiada, en la Quinta Galeana (la casa del secretario de la Defensa), citó a miembros del gabinete. Debía volver la calma, el mando sereno. Dice el general: hay testigos de estas reuniones, compañeros de armas.

—¿Su declaración fue para el Presidente o para el pueblo de México? —le pregunto.

—Para el Presidente y para el pueblo de México.

—¿Y el gabinete?

—También.

—¿En algún momento se sintió Presidente?

—¿Tiene sentido tu pregunta?

* * *

Pasaba el tiempo. Yo no tenía idea acerca de las pesquisas de García Barragán. Suponía que avanzaban.

El 25 de junio de 1976 recibió el general una carta inesperada. Procedía de Corona del Rosal:

"Sr. General de División
Marcelino García Barragán.

Av. Américas No. 251.
Guadalajara, Jal.
"Muy estimado señor General y fino amigo:
"Me es grato enviarte adjunto a la presente, recorte de la revista *Siempre* de fecha 23 del actual, que contiene una entrevista que me hiciera en la Ciudad de Pachuca, Hgo., el conocido periodista Joaquín López Dóriga, esperando que te interese su contenido, mismo que leyó con satisfacción nuestro amigo.
"Espero y deseo te encuentres perfectamente bien, como me han informado amistades que te han visto recientemente.
"Tengo también verdaderos deseos de verte y poder estrechar personalmente tu mano; ojalá cuando vengas por acá lo sepa yo, con el objeto de tener el gusto de convivir algún rato con el viejo compañero y amigo a quien tanto respeto y quiero.
"Un fuerte abrazo con el sincero afecto y compañerismo de siempre".

Corona del Rosal se solazaba en los méritos de Díaz Ordaz y en sus propias virtudes. Mencionaba a Luis Echeverría y a Marcelino García Barragán, unidos en el deber. Dijo de Díaz Ordaz:

"En el gobierno no hubo línea dura, pero sí firmeza ante la dureza de la agresión y el terrorismo. El señor Presidente vio los acontecimientos con pena, pero con serenidad y firmeza, pensando permanentemente en los intereses y el futuro el país".

Dijo también:

"Quienes organizaron esa situación [los estudiantes], seguramente no querían el retorno a la normalidad y creyeron que un hecho sangriento levantaría al pueblo".

Cuarenta y cinco días demoró la respuesta del exsecretario de la Defensa al exregente. Fechada en Guadalajara el 10 de agosto, escribió:

"C. General de División
Alfonso Corona del Rosal.
Paseo de las Palmas 131-3er. P.
México 10, D.F.
"Estimado amigo:
"Recibí con agrado tu carta y leí con interés tus declaraciones, hechas con la sensibilidad política que siempre te ha caracterizado. Por su contenido deduzco que aún consideras prematuro que la

Nación conozca la verdad de ese episodio deplorable que todos lamentamos.

"A los que fuimos responsables y protagonistas directos en aquellos sucesos, no nos queda sino esperar a que los años serenen las pasiones y que la Historia, que se escribe a largo plazo, al juzgar nuestra actuación corrobore con su juicio si servimos con lealtad y desinterés al entonces Presidente de la República, C. Gustavo Díaz Ordaz y a nuestras Instituciones.

"Oportunamente te comunicaré de mi próximo viaje a la ciudad de México, en tanto recibe un abrazo cordial de tu compañero y amigo".

Las cartas fueron públicas (*Proceso* núm. 985), sin respuesta, hasta la fecha, de Corona del Rosal. El menor de sus tres hijos, Ramón, ha dicho que no se explica la exclusión de las cartas en la autobiografía de su padre, *Mis memorias políticas* (la exaltación personal y el homenaje a los correligionarios). Cuenta también que don Alfonso comentó, ante sus ojos, la violencia silenciosa de García Barragán:

"No sé a que se refiere. Él y yo teníamos la misma información, la misma opinión. Siempre coincidimos, no tuvimos ninguna diferencia".

* * *

En la vida y en la política, Adolfo López Mateos y Gustavo Díaz Ordaz desempeñaron papeles complementarios. López Mateos fue frívolo —bohemio, se le decía—, orador romántico, atractivo para las mujeres por su buena presencia y el éxito que lo seguía a todas partes, ninguno como él, Presidente. Viajaba cuanto podía, el placer antepuesto al deber y se aislaba con frecuencia. Víctima de la migraña incontrolable que lo postraba por días, dejaba hacer, dejaba libre al secretario de Gobernación, su amigo.

Sedentario, porfiado, de rotunda fealdad, a disgusto entre la multitud, Díaz Ordaz llegó a la Presidencia de la República con antecedentes que lo marcaban. Jefe del gabinete en la ley de secretarías de Estado y jefe del gobierno en los hechos, sofocó hasta el crimen la huelga nacional ferrocarrilera de 1959 y metió en la cárcel a diez mil trabajadores que soltó poco a poco. Demetrio Vallejo, símbolo del movimiento, salió de la prisión viejo, desmedrado.

Frente al asesinato de Rubén Jaramillo, el gobierno calló. Oriundo de Morelos, el líder campesino se oponía al despojo de terrenos ejidales por parte de fraccionadores apuntalados por autoridades locales y federales. Hacía ruido. Fue liquidado una mañana de cielo azul. También su mujer, abultado el vientre, y tres hijos del agrarista. El Presidente John F. Kennedy visitaría México con la belleza que lo acompañaba, su esposa Jacqueline. México debía exhibirse sin conflictos, valle tranquilo, feraz. Al crimen infame lo cubrió la tierra.

Al paso del tiempo y asombrosa como es, la historia iría haciendo de Díaz Ordaz un hombre del tamaño de la tragedia de Tlatelolco.

* * *

Poco antes de su protesta como Presidente de la República, Díaz Ordaz citó en su domicilio a Javier García Paniagua (la casa se fue haciendo grande, como las casas de todos. El poder necesita espacio, amplitud que se sienta, que pese).

—Dile al general que lo espero mañana a las diez, aquí, en mi casa. De civil.

Contaba don Javier que su padre se presentó uniformado a la cita, todas las prendas encima. Díaz Ordaz salió a su encuentro, llano. Fue prolongado el apretón de manos entre estos personajes que poco se conocían.

García Barragán sabía de qué se trataba, pero alimentaba el escepticismo. Una época militó en la oposición, enfrentado al Presidente Miguel Alemán y a su candidato a la sucesión, Adolfo Ruiz Cortines. Decía el general que Alemán había devastado la moral pública, deshonesto como hombre y como Presidente. Como hombre se había enriquecido hasta el escándalo y como Presidente había desviado la ruta de México en beneficio de los Estados Unidos.

Admiraba el general a Lázaro Cárdenas. En la vida moderna de México, no había hombre de su talla. A la visión cardenista de un país independiente y próspero, siguió la pérdida de principios, huecos los discursos nacionalistas. La lucha por la igualdad entre los mexicanos se hacía añicos y se desmoronaba la fortaleza interna frente a los Estados Unidos. Cárdenas fue un estadista que pensó en "los de abajo", la revolución contada por Mariano Azuela.

García Paniagua hacía suyos los sentimientos paternos. Visitado con frecuencia por sus hijos, por el licenciado José Socorro Velázquez y por Julio Scherer Ibarra, contaba que había formado un abultado archivo fotográfico, juntos don Lázaro y don Marcelino, de uniforme y de civil. Para don Marcelino, expresaba la entrega; para don Lázaro, la admiración.

El seis de junio de 1985, don Javier me envió una carta que aludía a sus convicciones:

"Don Lázaro aprovechó su oportunidad histórica para escribir su mensaje inmortal, convencido de que la vida de México va unida al destino del C. Presidente de la República. Cuando este puesto lo ocupa un patriota, suele trazar el destino de todo un pueblo. Quizá por ello he querido obsequiarle esta estatua."

La estatua mide unos ochenta centímetros. Se ve al general de traje, claro el relieve de la banda presidencial.

Fue prolongado el encuentro entre el licenciado Díaz Ordaz y el general García Barragán: una hora y algunos minutos. Terminada la audiencia, agotadas las palabras, juntos fueron hasta la puerta que da a la Cerrada de Risco número 133, en el Pedregal. De nuevo el apretón de manos, largo.

García Paniagua vio a su padre, la pregunta en la mirada. García Barragán vio a su hijo, la respuesta en los labios, sugerida la sonrisa.

—¿Y? —exigieron los ojos de García Paniagua.

—Juré lealtad al Presidente —respondió "El Tigre".

* * *

Alguna vez sugirió el licenciado Díaz Ordaz a los miembros de su gabinete que se hablaran de tú. Pretendía la sencillez y en su casa él mismo preparaba los jaiboles. De López Mateos cuidó, devoto, pero no lo acompañó más en los viajes vertiginosos a bordo de autos europeos de gran precio, pasión de su amigo. Testigo de bodas, incontrastable en las ceremonias familiares, el Presidente no regateaba el tiempo a los anfitriones. El buen humor y la inteligencia rápida y aguda borraban la fealdad de su rostro. Su cuerpo enjuto también desaparecía.

Tomaba a broma su aspecto, tan pequeños sus ojos, tan afilado el rostro, tan pronunciados los pómulos, tan prominentes los dientes, tan abultados los labios. Decía que la mueca era propia de las bocas finas, que si se tuercen, se nota. "Yo tengo todo menos una boca fina. Si sonrío, mi sonrisa se torna risa. Hasta simpático parezco." A su irónica jactancia lo ayudaba la voz, absolutamente varonil.

Como secretario de Gobernación se había movido seguro, protegido por las cuerdas del ring en que batallaba. Como Presidente no contaba con cables que lo salvaguardaran. Un golpe podría ser mortal, el vacío a la espera. Así opinaba de él mismo. Y agregaba que sabría gobernar y gobernarse.

Temprano conoció los primeros conflictos. Los enfrentó, escindida su personalidad entre la claridad de su inteligencia y la sinrazón de su conducta.

A unos meses de la toma de posesión, pasado 1964, los médicos desfilaron por las principales calles de la ciudad de México. Exigían prestaciones mejores y el pago de su aguinaldo. Uniformados, sacerdotes de blanco, conmovían a los transeúntes que se agolpaban a su paso. Hubo quienes les lanzaron flores. También serpentinas, confeti. Los aplausos alcanzaban en algunas esquinas el tono conmovedor de las aclamaciones sentidas.

Abogado, polemista adiestrado en la política provinciana, a ras del suelo y en el Senado que apunta alto, Díaz Ordaz se negó a los médicos. Utilizó emisarios, uno, otro. Fracasaron en fila. Los médicos optaron por el paro. Atenderían sólo las emergencias, anunciaron. Díaz Ordaz los amenazó con el personal de los hospitales militares, incluidas las enfermeras. No podrían más que él. Apareció la mano dura, el puño invisible y cierto del Primer Magistrado. Los débiles se doblaron. Siguió la desbandada.

Vencidos los médicos, siguió la persecución selectiva contra algunos de ellos. Fue el caso del doctor Ismael Cosío Villegas, hermano de don Daniel, insustituible en su tiempo e imprescindible en la historia. Alto y encorvado como el escritor, enfurruñado como él, de pocos amigos y legión de seguidores, don Ismael alcanzó los más altos méritos en su especialidad. Neumólogo, fue presidente de sus colegas en América Latina, presidente de la Academia Nacional de Medicina, maestro indiscutido. Trabajó en los hospitales de atención gratuita. En Huipulco se pasaba las horas, insensible al tiempo, sensible a los enfermos macilentos, sin oxígeno suficiente, temerosos de la muerte por asfixia. No se repondría don Ismael del acoso de que fue víctima. El gobierno le cerró uno a uno los caminos de la medicina pública, razón de su sapiencia. Murió en 1986.

* * *

Como ningún otro rector de la UNAM, joven aún el sexenio de Díaz Ordaz, fue vejado el doctor Ignacio Chávez. Secuestrado en el salón del Consejo Universitario, renunció entre gritos, insultos, a punto algún energúmeno de golpearlo en el rostro.

Zeus, como llegaron a decirle, era contrario al pase automático para ingresar a la Casa de Estudios. Inconforme con los jóvenes que se hacían viejos en la UNAM, agitadores profesionales, los dejaría fuera del campus, que nada tenían que hacer ahí. Planeaba reformas académicas fundamentales. Sin rigor, afirmaba, la Universidad no salvaría su abatido prestigio.

De nada valieron los argumentos del cardiólogo a favor de la UNAM. Tampoco la claridad de su conducta ni su pasión por la ciencia y la enseñanza. Menos su reconocimiento en México y el extranjero. Su hija Celia contaba que lo poseía el trabajo, clara su inteligencia en la vacilante luz de la noche y el alba. Cercana la fecha de algún suceso, orador inevitable, reaparecía Víctor Hugo en el buró de su recámara. Admiraba el estilo del novelista, su mirada profunda sobre el hombre. Decían del doctor Chávez que era desagradable por orgulloso y cautivaba. Envolvente su conversación pausada, tenía algo mejor que la simpatía, la amabilidad.

Fue pertinaz la guerra en su contra. A los estudiantes, dirigidos por fósiles, el gobierno los dejaba hacer y reservaba las formas para el rector. Díaz Ordaz lo recibía en Los Pinos, entrada la noche. El doctor Chávez escuchaba promesas y volvía a la batalla al día siguiente. Era claro el avance de los agresores en la lucha desigual. Las autoridades toleraban el secuestro de camiones y el malestar exasperado que provocaba, la algarada de los jóvenes, su exhibición de fuerza, los mítines amenazantes fuera del recinto universitario.

El 26 de abril de 1966, el depuesto rector abandonó para siempre la Ciudad Universitaria.

Rosario Castellanos, responsable de la dirección de prensa y relaciones públicas de la UNAM, la primera en el cargo que suprimió el embute a los periodistas de la fuente a cambio de libros, vio claro el futuro:

"La Universidad fue degradada —le dijo violenta a su marido, Ricardo Guerra, profesor de tiempo completo en la Facultad de Filosofía—. Renuncia, ¿qué esperas? Salte."

La escuchó Ricardo, yo también, un largo domingo en su casa de Constituyentes:

"Vendrán tiempos nefandos."

* * *

Resueltos los problemas bajo la ley del autoritarismo presidencial, se sucedían de manera distante los encuentros entre el Jefe del Ejecutivo y el secretario de la Defensa Nacional. Pasaba tiempo sin que se les viera en los acuerdos de Los Pinos.

Desde joven, Marcelino García Barragán era tenido por un jinete a la altura de Joaquín Amaro, fundador del ejército mexicano. No había un tercero. Amaro, látigo en mano, adiestraba a la tropa incipiente. Una mañana, frente a jóvenes llegados del norte, de sombrero rústico, ordenó a los bisoños que se descubrieran. Algunos se hicieron sordos a la voz de flauta de Amaro, un pito, como se albureaba entonces. "¡Qué chingaos!", gritó la ira de Amaro. Dos reclutas se resistieron. El fuete, una llamarada, abrió sus rostros.

Esas eran las maneras de Amaro. Otros fueron los modos de García Barragán. No vejó a sus hombres. La dureza fue su estampa. No obstante, se parecían.

Del seis de marzo de 1940 al 14 de junio de 1942, el general de brigada Marcelino García Barragán ocupó la dirección del Colegio Militar. Sugerentes las biografías cercanas, el general Joaquín Amaro había cumplido igual cargo en el edificio de Popotla, palacio hermoso que se extiende sobre una superficie apacible, sea invierno o primavera. No hay soldado que camine por el rumbo sin algún sentimiento que lo renueve, que ahí está la historia del ejército mexicano.

Los jóvenes de nuevo ingreso pagaban su cuota cruel a los hermanos mayores. Era la tradición. La brutalidad tenía el valor de la primera asignatura. No podía ser de otra manera. La rudeza probada a los hombres destinados a la muerte, los que mataban y los que morían. Era el credo de García Barragán, el hierro que templa el carácter. Los cadetes envolvían a los principiantes en pesadas alfombras o colchones viejos y los lanzaban a la alberca de agua helada. Ignoraban los verdugos si sus víctimas sabían nadar. No era su problema que el primerizo saliera a flote. También los encerraban en los *lockers* y prendían un fuego largo al pie del guardarropa de acero. Eran normales las visitas a la enfermería, los pies heridos. Por las noches, en el comedor desfilaban los novatos. A su paso, menudeaban los golpes con el puño cerrado o la palma de la mano hecha callo. Alguna vez culebreaba la fajilla, el cinturón de cuero ancho, gruesa la hebilla y sólido el escudo del Heroico Colegio. Del golpe brotaba la sangre.

* * *

Jefe de la zona militar en Toluca (1960) el general García Barragán ordenó a uno de sus oficiales:

—Apaga ese fuego —una revuelta pueblerina, escandalosa.

El oficial se mantuvo tirante. Aguardó, quizá, un dato más en la orden terminante.

García Barragán volteó hacia el jefe de su Estado Mayor, Félix Galván López, años después secretario de la Defensa:

—Le faltan güevos. Vamos tú y yo.

Amaro culminó una era, García Barragán inició otra, primer soldado que llegó a la Defensa con estricta formación militar. Sus antecesores, Gilberto R. Limón, con Miguel Alemán; Matías Ramos Santos, con Adolfo Ruiz Cortines y Agustín Olachea Avilés, con Adolfo López Mateos, ascendieron por sus hechos de armas y un escalafón respetuoso de su edad avanzada. Fueron revolucionarios y terminaron burócratas. No hablaban del ciudadano Presidente o del señor Presidente. Hablaban de "mi Presidente". Era su gloria y su destino. Olachea ensuciaría el uniforme, en la penumbra su alma senil:

Aún hoy narran militares cercanos a García Barragán que Olachea era un hombre decaído al frente de la Secretaría de la Defensa. Le faltaba la salud y su inteligencia inculta se había venido abajo. Recibió la orden, de ésas que no tienen voz. Rubén Jaramillo ya había hablado con el general Lázaro Cárdenas y se aquietaba. No obstante, había que tranquilizarlo antes y durante la esperada visita presidencial, Kennedy en casa.

Un ser opaco de la judicial militar, la sombra temible que todos conocen y nadie identifica, recibió instrucciones y las transmitió al modo de la época. Existen en el ejército, como en cualquier corporación multitudinaria, formas, estilos, un caló que corre y se deja correr. "Que arreglės definitivo" era una frase común y ambigua. Un miserable tranquilizó a Jaramillo, tranquilizó a su mujer, tranquilizó a sus hijos y a todos los mató a mansalva en Xochicalco. La maldad cobró forma y volumen, podía tocarse, olerse.

* * *

Cabe suponer que Díaz Ordaz imaginó que no tendría problemas con García Barragán en la Secretaría de la Defensa. Se trataba de un centinela seguro y lejano, ideal para un hombre inclinado a la soledad, autoritario y allá adentro, sombrío. El Presidente sostenía su acuerdo cotidiano con el general de brigada Luis Gutiérrez Oropeza, jefe de su Estado Mayor y años atrás, en Gobernación, responsable de la ayudantía del titular.

Sin historia sobresaliente, Díaz Ordaz le entregaba su confianza al militar. El trabajo habitual hacía su parte, afinaba el trato, los unía. No fue extraño que a Gutiérrez Oropeza se le tuviera como virtual secretario, tantas veces al lado del jefe nato de las fuerzas armadas. Era, además, la línea inspirada por Miguel Alemán, creador de las guardias presidenciales, un pequeño y poderoso ejército dentro del ejército, un cuerpo de excepción para el Primer Magistrado.

Deliberaban Díaz Ordaz y Gutiérrez Oropeza, ausente García Barragán. Sobre la mesa citaban nombres, ponderaban grados, antigüedades. Aprobaban las promociones: mayores a coroneles, coroneles a brigadieres, brigadieres a divisionarios.

El general García Barragán se inconformó ante el Presidente Díaz Ordaz. Se presentó en Los Pinos uniformado de gala, que sólo así concebía la relación con su jefe, el respeto manifiesto. La omisión de que se le hacía objeto le parecía inadmisible. "Si no puedo revisar y aprobar las promociones militares, señor presidente, porque usted así lo decide..."

El general volvió a la Defensa. Guardó la historia para sí. Algunos contemporáneos la contaron tiempo después. A García Paniagua le pregunté del suceso, una rajadura en la estructura castrense. Sonrió sin humor. Asintió.

Transcurría un año crítico: 1966.

* * *

Insistente, yo le pedía a García Paniagua los papeles de su padre.

—Son suyos —me decía.

—Si son míos, que sean míos.

—Son suyos, de nadie más.

—En una de ésas no me da tiempo. Estoy viejo, mucho más que usted.

—Usted sólo tiene más años.

Su obesidad me causaba angustia. De estatura regular y en la media entre los cincuenta y los sesenta años, podía llevar encima ciento treinta o ciento cuarenta kilos.

Yo caía en la obsesión.

—Hábleme de los documentos, don Javier.

—Ya los verá.

—¿Cuándo?

—Pronto.

El 31 de mayo de 1995 se cumplió el centenario del nacimiento de Marcelino García Barragán. Envié unas líneas a don Javier, a Sayula. Mencionaba la última vez que había visto a su padre, en el hospital. "A usted lo recuerdo tieso, taciturno." Lo instaba, de nuevo, a que nos ocupáramos de los documentos del 2 de octubre. Temía la respuesta como se dio: el silencio.

Mi contumacia podía encender la sospecha: visitaba y aun escribía a don Javier por una razón marginal a la amistad. No era el caso, reconocida mi pasión por el material que atesoraba. La gratitud gobernaba mi relación con él. También ese cruce de sentimientos que culminan en la confianza, inasible y compacta como es. De haber cambiado de opinión, me lo habría dicho, omitidas o explícitas sus razones.

Olvidé el tema sin olvidarlo. Además, la muerte se había instalado en la casa de García Paniagua. Ahí estaba, silenciosa y terrible. Algunas veces, a lo mejor para alejarla, me había pedido que del desayuno hiciéramos almuerzo y del almuerzo la comida formal. Sin tiempo para el tiempo deberíamos darnos tiempo para conversar. Los últimos meses su fatiga crecía, aguda. Juntos hacíamos el recorrido hasta la puerta de salida, a la calle. Sentía su esfuerzo al caminar, más y más lentos sus pasos cortos, ahogada su respiración. Percibía que se bamboleaba, inseguro su centro de gravedad.

No recuerdo nuestra última conversación. Ignoraba que no habría una más, pero tengo presente una escena:

Un perro que vi inmenso, mastín con ojos sin color, se dejó venir a nuestra mesa. Don Javier gritó, grito de muerte: "¡Lobo!". El animal ocultó la cola y huyó.

* * *

García Paniagua llevó a la Federal de Seguridad, de la que fue director (1976-1978), el carácter recio de su personalidad profunda. También el amor a su padre. Las credenciales de los agentes ostentaban la cabeza de un tigre. Era esmerado el trabajo, en metal grueso. El auditorio de la Federal mostraba, a la entrada, la foto enorme de un tigre. El animal, naranja y negro, imponía su estremecedora belleza.

El incumplimiento de una orden desataba la ira de don Javier. A la cólera seguía la reprimenda furibunda, el arresto, el cese o todas las penas juntas.

Secretario de Seguridad y Vialidad años después, en tiempos del Presidente Carlos Salinas, tuvo a su lado a Miguel Nazar Haro. Policía de excepción, entrenado por los servicios de inteligencia de los Estados Unidos e Israel, instintivo, sabía de los criminales y sus pasos sigilosos lo que ningún otro investigador. Salió de la Secretaría por su fama turbia, represor, según se decía y aun torturador. No fue Heberto Castillo el único de sus acusadores constantes.

Contrastado su *curriculum*, trabajó al lado de Jesús Reyes Heroles como subsecretario de Gobernación. Decía don Javier de don Jesús, el titular, que era luminoso con el capote, de matemática perfección con las banderillas y gran señor con la muleta. No obstante, cargaba un defecto: no sabía matar.

Nunca se pusieron de acuerdo sobre Margarita López Portillo, directora de RTC. Don Jesús la combatió; don Javier se mantuvo a su lado. Más aún: fue su aliado.

Margarita, agobiada por renuncias y ceses en el canal 13, no sabía cómo deshacerse de su décimo o undécimo director, Ramón Charles, un español de puro inevitable.

Don Javier lo recibió en un salón profundo del PRI, Charles vio de lejos al presidente del Partido y antes de saludarlo, precavido, quiso saber:

—¿Le molesta el puro, señor?

—El puro, no. Me molesta usted.

En *La herencia*, José López Portillo y Jorge G. Castañeda sostienen el siguiente diálogo:

—¿Cuándo conoció usted a Javier García Paniagua? —pregunta Castañeda.

—Lo conocí en mi campaña; si mal no recuerdo, lo conocí en Coyoacán.

—¿No lo conoció en la subsecretaría de la Presidencia con Martínez Manatou?

—No. Tal vez lo habré visto.

—¿Pero no tenía relación con él en aquella época?

—No, de ninguna manera.

—¿Por qué le tuvo tanta confianza tan pronto?

—Porque lo vi muy sólido; un hombre que sabía lo que quería; era un hombre apegado a la sabiduría popular, con una política muy sencilla, sin ninguna complicación intelectual. Y también un vínculo con cierto sector del Ejército que iba yo a utilizar y que me iba a hacer falta.

* * *

El pasado 24 de marzo tuve en mis manos los documentos y testimonios del que fue secretario de la Defensa Nacional en tiempos del Presidente Díaz Ordaz. El maletín que los contenía, café claro, de piel dura, de llave y combinación, estaba dividido en dos compartimentos. A la izquierda, hojas escritas a máquina y pliegos manuscritos; a la derecha los partes militares del general García Barragán y los informes correspondientes del jefe del Estado Mayor presidencial, general Gutiérrez Oropeza.

Javier García Morales, hijo de don Javier, me entregó el portafolio en mi casa. Pronunció apenas unas palabras, una ceremonia su rostro impávido.

Me dijo que cumplía una cuestión de honor, una palabra empeñada. Aún lo escucho:

—Sé del aprecio de mi padre para usted. También de la estima de mi abuelo.

Hablé en su mismo tono:

—Les correspondí. Los quise mucho.

García Morales desprendió el reloj de su muñeca izquierda y me lo ofreció:

—Fue de mi padre. Me lo regaló hace poco, ya muy enfermo. Se lo regalo.

El reloj es sencillo, de carátula redonda y delgados números romanos.

Me sentí turbado. Ahí estaba, sobre una mesa, el maletín abierto con el legado del general. Al lado, el reloj.

—Hábleme de su padre —le pedí a Javier. Poco había sabido de García Paniagua en un tiempo irrecuperable.

—No quería vivir.

—Desde hace mucho.

—Los médicos le recomendaron que se operara. Aún le quedaba trecho, le decían. No aceptó. "No quiero que me abran. ¿Para qué? Ya hice todo lo que tenía que hacer. Recuerda hijo, que así pensaba el general." Murió en Guadalajara, con mi madre, amor que no se extinguió entre ellos. Mi padre le pidió que le llevara el desayuno a la cama, se disponía a probarlo y la cabeza se le vino abajo. Buscaba la muerte, ¿verdad?

—¿Para qué se interroga?

—Quisiera saber.

* * *

Marcelino García Barragán se formula preguntas que él mismo responde en una imaginaria entrevista de prensa. Las preguntas abarcan pliego y medio. Las respuestas, firmadas al calce una a una, rematan en la página número cinco, la última:

General de División

MARCELINO GARCÍA BARRAGÁN.

La rúbrica, que sube y baja, toca el grado, el nombre y los apellidos del militar. Enlaza al hombre y a su vocación, inseparables.

La autoentrevista tiene su propia cadencia. Las preguntas iniciales son suaves y van subiendo de tono a medida que avanza el texto. Queda un tema sin respuesta. Alguna vez, quizá, conoceremos la respuesta. ¿Intervinieron los Estados Unidos en el 68?

Al azar había elegido el documento, sin fecha. Leí febril, dolorido, tantos años de espera y cierto de sorpresas amargas, duras. Pasé los ojos por un párrafo atroz, bloque sin puntos y aparte. Sentí la muerte, ser vivo, vivo como la vida.

"Permítanme enterarlos de lo siguiente" ("informa" el general a los periodistas. La metáfora asciende a un realismo brutal):

"Entre 7 y 8 de la noche el General Crisóforo Mazón Pineda me pidió autorización para registrar los departamentos, desde donde todavía los francotiradores hacían fuego a las tropas. Se les autorizó el cateo. Habían transcurrido unos 15 minutos cuando recibí un llamado telefónico del General Oropeza, jefe del Estado Mayor Presidencial, quien me dijo: Mi General, yo establecí oficiales armados con metralletas para que dispararan contra los estudiantes, todos alcanzaron a salir de donde estaban, sólo quedan dos que no pudieron hacerlo, están vestidos de paisanos, temo por sus vidas. ¿No quiere usted ordenar que se les respete? Le contesté que, en esos momentos, le ordenaría al General Mazón, cosa que hice inmediatamente. Pasarían 10 minutos cuando me informó el General Mazón que ya tenía en su poder a uno de los oficiales del Estado Mayor, y que al interrogarlo le contestó el citado oficial que tenían órdenes él y su compañero del Jefe del Estado Mayor Presidencial de disparar contra la multitud. Momentos después se presentó el otro oficial, quien manifestó tener iguales instrucciones."

¿Cuántos habrían muerto, enderezadas las metralletas contra la multitud? No tenía sentido la pregunta: No cabía en la tragedia la aritmética del crimen.

* * *

El general García Barragán ordenó por separado las preguntas y respuestas en su encuentro imaginario con los periodistas. Interroga —se interroga— como un reportero, la avidez por la verdad. Discurre la insólita entrevista.

“PREGUNTAS:

"1.- ¿Cuáles son las atribuciones del ciudadano secretario de la Defensa Nacional?

"2.- En la administración del Lic. Gustavo Díaz Ordaz, cuando usted fue secretario de la Defensa Nacional, ¿se registró algún intento de levantamiento armado por parte de grupos guerrilleros?

"3.- ¿Qué problemas graves ha confrontado el régimen de la Revolución Mexicana?

"4.-

"A) ¿A qué se debió la intervención del Ejército en el movimiento estudiantil de 1968?

"B) ¿Quién le solicitó a usted la intervención del Ejército en relación a los sucesos del 2 de octubre en la Plaza de las Tres Culturas?

"C) ¿Cuáles eran las órdenes que usted dio al ejército al participar en estos acontecimientos?

"D) ¿Existió predisposición en contra del gobierno por parte de algunos sectores de la población del conjunto habitacional de Tlatelolco?

"5.- ¿Cree usted que fue una trampa del Estado Mayor Presidencial o del Ciudadano General Luis Gutiérrez Oropeza la que se tendió mediante los franco-tiradores, buscando desestabilizar al país al provocar el caos económico?

"6.- ¿Fue entonces el secretario de Gobernación quien ordenó la intervención del ejército?

"7.- ¿Es culpable el C. Presidente de la República por los acontecimientos del movimiento estudiantil de 1968?

"8.- ¿Es verdad que el gobierno de Estados Unidos de América lo presionó a usted para tomar el poder mediante un golpe de estado?

"9.- Se habla de una división entre diplomados y tácticos. ¿Qué opina usted al respecto, mi general?

"10.- ¿Cree usted que se puedan repetir los sucesos del 68?

"11.- Finalmente ¿se siente usted responsable del desenlace del movimiento estudiantil?"

* * *

Las respuestas a su propio cuestionario calan la historia del 68. A García Barragán lo envolvió la muerte ajena y con ella descendió a la tumba. De aquí su legado. Y que la historia juzgue, sostiene invariable.

"RESPUESTAS:

"1.- Las atribuciones del Secretario de la Defensa Nacional están fijas, determinadas e inviolables en la ordenanza general del Ejército Mexicano.

"2.- Al iniciarse el periodo Gubernamental 1964-1970, se suscitó un ataque en el Estado de Chihuahua por un grupo de 30 elementos de filiación comunistas, encabezados por el profesor Arturo Gámiz, quienes asaltaron la partida militar en Madera, Chih., siendo rechazados y muertos, unos en este lugar y el resto cayeron, uno a uno, en los límites de los Estados de Chihuahua y Sonora.

"Ya para finalizar la misma administración, en el Estado de Chiapas el Ejército Mexicano hizo contacto con un grupo de Guerrilleros Centroamericanos, también de filiación comunista, entre los que se encontraban Mario Yon Sosa y 10 individuos más que fueron muertos por el personal de nuestro Ejército.

"3.- La Revolución Mexicana, que se consolidó en 1917, ha tenido, a mi juicio, los problemas siguientes:

"a).- El enfrentamiento de Carranza y Obregón.

"b).- La Rebelión Delahuertista.

"c).- La Rebelión Escobarista.

"d).- La Rebelión Cedillista, y

"e).- El conflicto estudiantil de 1968.

"4.-

"a).- A la información falseada y exagerada que recibió el entonces Secretario de Gobernación, motivándolo a asumir la responsabilidad histórica de solicitarme la intervención del Ejército la noche del 30 de julio de 1968, argumentando, sumamente alarmado, que la Policía Preventiva del Departamento del Distrito Federal era impotente para someter a los estudiantes que alteraban el orden en la Ciudad amenazando con asaltar las armerías del primer cuadro y mucho menos iban a controlar los que, según él me informó, venían procedentes en número aproximado de 10,000 de las ciudades de Puebla y Tlaxcala, encontrándose éstos en San Cristóbal Ecatepec y que, además, en la Ciudadela se encontraban de 5,000 a 10,000; en Tlatelolco de 6,000 a 8,000 y en la Preparatoria de Coapa de 2,000 a 3,000, todos ellos estudiantes.

"Al intervenir las Tropas en las Preparatorias 1, 2 y 3 se encontraron pequeños grupos de jóvenes que fueron desalojados sin dificultad, no disparándose un solo tiro. De igual manera se procedió con las escuelas antes mencionadas con idénticos resultados.

"En esta operación, como fue del dominio público, no hubo muertos que lamentar, quedando ocupados los planteles por el Ejército.

"Para justificar ante la opinión pública la intervención de las Fuerzas Armadas, el entonces Secretario de Gobernación, en mi presencia, le dio instrucciones al Rector Ing. Javier Barros Sierra, de organizar una manifestación de maestros y alumnos de la Universidad y el Politécnico; no imaginó, al inventar a este Héroe Civil, que las consecuencias serían trágicas para el País y su tranquilidad. El Sr. Rector Barros Sierra, preocupado, me preguntó si tendrían las suficientes garantías él y los manifestantes y si el Ejército no procedería a disolver la manifestación, a lo que contesté que no se saliera de las indicaciones recibidas, o sea, llevar a cabo la manifestación partiendo de la Ciudad Universitaria hasta las calles de Félix Cuevas para regresar nuevamente al punto de partida y que no habría problema. El Rector de referencia en el transcurso de la manifestación escuchó el canto de las sirenas comunistas y creyéndose un Héroe en verdad y tomando muy en serio su papel de Caudillo Prefabricado, cometió la insensatez de izar nuestra Enseña Patria a media asta como protesta por la supuesta agresión a la Autonomía Universitaria; procedió también a rodearse de elementos contrarios al régimen gubernamental y a planear un verdadero problema estudiantil que creció en forma alarmante hasta el desenlace del 2 de octubre de 1968.

"b).- Teniéndose conocimiento de que iba a celebrarse un mitin en la Plaza de las Tres Culturas el 2 de octubre de 1968, a las 17 horas y que en él se exhortaría a los asistentes a marchar al Casco de Santo Tomás y tratar de apoderarse de las citadas instalaciones, desalojando a las tropas que las ocupaban, el Secretario de Gobernación solicitó nuevamente que, en apoyo a la Policía Preventiva del Departamento del Distrito Federal, el Ejército interviniera para impedir que los concurrentes se trasladaran al Caso de Santo Tomás para efectuar un enfrentamiento de éstos con las Tropas que custodiaban las instalaciones y que, de llevarse a cabo, hubiera sido de graves consecuencias.

"c).- El Ejército, como en todas las intervenciones anteriores, recibió las órdenes siguientes:

"1.- Actuar con suma prudencia al hacer contacto con las masas.

"2.- Si el ataque es con piedras, varillas o bombas molotov, buscar el combate cuerpo a cuerpo sin emplear la bayoneta.

"3.- Aunque haya disparos de parte de los estudiantes, no se hará fuego hasta no tener 5 bajas causadas por bala.

"4.- Si atacaran con fuego aislado y sin consecuencias, contestar al aire, solamente oficiales.

"5.- Si la situación lo requiriera, contestar como sea necesario.

"d).- Sí. Los habitantes de Tlatelolco estaban predispuestos contra el Gobierno, en primer lugar por las repetidas veces que terroristas habían ametrallado la Vocacional 7, poniendo en peligro la vida de los habitantes de dicha unidad.

"Estos terroristas eran oficiales del Estado Mayor Presidencial, que recibieron entrenamiento para este tipo de actos, concebidos y ordenados por el entonces jefe del Estado Mayor Presidencial."

La razón se nubla. A fuerza de leer y releer el párrafo, lo hice nauseabunda memoria.

Sigue la palabra de García Barragán, sin cuartel:

"Como consecuencias de esta animadversión hacia el Ejército, la tarde del 2 de octubre, al presentarse el Ejército a darle apoyo a la Policía Preventiva, surgieron francotiradores de la población civil que acribillaron al Ejército y a los manifestantes. A éstos se sumaron oficiales del Estado Mayor Presidencial que una semana antes, como lo constatamos después, habían alquilado departamentos de los edificios que circundan a la Plaza de las Tres Culturas y que, de igual manera, dispararon al Ejército que a la Población en general."

A continuación:

"Permítanme enterarlos de lo siguiente".

Y el párrafo largo y la frase que mueve a la náusea:

"...Mi General, yo [Gutiérrez Oropeza] establecí oficiales armados con metralletas para que dispararan contra los estudiantes..."

Prosigue en sus respuestas el secretario de la Defensa:

"5.- Esta pregunta quedó contestada en las respuestas anteriores.

"6.- No ordenó sino que solicitó la intervención del Ejército, como ya lo expresé con antelación.

"7.- No es culpable el C. Presidente de la República, que cumple y hace cumplir la Constitución General de la República.

"8.- Considero que esta pregunta se le debe formular al Sr. Licenciado Gustavo Díaz Ordaz.

"9.- Esta división se creó al romper el equilibrio en los mandos, ya que actualmente, de 35 zonas militares, 30 comandantes de las mismas están ocupadas por Diplomados del Estado Mayor y únicamente 5 por tácticos, siendo estos últimos el 80% de los Generales en el activo.

"Cuando fui Secretario de la Defensa Nacional siempre les inculqué a los miembros del Ejército que el único Líder que puede existir en el Ejército es el C. Presidente de la República en turno, a quien corresponde legalmente el mando supremo, y considero que los hechos son más elocuentes que las palabras.

"10.- Creo no ser el indicado para contestar esta pregunta, porque no estamos viviendo esas circunstancias.

"11.- Si ustedes se refieren a la responsabilidad del 3 de octubre, deben recordar una entrevista de prensa que concedí y en la que se me preguntó quién era el comandante responsable de las tropas, a lo que contesté: ¡Yo soy! Ahora bien, los responsables del conflicto estudiantil forman un triángulo indivisible, formado por el C. Presidente de la República, el Secretario de Gobernación y el Secretario de la Defensa Nacional.

"La Historia se escribe a largo plazo y la verdad resalta cuando, con el tiempo, se serenan las pasiones. Recordando respetuosamente al gran Juárez he de decirles que la Historia y, sobre todo, el Pueblo de México, que siempre ha sido y será insobornable, se encargará de juzgarnos."

* * *

El primero de enero de 1978, bajo el título "La Verdad para la Historia", Marcelino García Barragán, de su puño y letra, escribió para su hijo, el más cercano:

"Javier:

"Has de recordar que el 2 de octubre, en el tiroteo de Tlatelolco, el Gral. Luis Gutiérrez Oropeza, J.E.M.P., mandó apostar, en los diferentes edificios que daban a la Plaza de las Tres Culturas, diez oficiales armados con metralletas, con órdenes de disparar sobre la multitud ahí reunida y que fueron los actores de algunas bajas entre gente del Pueblo y soldados del Ejército. Todos pudieron salirse de sus escondites, menos un teniente que fue hecho prisionero por el Gral. Mazón Pineda, quien me informó por teléfono de esto que estoy relatando y que el oficial prisionero le había informado al citado General Mazón Pineda. Esto mismo me lo confirmó el general Oropeza en conferencia telefónica, diciéndome: 'Mi general, de orden superior envié 10 oficiales del E.M.P. (Estado Mayor Presidencial) armados con metralletas para apoyar la acción del Ejército contra los estudiantes revoltosos. Cuando el Ejército entró en los edificios, ordené que cuanto antes regresaran a sus puestos, concentrándose, pero un Teniente que no pudo salir y lo tenía preso el Gral. Mazón Pineda, preguntó: ¿Quiere Ud. Ordenar que lo pongan en libertad?'. Contestación mía: ¿Por qué no me informaste de esos oficiales a que te refieres? Gral. Gutiérrez Oropeza: 'porque así fueron las órdenes, mi general'. Gral. B.: 'Ya ordené a Mazón que ponga en libertad al prisionero, acto que se verificó'."

Al término de su carta, que firma, narra sucinto el general García Barragán:

"Una vez el Gral. Castillo Ferrara estuvo en los baños del E.M.P. y se encontró con Oropeza y esto le dijo en el curso de una conversación.

"Un día que tuvo acuerdo mi Gral. Barragán con el Sr. Presidente, al salir él entré yo y el Presidente, al verme, empezó a reírse conmigo y me dijo: 'Barragán cree que Ud. es el que interviene sin mis órdenes, sin mi consentimiento'. Agrega Oropeza, ni se las huele, porque yo me aguanto.

"Castillo me lo informó luego."

* * *

Ocupaba yo la dirección de *Excélsior* en los turbulentos días de octubre y al periódico llegaban informes del desorden que privaba en las esferas oficiales. Cada dependencia tenía su versión de los hechos y cada una informaba a su modo. El secretario de Gobernación, a su encomienda la tranquilidad del país, no se sentía, no pesaba. Era sombra en la bruma. La crisis en ascenso, el Presidente Díaz Ordaz viajó a Guadalajara y desde ahí tendió su mano vacía a los rebeldes. En la ciudad de México, el ejército destruyó el portón legendario de la Preparatoria de San Ildefonso, custodio, el plantel, de los murales de José Clemente Orozco.

Escuché años después, por azar, que el secretario de Gobernación y el secretario de la Defensa Nacional se comunicaron por la red en aquellas jornadas aciagas. Fue áspero el diálogo, cortante el militar. Portavoz de órdenes superiores, Luis Echeverría había solicitado la intervención del ejército y, ya en el Zócalo, la tropa le había pedido a Marcelino García Barragán que la volviera al cuartel. El general respondió, alta la voz, que no. No estaba jugando.

Francisco Quiroz Hermosillo, mayor entonces, general de división ahora, así platicó en un círculo pequeño. "¿Cómo lo supo?", acerté a preguntar, sin malicia aparente. "Estuve ahí, en el despacho del general secretario. Fui testigo".

Quiroz Hermosillo es hombre con historia en el ejército. De uno noventa de estatura, doblado como un gladiador, fue auxiliar del general De Gaulle en su visita a México (marzo de 1964); fue uno de los diez ayudantes del general García Barragán, secretario de la Defensa; fue director de la Brigada Blanca; fue el encargado del Campo Militar Número 1 en los días de Tlatelolco, trasladados a sus instalaciones hasta cuatrocientos líderes, estudiantes, profesores, inocentes atrapados bajo oscura sospecha.

Cadete del Colegio Militar, a lo largo de la carrera ganó y perdió, perdió y ganó el primer lugar con el actual secretario de la Defensa, general Enrique Cervantes Aguirre. La competencia los hizo compadres. Y la vida, amigos inseparables.

* * *

En *La herencia*, su autor, Jorge G. Castañeda, le preguntó a Luis Echeverría si tuvo contacto con los líderes del 68. No. Si negoció con ellos. No. Si tuvo algún negociador. No. Si alguna vez pensó en renunciar. No. Si recibió instrucciones del Presidente para negociar. No.

—¿Por qué cree usted que [el Presidente] no le dio instrucciones de negociar? La lógica hubiera sido que fuera el secretario de Gobernación quien negociaría —inquirió Castañeda.

—Pues él —respondió Echeverría— empleó distintos conductos y así lo consideró conveniente. O pensó que tenía la persona adecuada, que era importante preservarme.

—¿Por qué preservarlo?

—Precisamente porque el Presidente siempre necesita —aunque no siempre pueda lograrlo— conservar algunos precandidatos que no hubieran tenido asperezas con ciertos sectores.

Luis Echeverría, entre los muertos del 68, el llanto, la desolación, la incertidumbre, los presos que fueron tantos y algunos tan ilustres, no se limpió ni ensució las manos. Ni siquiera se lavó las manos con agua sucia, como recomendaba Jesús Reyes Heroles. No abogó por víctima alguna el secretario de Gobernación, por nadie peleó. Se preservó. Y fue Presidente.

Corresponde el lenguaje incoloro, insaboro e inodoro de Echeverría a la imagen que ha pretendido dejar de sí mismo. Él se mantuvo más allá del bien y del mal. En la guerra, ni disparó ni lo rozó una bala. Secretario de Gobernación, segundo en el mando de un país convulso, abdicó de su responsabilidad y miró al limbo, alma errante liberada de la tragedia nacional.

Castañeda también le pregunta:

—Cuando cae Hernández Toledo —herido el general, la sangre enrojece la plaza—: ¿Quién queda al mando de la tropa?

—No recuerdo —responde Echeverría, y agrega, luminoso: pero siempre hay un segundo.

—Se ha dicho que era Jesús Castañeda Gutiérrez.

—No, él estaba en el Batallón Olimpia.

—¿Estuvo en Tlatelolco?

—No sé.

—¿Usted no recuerda si estuvo en Tlatelolco?

—No. Cuando tuve que designar al jefe del Estado Mayor, cargo de muchísima confianza, habían sido varios los candidatos y otros antecedentes; la estimación que le tenían los cadetes le valía sin conocerlo. Lo invité a ser jefe del Estado Mayor, o sea, que iba a estar dentro de mi casa.

—¿Pero nunca le preguntó si estuvo en Tlatelolco?

—No, absolutamente. El ritmo de trabajo no lo permitía, así es que lo invité sin conocerlo, solamente por referencia, a ser el jefe del Estado Mayor.

Lo nombró de oídas.

* * *

No corrige sus cartas manuscritas el general García Barragán. El texto corre. No hay un borrón en los pliegos, tampoco una tachadura, dos palabras sobrepuestas, algún acento que estuvo de más. En la atmósfera baja y plomiza del 2 de octubre, narra un encuentro con el general Lázaro Cárdenas. Lo titula: "La Batalla Política Ganada por Cárdenas".

La introducción es impersonal, un escribano entre los personajes. Sigue el diálogo, la palabra que se escucha.

Abre así el texto:

"Pasados los acontecimientos de Tlatelolco de 1968, una mañana habló el General Cárdenas, al General García Barragán, para que lo invitara a desayunar a su residencia particular 'Quinta Galeana' para platicar. La conversación se desarrolló en el siguiente diálogo:

"Gral. Cárdenas:

"• He venido a verte para pedirte, hables con el Sr. Presidente para que le pidas tú, ponga en libertad a los Presos Políticos, mira puedes argumentar que con ese acto se les quita la bandera y no podrán justificar ninguna agitación póstuma.

"Gral. Barragán:

"• Usted fue Secretario de la Defensa y Presidente de la República, como Presidente no toleraría una petición semejante a la que me pide haga al Presidente Díaz Ordaz, y como Secretario de la Defensa tampoco se atrevería hacerle al Presidente la petición que me aconseja.

"Gral. Cárdenas:

"• No te pongas en ese plan considera que sin Bandera los Estudiantes, se acaba la agitación.

"Gral. Barragán:

"• Bueno, porque no le pide usted directamente al Presidente que los ponga en libertad.

"Gral. Cárdenas:

"• Yo ya hablé con él, y me contestó, no los podía echar fuera porque tú te podías enojar, con toda la razón, dado que tú los habías aprehendido y consignado, por eso vengo a ti a pedirte que me ayudes a ponerlos en libertad, se trata de presos políticos no criminales del fuero común, convéncete.

"Gral. Barragán:

"• Bueno mi General, cómo justifica el Gobierno los métodos en Tlatelolco.

"Gral. Cárdenas:

"• Eso no tiene importancia, lo que le interesa al País es que haya tranquilidad, e insisto en que poniéndolos en libertad se les quita la bandera de su agitación.

"Gral. Barragán:

"• Usted no esta enterado de cómo empezó esta trifulca, porque estaba en Michoacán, y qué les cuento a mis compañeros heridos y a los deudos de los muertos; Otro día nadie me obedece, ni a mí, ni al Gobierno, pasaría como un militar que no sabe lo que ordena, ni cuál es su deber con las Instituciones, y lo que usted me pide no lo hago, ni como soldado ni como hombre, y también creo que usted no leyó mis declaraciones de lealtad al Gobierno que sirvo y a la confianza depositada en mí por el Presidente Díaz Ordaz. Si el ordena que se pongan en libertad, está en su perfecto derecho, la Política del País él la conduce, no yo como Secretario de la Defensa.

"Gral. Cárdenas:

"• Bueno, le dices al Sr. Presidente que tú no te opones e invéntame lo que quieras, posiblemente, me falten detalles que no conozco.

"Gral. Barragán:

"• Usted conoce y sabe todo, porque con Usted consultan su opinión y supongo habrá platicado con cada uno de los cabecillas.

"Gral. Cárdenas:

"• En efecto, hablé con Heberto Castillo, un hombre de amplia cultura, muy buen profesionista y su fama traspasa los límites de la Política, muy inteligente y muy capaz y ya ves como lo trató la policía, y hablé con varios muchachos, pero como tú dices no conozco muchos detalles porque me fui a Michoacán y regresé cuando todo había pasado, lamentando los acontecimientos en vísperas de la Olimpiada.

"Gral. Barragán:

"• Empezaré a relatarle lo del 2 de octubre de 1968.

"Eran las 7 de la mañana, estaba en mi despacho, donde tenía varios días durmiendo en la Secretaría con mi Estado Mayor, mi Secretario Particular y Ayudantes planeando la forma de terminar con el movimiento; en esos momentos llegó el Capitán Barrios (actual Subsecretario de Gobernación) al que esperábamos sus informes, para completar mi plan.

"Reunidos en mi Despacho, escuché todos los informes y pregunté al Capitán Barrios podremos encontrar en el Edificio Chihuahua algunos departamentos vacíos, donde meter una Compañía?, Barrios me contestó, déjeme ver; tomó el teléfono y habló con el General Oropeza, me pasó el audífono, y le dije a Oropeza que me consiguiera para antes de las dos de la tarde, los departamentos que pudiera para meter una Compañía; en media hora tenía conseguidos tres Departamentos vacíos a mi disposición, uno en el 3er. piso y 2 en el 4o. piso, serían las 11 de la mañana del 2 de octubre cuando recibí este informe se necesitaba para completar mi plan que nada mas yo lo sabía, pues el Estado Mayor me indicó que no encontraban la forma de aprehender a los cabecillas sin echar balazos. Ordené al General Castillo que con el Coronel Gómez Tagle y el Capitán Careaga se fueran inmediatamente a reconocer los Departamentos vacíos del Edificio Chihuahua y estuvieran de regreso con las llaves a las 12:30, así lo hicieron. Ordené poner centinelas con la Policía Militar, para que no dejaran subir a nadie, ni entrar sin mi permiso personal, para evitar alguna infiltración e indiscreción, se cumplió al pie de la letra, en mi Despacho mandé traer sandwiches y refrescos, desayunamos y comimos; mi plan consistía en aprehender a los cabecillas del movimiento, sin muertos ni heridos; éstos tenían cita a las cuatro de la tarde en el 3er. piso del Edificio Chihuahua para celebrar el mitin del 2 de octubre en la plaza de Tlatelolco.

"Terminamos el plan a las dos de la tarde y lo traducimos en órdenes que se cumplieron a las 15:30 de esa tarde. El Capitán Careaga faltando 20 minutos estaba acantonado en los Departamentos vacíos del Edificio Chihuahua, con órdenes de aprehender a Sócrates Amado Campos cuando estuviera al micrófono; el Coronel Gómez Tagle a las 3:40 del día 2 estaba con su Batallón Olimpia con su dispositivo, para tapar todas las salidas del Edificio Chihuahua, para evitar la fuga de los cabecillas que a las cuatro de la tarde ya estaban todos en los balcones del 3er. piso y una terraza para empezar el mitin, este Capitán Fernando Gutiérrez Barrios. Empezó; y a la hora en que Sócrates estaba más entusiasmado hablando a la multitud con micrófono en mano, un soldado escogido por el Capitán X, muy fuerte y decidido jaló de las piernas a Sócrates derribándolo, éste siguió hablando hasta que el Capitán le puso su pie en el micrófono y se lo quitó, en esos momentos comenzaron los disparos de las cinco columnas de seguridad que a las ordenes de XXX estaban apostados en las azoteas de los demás edificios esperando al ejército quien contestó el fuego.

"En los primeros tiros cayó el General Toledo Comandante de Paracaidistas; durante el tiroteo murieron XX oficiales y XX tropa y 35 civiles muertos y XX heridos que las mismas columnas de seguridad de los estudiantes y disparos de la tropa hicieron en la refriega.

"A los primeros disparos el Batallón Olimpia se replegó en las entradas del Edificio Chihuahua, y aprehendió como 400 individuos entre los que se encontraron todos los cabecillas del movimiento, descabezándolo con este hecho, que fue el éxito completo de mi plan, aprehender los cabecillas del movimiento, los que comentamos en la Prisión Militar del Campo No. 1, hoy Alvaro Obregón, para interrogarlos yo e investigadores especiales, para tener información antes de consignarlos al Procurador General de Justicia, éste me los pidió para mandarlos a la Penitenciaría, pero a mí me interesaba conocer primero que nadie declaraciones de los detenidos, para no tener información deformada o tendenciosa. Hablé con Sócrates y otros cabecillas y terminada el acta de declaraciones los consignamos, antes había informado detalladamente el Sr. Presidente.

"El General Cárdenas escribió con atención este relato y le lancé esta pregunta ¿Todavía cree Usted en que son Presos Políticos, los que le prepararon esta trampa al Pueblo y al Ejército para que hubiera 'muertitos' y tener esta Bandera para seguir su agitación?

"Gral. Cárdenas:

"• Voy a hablar nuevamente con el Sr. Presidente, gracias por el desayuno, se despidió de mí y tomó su coche.

"COMENTARIOS:

"Para mí el Señor General Cárdenas a quien siempre quise con mucho afecto y respeto, y creo que mi afecto estaba bien correspondido, Pidió al Presidente Echeverría la libertad de los llamados Presos Políticos, entre los que hay hombres inteligentes, para mí el más valioso Sócrates, como hombre y como intelectual, no conozco a Heberto Castillo, quien no tomó parte activa en el 2 de octubre.

"Como a las 7:30 de la noche me habló el General Mazón, para pedir permiso para registrar los Edificios donde había franco-tiradores, lo autoricé y como a los 15 minutos me habló el General Oropeza.

"Mi General, me dijo: Tengo varios oficiales del Estado Mayor Presidencial apostados en algunos Departamentos, armados con metralletas para ayudar al Ejército con órdenes de disparar a los Estudiantes armados, ya todos abandonaron los Edificios, sólo me quedan dos que no alcanzaron a salir y la tropa ya va subiendo y como van registrando los cuartos temo que los vayan a matar, quiere usted ordenar al General Mazón que los respeten.

"Gral. Barragán:

"• En estos momentos hablo con el General Mazón, como me lo pides.

"Hablé con el General Mazón transmitiéndole la petición del General Oropeza.

"Gral. Mazón:

"• Si mi General ya tenemos uno armado con metralleta y dice haber disparado hacia abajo.

"Al poco rato me habló Mazón para informarme que ya se había presentado el otro oficial, también armado con metralleta y que había hecho lo mismo.

"Enseguida me comunique con Oropeza, informándole que ya habían aparecido los dos oficiales y ya se les había ordenado se incorporaran al Estado Mayor Presidencial.

* * *

El jueves 18 de septiembre de 1969, estricta su primera plana con dos grandes fotografías y pesadas letras a cinco columnas, publicó *Últimas Noticias*, la edición de mediodía de *Excélsior*.

"Atentado contra *Excélsior*".

En seguida:

"Dos Potentes Bombas Causaron Graves Daños en las Oficinas de Reforma 18".

A continuación:

"Fueron arrojadas, al parecer, desde un vehículo en marcha; no hubo víctimas".

Detallaba la información:

"La explosión de las bombas se escuchó en por lo menos cinco kilómetros a la redonda. Desde la Secretaría de Gobernación (a cuatro cuadras) se oyó un estruendo impresionante."

También:

"Las detonaciones cimbraron el edificio".

Excélsior exigía una investigación a fondo, el pertinente esclarecimiento de los hechos. La historia oficial quedó ahí. Del gobierno nada se sabría, salvo las adhesiones rituales, la repulsa al atentado. El Presidente Díaz Ordaz encabezó el coro. Siguieron Echeverría, Martínez Manatou, Corona del Rosal, Sánchez Vargas, casi todos.

El general García Barragán dejó entre sus papeles la historia que sigue:

"La prensa de México amaneció dando la noticia de que había habido 4 explosiones en *Excélsior*, en Gobernación, en *El Sol* y en *El Heraldo.* Confirmando la información convoqué a una junta del Estado Mayor, Directores de las Armas y Servicios, para pedirles su cooperación, ordenando a todo el personal a sus órdenes que pidieran a sus familiares y amigos, les informaran si algo sabían o llegaban a saber sobre las citadas explosiones.

"Al día siguiente se me presentó un oficial con la siguiente información y me dijo: 'Mi General, en las Barrancas del Complejo del E.M.P. están unos Americanos enseñando defensa personal y práctica de explosivos a personal del E.M.P., no sé si le pudiera servir esta información para lo que usted desea conocer con relación a las explosiones. Le conté esto al General X y él me mandó con usted'. ¿Y cómo supiste esto?, le pregunté. 'Yo todos los días voy a tirar al Stand del E.M.P., y el Capitán encargado es mi amigo, al presentarme me dijo, hoy no puedes tirar, hay órdenes superiores para que nadie esté hasta nueva orden, en ese momento se oyó en la barranca una fuerte explosión y me dijo, ya oíste, pues por eso no puedes pasar, llegaron ayer unos oficiales gringos en avión y son los instructores de explosivos y defensa personal'. 'Me retiré y vengo a informarle'.

"Inmediatamente ordené a un Ayudante fuera a comprobar esta información, asomándose por el lado de Santa Fe a las barrancas con la discreción debida. A las 2 horas el Ayudante regresó informando que efectivamente se oían explosivos, vio un personal adiestrándose en defensa personal.

"A los dos días de las explosiones el General C. De E.M. de la Defensa me informó que él también había recabado la misma información al ir a bañarse al vapor del E.M.P. Más tarde me informó que el J. Del E.M.P. le había confirmado toda la información.

"Por la red telefónica privada le informé al Sr. Presidente de esta información, sin ningún comentario.

"Pasados cinco días de este acontecimiento me dieron acuerdo Presidencial. Al llegar con el Presidente, después del saludo, me dijo: 'Usted me informó del entrenamiento de oficiales, en las barrancas del E.M.P., pues efectivamente este hijo de la chingada de Oropeza trajo unos gringos en aquellos aviones militares que Usted me informó habían llegado al hangar del E.M.P. y sin ningunas precauciones ni tomar la mayor discreción son los autores de las explosiones'. Le hice ver al Presidente que eso era grave, porque tenía que saberlo el Pentágono y que no le convenía al Gobierno. Se encogió de hombros y terminó la información. Al regresar de mi acuerdo, llamé a los Directores de Armas y Servicios para ordenarles suspendieran sus pesquisas en virtud de que estaba claro que el General Oropeza había sido el autor de los bombazos."

* * *

Abruma la desmesura del poder. La vi, la leí en un pequeño libro de Luis Gutiérrez Oropeza, jefe del Estado Mayor presidencial de Gustavo Díaz Ordaz. El libro, cien páginas, dos mil ejemplares, fue escrito en homenaje al expresidente, al hombre y al político de igual grandeza en el hogar y en Palacio. Ilustra la portada una fotografía del día de gloria del personaje trágico, su toma de posesión el primero de diciembre de 1964. De pie en un automóvil abierto se dirige al Congreso. La multitud se agolpa a su alrededor. Díaz Ordaz mantiene los brazos extendidos a la altura de los hombros, los ojos protegidos por unas gafas claras, la sonrisa a todo lo que da, la dentadura inaudita.

Circuló el libro el año 1988, a setenta y cinco años del nacimiento de Díaz Ordaz y a nueve años de su muerte. En un prólogo breve, Gustavo de Anda, articulista de nombre fugaz, escribió:

"Algún día tendrá que reconocerse que a Gustavo Díaz Ordaz debemos el haber librado a México de caer en manos de los soviéticos. La subversión de 1968, promovida desde el extranjero, tenía esa finalidad."

Gutiérrez Oropeza da cuenta de las normas de trabajo que Díaz Ordaz le señaló el 30 de noviembre de 1964, la víspera ya refulgente, la vida cotidiana hecha historia:

"Dada la organización o división del trabajo, no permitiré que un secretario de estado me quiera tratar asuntos que no sean inherentes a su cometido. A usted será al único que le permitiré tratarme de todo. Los informes debemos en su medida y con oportunidad y tenga mucho cuidado en no 'picarme la cresta', porque mis decisiones equivocadas podrían tener graves consecuencias.

"Coronel, si en el desempeño de sus funciones tiene usted que violar la Constitución, no me lo consulte, porque yo, el Presidente, nunca le autorizaré que la viole; pero si se trata de la seguridad de México o de la vida de mis familiares, coronel, violela, pero donde yo me entere, yo, el Presidente, lo corro y lo proceso, pero su amigo Gustavo Díaz Ordaz le vivirá agradecido. ¿Estamos de acuerdo, coronel?"

Va y viene el libro, es su ritmo, de la firmeza de Díaz Ordaz a los peligros que sorteó en defensa de la integridad del país. Díaz Ordaz, estoico, lúcido, vence a los enemigos encubiertos. "Judas", los llama Gutiérrez Oropeza. Y los menciona:

Lázaro Cárdenas, al servicio del comunismo ruso; Heberto Castillo, soñador oscuro de un México rojo, otra Cuba, otra Nicaragua; Javier Barros Sierra, anuente a que maestros y estudiantes convirtieran las instalaciones de Ciudad Universitaria en un "cuartel general de guerrilleros".

DOCUMENTOS DEL GENERAL MARCELINO GARCÍA BARRAGÁN

Para la historia: que esta se escribe a largo plazo.

M. Barragán

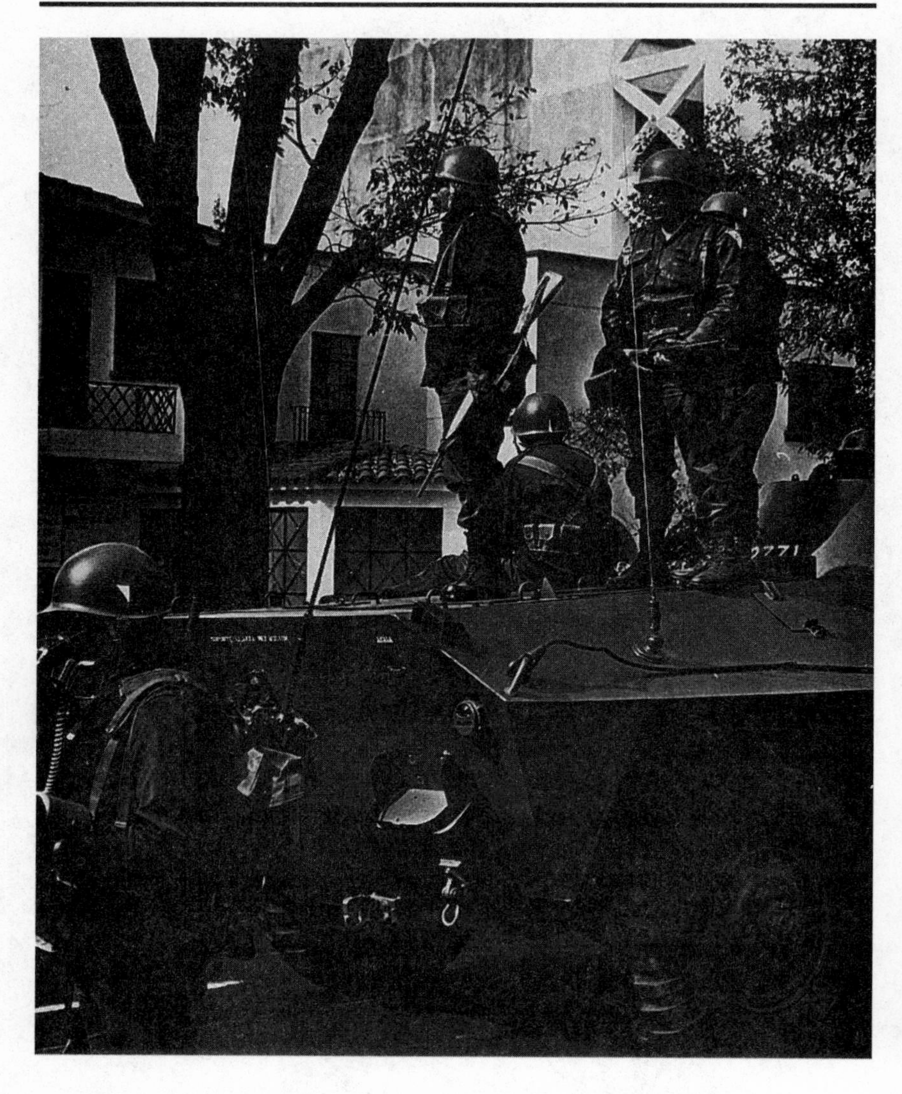

El general Hernández Toledo vigila el desarrollo de una manifestación por la avenida Insurgentes.

A dos meses y cinco días del 2 de octubre, crecía el conflicto estudiantil y en el ejército se hacían aprestos para una batalla que alcanzaría magnitud histórica. El 29 de julio de 1968, el general brigadier José Hernández Toledo, comandante del batallón de fusileros paracaidistas, diplomado del Estado Mayor presidencial, firma un documento secreto: "Misión Azteca", e inicia el relato de una guerra real e imaginaria.

Consignan los informes del general, hasta el 2 de octubre, en que cae herido:

Tropas custodiando las instalaciones del IPN.

De camino a un mitin en el centro de la Ciudad.

FUERZA AEREA MEXICANA.
BTN. DE FUSOS. PARACAIDISTAS. (SECRETO).

P.M. Campo Militar No. 1, D.F.
1800 hrs. 29-VII-68.

"MISION AZTECA"

ORDEN PREPARATORIA No. 1.

I.- A partir de la fecha y hasta Nueva Orden, quedarán suspendidos todos los permisos de cualquier indole para salir del Cuartel.

II.- El personal que deberá quedar desempeñando Servicios en el Cuartel — en caso de que la Unidad salga a cumplir la Misión, será el siguiente:

Comédor.	9	hombres.
Depositos.	6	id.
Cuarteleros.	5	id.
Baños.	1	id.
Excusados.	1	id.
Sala de Doblado.	1	id.
Ayudantía.	1	id.
Cdia. en Prev.	6	id.
Parque Vehiculos.	1	id.
Casino.	1	id.
Permisos.	10	id.
Esc. Militares.	27	id.
Procesados.	11	id.
Comisionados.	10	id.
H.C.M.	1	id.
TOTAL.	91	hombres.

III.- A Toque de REUNION, el personal saldra con EQUIPO DE COMBATE (40 — Carts. por Plaza, 250 Carts. por F.A., 3 Cohetes 3.5" por Pieza), El Belotón de Transmisiones proporcionará TRES Estaciones PRC-6 y UNA-PRC-8 por COMPAÑIA, UNA Estación PRC-8 para el MANDO y UNA del mismo tipo para el SEGUNDO COMANDANTE.

IV.- Durante la noche será REFORZADA la Vigilancia de la Sala de Doblado, Deposito General del Batallón y Compañía de Armas de Apoyo.

V.- La Guardia en Prevención deberá establecer un RONDIN como ya esta — prevenido.

EL GRAL. BRIG. P.A. M.A. COMDTE. BTN.

JOSE HERNANDEZ TOLEDO. (259481).

Elaboro:
Jef. de Inst. Inf. y Ops. Btn.

SECRETARIA DE LA DEFENSA NACIONAL.
FUERZA AEREA MEXICANA.
BTN.DE FLROS. PARACAIDISTAS.

P.M.Campo Militar No.1,D.F.
2300 hrs. 29-Jul-68.

ORDEN DE OPERACIONES NUM.UNO.

I.- INFORMACION:
OMITIDA.

II.- MISION:
El B.F.P. proceda a desalojar a los estudiantes alborotadores en la Zona comprendida de PERU A CORREGIDORA y DEL CARMEN A ARGENTINA, recibiendo en refuerzo al Btn.de Pol.Mil.

III.- MISION A LAS UNIDADES:
A. Paracaidistas:-
a. 2/a. y 3/a. Cías. a las ordenes del C.Tte.Corl.I.P.EDMAR EUROZA DELGADO, procederan a tomar la Preparatoría No.1, a fín de desalojar mediante el exhorto a los estudiantes posesionados en dicho Plantel.
b. Cía.A.A.a las ordenes del C.Tte.I.P. FELIPE VELEZ MARTINEZ, reforzada por úna Sección de Policía Militar, exhortará a desalojar el Plantel de la Preparatoria No.1 por el lado Norte.
c. La Cía. P.M.S. y 1/a. Cía. formaran un cerco DEL CARMEN-CORREGIDORA-BRASIL-PERU.
B. El Btn. de Policía Militar reforzará con una sección a la Cía.A.A.
X. POR NINGUN CONCEPTO LAS ARMAS SE LLEVARAN ABASTECIDAS.

IV.- PRESCRIPCIONES ADMINISTRATIVAS:
A. INTENDENCIA:-Estará en condiciones de proporcionar Rancho Caliente en los puntos de racionamiento que posteriormente se ordenen.
B. SANIDAD:-Proporcionará apoyo médico a cada una de las Unidades, mediante un elemento provisto de botiquin.
C. TRANSPORTES:-Seran proporcionados por el 2/o.B.T.P.La protección de esos vehículos quedará a cargo del propio personal de Transportes.

V.- PUESTO DE MANDO Y TRANSMISIONES:
A. P.M. DEL BTN.- Durante el Transporte en el Vehículo No.1, en la Zona de Acción en el Centro del dispositivo.
B. P.M. DE LAS UNIDADES:- Durante el Transporte en el Vehículo No.1, en la Zona de Acción a la cabeza de sus unidades.
C. TRASMISIONES:- Proporcionará una estación de radio AN-PRC-8 al P.M.Btn. y una a cada Unidad.-El Enlace se materializará por medio de radio y Agentes de liga

COMPLEMENTARIAS.
Rutas a seguir:
PLAN # UNO.-Campo Militar # 1-Anillo Periferico-Viaducto Miguel Aleman-Calzada de Tlalpan-Av.20 de Noviembre-Zocalo.
PLAN # DOS.-Campo Militar # 1-Anillo Periferico-Anillo de Circumvalación - Donceles.

EL GRAL.BRIG.D.E.M.A.CMDTE.BTN.
JOSE HERNANDEZ TOLEDO.(259481).

ELABORO.
El Cap.2/o.F.A.P.Jef.Int.S.I.I.Ops.
TOMAS GONZALEZ MENDOZA.(339114).

D I S T R I B U C I O N.

a la vuelta.......................

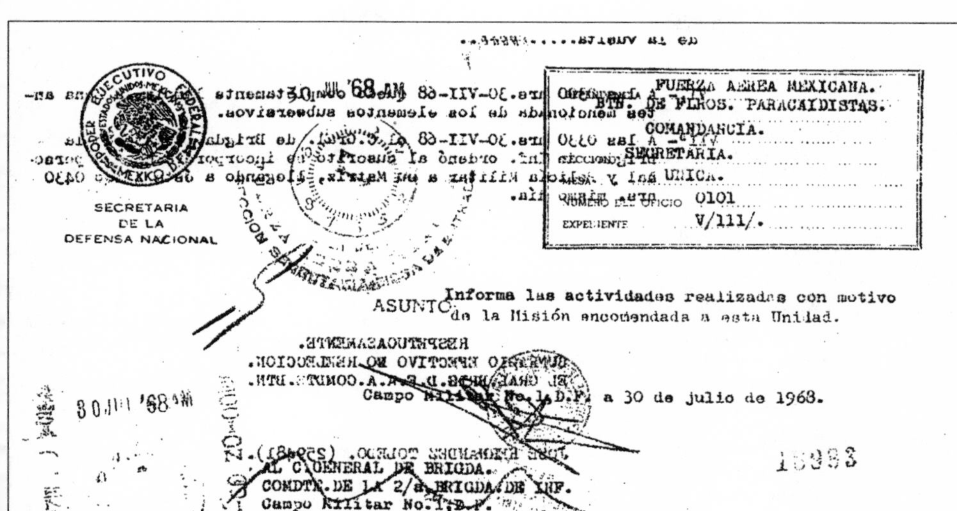

SECRETARIA DE LA DEFENSA NACIONAL

FUERZA AEREA MEXICANA.
BTN. DE FUSS. PARACAIDISTAS.
COMANDANCIA.
SECRETARIA.
MESA UNICA.
NUMERO DEL OFICIO 0101
EXPEDIENTE V/111/.

ASUNTO: Informa las actividades realizadas con motivo de la Misión encomendada a esta Unidad.

Campo Militar No. 1, D.F. a 30 de julio de 1968.

30 JUL '68 AM

18993

AL C. GENERAL DE BRIGADA.
COMDTE. DE LA 2/a. BRIGADA DE INF.
Campo Militar No. 1, D.F.

SECRETARIA DE LA DEFENSA NACIONAL 2a. BRIGADA de INFANTERIA COMANDANCIA

Me permito informar a Usted las actividades realizadas por esta Unidad a mi Mando durante el cumplimiento de la Misión ordenada a la misma.

I.- Por ordenes telefónicas del Señor Srio. de la Defensa Nacional y con refuerzo de la Policía Militar se procedio a desalojar a los estudiantes alborotadores en la Zona comprendida de: PERU A CORREGIDORA y de CORREO MAYOR A ARGENTINA.

II.- Se encontraron CINCO camiones ardiendo habiendose conseguido salvar un camion de las lineas urbanas.

III.- Un grupo aproximado de 300 a 400 estudiantes se parapetaron en la Preparatoría UNO negandose a salir y recibiendo el personal de Paracaidistas y Policia Militar a balazos, bombas Molotov, tabicazos asi como de numerosos detonadores que usan las bombas de aviación de manufactura americana.

IV.- Se les exortó a abrir la puerta, incluso se apunto con el Bazzoka, un pelotón de Paracaidistas al paso veloz y con una viga trato do forzar la entrada, en dicho momento se escuchó una fuerte detonación resultando heridos los CC. Solds. Paracs. JESUS GARCIA VARGAS y JOAQUIN NAVA BERNAL, con la fuerza de la Explosión cediendo dicha puerta.

V.- Al estar abierta la Puerta los granaderos y Policía entraron apoyados por personal de esta Unidad, capturandose CIENTO VEINTISIETE hombres, DIEZ bombas Molotov, DOS botes de gasolina, UNA botella de acido nitrico de CINCO litros, UNA botella de amoniaco, UNA caja con Propaganda Comunista, todo esto se le hizo entrega al C. Tte. de Granaderos CARLOS VALDERRABANO MEDINA perteneciente a la 1/a. Cía. de dicho Cuerpo.

AL CONTESTAR ESTE OFICIO CITENSE LOS DATOS CONTENIDOS EN EL CUADRO DEL ANGULO SUPERIOR DERECHO

A la vuelta.......... ..####....

EJERCITO MEXICANO.
FUERZA AEREA MEXICANA.
BTN.DE FLROS. PARACAIDISTAS.

P.M.Campo Militar No.1,D.F.
1330 hrs. 30-Jul-68.

ORDEN DE OPERACIONES NUM. UNO.

I.-INFORMACION:
(OMITIDA).

II.-MISION:
El B.F.P.+ con una Cía.del 3/er.Btn.Inf. proceda a desalojar a estudiantes que se encuentran alterando el órden frente a la Escuela Vocacional No.5 situada en las calles de Emilio Donde y Tres Guerras.

- Nuestro dispositivo será: de acuerdo con el Plan que oportunamente se de a emplear.

III.-MISION A LAS UNIDADES:
A. Las Unidades actuaran en su Zona de Acción asignada en el Plan que oportunamente se designe.

X. Porn ningún concepto las armas se llevaran abastecidas, el Comdte.del Btn. sera el unico que ordenará lo conducente para hacer fuego, en la inteligencia de que nunca será antes de tener CINCO BAJAS POR BALA.

IV.-PRESCRIPCIONES ADMINISTRATIVAS:
A. INTENDENCIA: Proporcionará el 2/o.Alimento del día a las 1200 hrs. y el 3/o. en el lugar y hora en que se ordene.

B. TRANSPORTES: Seran proporcionados por el 2/o.B.T.P. la protección de estos vehículos quedará a cargo del propio personal de transportes y 6 elementos que proporcione el Agrupamiento"naranja" quedando colocados en la retaguardía de la Zona de Acción.

C. SANIDAD: Establecerá un Puesto de Socorros en el 2/o. Escalón.

V.-PUESTO DE MANDO Y TRANSMISIONES:
A. P.M.Btn. durante el transporte en el Vehículo No.1, en la Zona de Acción al centro del dispositivo.

B. P.M.Unidades: durante el transporte en el vehículo No.1, en la Zona de Acción a la cabeza de sus unidades.

C. TRANSMISIONES: Proporcionará una estación de radio AN-PRC-8 al P.M.Btn. y una a cada unidad.-El Enlace se materializará por medio de radio y agentes de liga

COMPLEMENTARIAS:
ITINERARIO:-Campo Militar No.1-Anillo periferico-Av. Cuahutemoc-Bucareli.

EL GRAL.BRIG.D.E.M.A.COMDTE.BTN.

JOSE HERNANDEZ TOLEDO. (259481).

Elaboro:
El Cap.2/o.F.A.P.Jef.Int.S.I.I.Ops.

TOMAS GONZALEZ MENDOZA. (339114).

DISTRIBUCION "A";

SECRETARIA
DE LA
DEFENSA NACIONAL

DEPENDENCIA FUERZA AEREA MEXICANA
BTN. DE FUS. PARACAIDISTAS
COMANDANCIA
SECCION
MESA
NUMERO DEL OFICIO 921
EXPEDIENTE

ASUNTO: Se informa sobre las actividades desarrolladas por esta Unidad el dia de ayer.

Campo Militar # 1, D.F.,a 31 de Julio de 1968.

C. GENERAL DE DIVISION
SRIO. DE LA DEF. NACIONAL
ESTADO MAYOR.-SECC. TERCERA
Lomas de Sotelo, D.F.

Permitame informar a Usted, sobre las actividades desarrolladas por esta Unidad el dia de ayer:

I.- Se recibió la llamada del C.Gral.de Div. Secretario de la Defensa Nacional, a efecto de que se transladara este Batallón a desalojar a estudiantes que se encontraban alterando el orden frente a la Escuela Vocacional No.5 situada en las calles de EMILIO DONDE y TRES GUERRAS.

II.- El suscrito con el personal a su mando, que consta de un efectivo de 1 General, 1 Jefe, 31 Oficiales y 450 de tropa y una Compañia del 3/er.Btn.de Inf. llegó a las 13.55 horas a las calles de BALDERAS y EMILIO DONDE, procediendo de inmediato a desalojar a los estudiantes alborotadores de la Escuela antes dicha y de la zona comprendida de las calles de BALDERAS a BUCARELI y de EMILIO DONDE a la AV. CHAPULTEPEC.

III.- A las 15.00, quedó completamente desalojada la zona antes dicha de elementos subersivos, procediendo a remitir con el C.Subtte.Inf.P. JOSE DE JESUS LUIS GUTIERREZ AVILA, con una Sección a su mando 76 DETENIDOS a la Dirección Gral.de Transito y a disposición de la Jefatura de Policía.

IV.- A las 18.25 horas, previa entrega de la Vocacional No.5 al C.Subdirector Prefecto de la misma, el suscrito se incorporó con su personal y el del 3/er.Btn. de Inf. que se encontraba de refuerzo a sus respectivos Cuarteles, al recibirse la orden telefónica del C.Gral.Brig.D.E.M. Jefe del Estado Mayor y por el Tte. Corl. LOPEZ LENA Jefe de Ayudantes.

RESPETUOSAMENTE
SUFRAGIO EFECTIVO.-NO REELECCION
EL GRAL.BRIG.DEMA.CMDTE. DEL BTN
JOSE HERNANDEZ TOLEDO(259481)

C.c.p. El C.Gral.de Div.Cmdte.de la 1/a.Zona Militar P/su superior Conoc...Palacio Nacional, D.F.
El C.Gral.de Bgda.F.A.P.A.Jef. F.A.M. mismo fin..........Lomas de Sotelo, D.F.
El C.Gral.de Bgda.Cmdte.de la Bgda.de Inf. mismo fin..........Campo Militar # 1,D.F.
El C/Cap.2/o.F.A.P. J.I.S.I.I.O. del Btn.P/su Conoc...........Presente.
ARCHIVO.

AL CONTESTAR ESTE OFICIO CITENSE LOS DATOS CONTENIDOS EN EL CUADRO DEL ANGULO SUPERIOR DERECHO

EJERCITO MEXICANO.
FUERZA AEREA MEXICANA.
BTN. DE FUROS. PARACAIDISTAS.
GRUPO DE COMANDO.
J.I.I.O.

P.M.Campo Militar No.1,D.F.
0930 hrs.1-VIII-68.-

ORDEN DE OPERACIONES # UNO.

I.-INFORMACION:-
Grupo de Estudiantes efectuando Disturbios en Diferentes Puntos de la Ciudad, han tenido encuentros de consideración con elementos de la Policía - Preventiva del Depto. del D.F., la que se ha visto impotente para sofocar esos disturbios.-Se tiene conocimiento de que las Escuelas Superiores de la UNAM apoyada por elementos del IPN asi como estudiantes de Universidades Foraneas pretenden efectúar una Manifestación para pedir con ella no sea violada su pretendida Autonomía.

II.-MISION:-
Nuestra Unidad ha recibido la Misión de disolver esa manifestación entre las calles ______________ y las calles de ______________ a partir de la Hora "H" y hasta nueva órden, para el efecto nuestro dispositivo será:
-Una Compañía en los puestos avanzados o Vanguardía.
-Dos Compañías en Primer Escalon y Una+ en Reserva.

III.-MISION A LAS UNIDADES:-
A.-Agrupamiento NARANJA al Mando del C.Cap.2/o.F.A.P. TOMAS GONZALEZ MENDOZA, constiruirá los Puestos Avanzados o la VANGUARDIA sobre la calle - ______________.
B.-Agrupamiento "B" al Mando del C.Tte.Cowl.I.P. EDMAR EUROZA DELGADO, --- constituido por agrupamientos AMARILLO y NEGRO establecerá el PRIMER - ESCALON en la Linea P.R. sobre la calle de ______________.
C.-Agrupamiento "C" al mando del C.Gral.Brig.D.E.M.A. JOSE HERNANDEZ TOLEDO, constituido por los agrupamientos AZUL y BLANCO formará la RESERVA DE LA UNIDAD, entre las calles de: ______________ y ______________ teniendo bajo su protección el Escalon de TRANSPORTES.
D.-El Escalón de Transportes deberá estar colocado a Retaguardía del PRIMER ESCALON debiendo ser protegido por elementos Agrupamiento BLANCO.
X.-NO SE EMPLEARAN LAS ARMAS PARA HACER FUEGO, SINO CON ORDENES EXPRESAS DEL C.COMDTE.DEL BTN.-SI LOS ESTUDIANTES ATACAN INFORMAR AL P.M.BTN. - EN QUE FUERZA, CON QUE ARMAMENTO Y POR DONDE.

IV.-PRESCRIPCIONES ADMINISTRATIVAS:-
A.-INTENDENCIA:-Deberá estar en condiciones de proporcionar Ración Caliente a partir de las 1200 hrs.1-VIII-68 y el TERCER Alimento del día en el Lugar y la Forma que se ordene.
B.-SANIDAD:-Proporcionará un Oficial y CUATRO de Tropa con CANILLAS al --- Agrupamiento NARANJA los cuales evacuarán los heridos y muertos a la - retaguardía de donde serán evacuados a bordo de Ambulancias de la CRUZ ROJA hacía el H.C.M.-El Comdte.del Pel. de SANIDAD establecerá un PUESTO de SOCORROS en el Escalon de Reserva.

V.-PUESTO DE MANDO Y TRANSMISIONES:-
A.-P.M.BTN. en su actúal ubicación hasta la Hora "H"-30, durante el Cumplimiento de la Misión en la PARTE CENTRAL del dispositivo de la Reserva, entre las calles ______________ y ______________.
-P.M.de los Agrupamientos a Elección de sus Comtes.
-Partes de Ubicación a la Hora "H"+15.
B.-TRANSMISIONES:-Proporcionará a cada uno de los Agrupamientos las estaciones UNA Estación PRC-8 y TRES PRC-6 en caso de falla de alguna de las Estaciones el Enlace se Materializará por medio de Mensajeros.

ELABORO:
El Cap.2/o.F.A.P.Jef.I.S.I.I.O.
TOMAS GONZALEZ MENDOZA.(339114).

EL GRAL.BRIG.D.E.M.A.COMDTE.BTN.
JOSE HERNANDEZ TOLEDO. (259481).

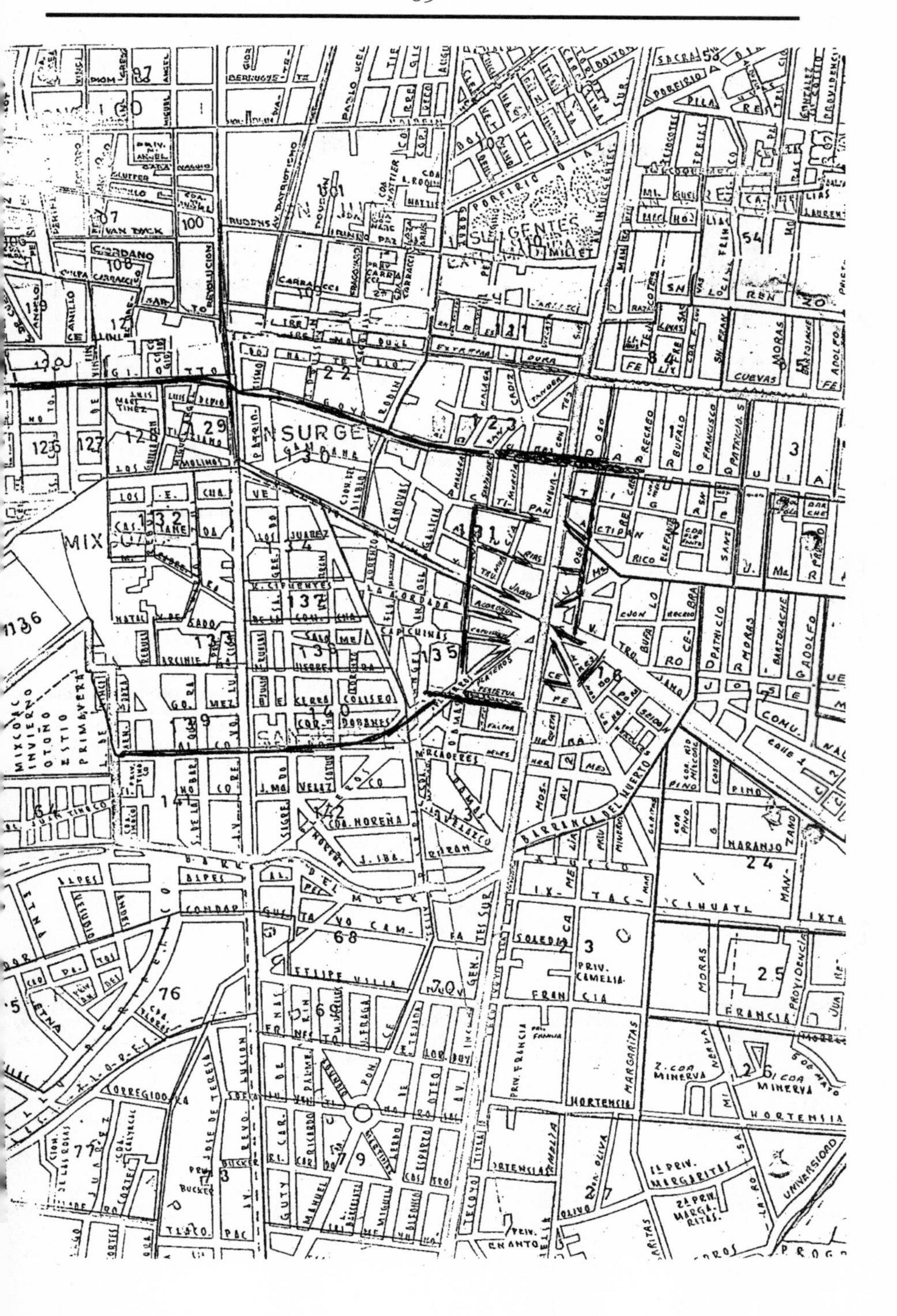
VAN DYCK
RUBENS
CARRACCI
GOYA
RODIN
CAMPANA
MALAGA
CADIZ
TANGER
RECREO
BUFALO
FRANCISCO
ELEFANTE
CUEVAS
MORAS
BARTOLACHE
ADOLFO
LA ACORDADA
CAPUCHINAS
COLISEO
BARRANCA DEL MUERTO
NARANJO
MIXCOAC
INVIERNO
OTOÑO
ESTIO
PRIMAVERA
CONDOR
CORREGIDORA
JOSE DE TERESA
SOLEDAD
PRIV. CAMELIA
PRIV. FRANCIA
MARGARITAS
HORTENSIA
2. CDA MINERVA
PROVIDENCIA
FRANCIA
FELIPE VILLA

SECRETARIA
DE LA
DEFENSA NACIONAL

URGENTE.

DEPENDENCIA FUERZA AEREA MEXICANA
BTN. DE FUS. PARACAIDISTAS
C O M A N D A N C I A
GRUPO DE INFORMACION
SECCION
MESA 938-Bis.
NUMERO DEL OFICIO
EXPEDIENTE V/111

ASUNTO.- Se rectifica el contenido del Parte de Novedades rendido en dia de Hoy, en lo que respecta al inciso IV.

Campo Militar # 1, D. F., a 2 de Agosto de 1968.

C. GENERAL DE DIVISION
SRIO. DE LA DEF. NACIONAL
ESTADO MAYOR.-SECC. TERCERA
Lomas de Sotelo, D.F.

ANTECEDENTES:- Of. No. 938 de fecha 2-VIII-68 gir. P/este Batallón.

En relación con Oficio citado en Antecedentes, permitame informar a Usted,- que se ratifica la Unidad a la que pertenece el soldado al cual se le disparó - el Arma e hirió a un transeunte, ya que dicho soldado pertenece al 2/o. Escuadrón Blindado de Reconocimiento y no al 2/o. Grupo Mixto de Armas de Apoyo, como se — dijo.

RESPETUOSAMENTE
SUFRAGIO EFECTIVO.-NO REELECCION
EL GRAL. BRIG. DEMA. CMDTE. DEL BTN.

JOSE HERNANDEZ TOLEDO
(259481)

SECRETARIA DE LA DEFENSA NACIONAL
FUERZA AEREA MEXICANA
BTN. DE FUS. PARACAIDISTAS
COMANDANCIA

AL CONTESTAR ESTE OFICIO CITENSE LOS DATOS CONTENIDOS EN EL CUADRO DEL ANGULO SUPERIOR DERECHO

C.c.p. El C. Gral. de Div. Cmdte. de la 1/a. ZM. P/su superior Conoc..........Palacio Nacional, D.F.
El C. Gral. de Bgda. FAPA. Jef. FAM. mismo fin......................Lomas de Sotelo, D.F.
El C. Gral. de Bgda. Cmdte. de la Bgda. de Inf. mismo fin............Campo Militar #1, D.F.
El C. Cap. 2/o. F.A.P. J.I.S.I.I.O. del Btn. P/su conoc..............Presente.
A R C H I V O.

EJERCITO MEXICANO.
FUERZA AEREA MEXICANA.
BTN. DE FUSILEROS PARACAIDISTAS.

P.M. Campo Militar No. 1, D.
1700 hrs. 8-Agos-68.

ORDEN DE OPERACIONES # UNO.

I.-INFORMACION:
Elementos estudiantes no afines a la Doctrina del Gobierno de la Republica,-pretenden efectuar actos de rebeldía y terrorismo demostrando con ello su inconformidad.

II.-MISION:
Nuestro Btn. ha recibido la misión de permanecer en situación de ALERTA a -- efecto de contrarrestar todos los actos de violencia que se puedan suceder - en la Capital de la Republica, para el efecto nuestro dispositivo será: TRES Grupos en PRIMER escalón y UNO en SEGUNDO el cual se operará a ordenes directas del Mando.

III.-MISIONES A LAS UNIDADES:
A.-AGRUPAMIENTO "AMARILLO" a las ordenes del C.Cap.2/o.I.P.DAVID ROSAS TORAL constituirá el Flanco DERECHO del Primer Escalón entre las calles de______ ______y______________.
B.-AGRUPAMIENTO "AZUL" a las ordenes del C.Tte.I.P.MARIO HUMBERTO CARRILLO - ZAPATA atacará por el centro del Dispositivo entre las calles____________ _________y______________.
C.-AGRUPAMIENTO "NEGRO" a las ordenes del C.Tte.I.P. J.JESUS PEREZ RODRIGUEZ constituirá el Flanco IZQUIERDO del dispositivo entre las calles________ ___________y______________.
D.-AGRUPAMIENTO "NARANJA" a las ordenes del C.Tte.I.P.P.ROGELIO JIMENEZ HI-- DALGO constituirá la reserva del Btn. y formulará planes para estar en actitud de apoyar (Con fuego o personal) a las unidades del Primer Escalon a ordenes expresas del C.Comdte.del Btn.

IV.-PRESCRIPCIONES ADMINISTRATIVAS:
A.-INTENDENCIA:-Proporcionará ración caliente al Btn. en su actúal ubicación a las 1800 hrs. 8-Agos-68.
B.-TRANSPORTES:-Serán Proporcionados por el 2/o.B.F.P.
C.-SANIDAD:-Dará apoyo sanitario a la Unidad constituyendo un Puesto de Socorros en la Zona de Reservas.

V.-PUESTO DE MANDO Y TRANSMISIONES:-
A.-P.M. del Btn. en su actúal ubicación hasta la hora "H"-30, durante el -- transporte en el Primer Vehiculo Dina, en la Zona de Acción a la Cabeza - del Segundo Escalón.
B.-P.M. de las Unidades a elección de sus comdtes., partes de ubicación a la hora "H"+20.
C.-TRANSMISIONES.-proporcionará una estación de radio PRC-8 a cada uno de -- los agrupamientos asi como al P.M. del Btn.

Ordenes de Cia. en el 1er Escalón [handwritten]

EL GRAL.BRIG.D.E.M.A.COMDTE.BTN.

[signature]

JOSE HERNANDEZ TOLEDO. (259481).

Elaboró:
El Cap.2/o.F.A.P.Jef.Int.S.I.I.O.

[signature]

TOMAS GONZALEZ MENDOZA.(339114).

EJERCITO MEXICANO.
FUERZA AEREA MEXICANA.
BTN. DE FUSS. PARACAIDISTAS.

Campo Militar No. 1, D.F.
1400 hrs. 13 agosto 1968.

"PLAN BRIGADA" (CONFIDENCIAL).

I.- Establecerse sobre la Calle REPUBLICA DE BRASIL.

II.- MISION:
Desalojar a los estudiantes del Zocalo por las calles de: 5 DE MAYO FRANCISCO I. MADERO y 16 DE SEPTIEMBRE.

III.- Al efecto la 1/a. Compañía canalizará su avance por 5 DE MAYO.- la 2/a. Compañía por FRANCISCO I. MADERO.- La 3/a. Compañía por 16 DE SEPTIEMBRE.- La Compañía de Armas de Apoyo Constiruirá el Escalón de Reserva.

IV.- En nuestro flanco Izquierdo actuará el 40/o. Btn. de Inf. sobre la calle REP. DE ARGENTINA.

V.- El Escalón de Transportes estará colocado sobre la Calle REP. DE BRASIL a retaguardia del Dispositivo del Btn.

VI.- El Agrupamiento Naranja proporcionará SEIS elementos para darles seguridad a los transportes, debiendo llevar en los Camiones 1, 2, 3, 4, 5 y 6 un bote de arena para utilizarse en caso de incendio de alguno de los vehículos.

EL GRAL. BRIG. D.E.M.A. COMDTE. BTN.

JOSE HERNANDEZ TOLEDO. (259481).

SECRETARIA DE LA DEFENSA NACIONAL
FUERZA AEREA MEXICANA
BTN. DE FUS. PARACAIDISTAS
COMANDANCIA

Elaboró:
El Cap. 2/o. F.A.P. Jef. Int. S.I.I. Ops.

TOMAS GONZALEZ MENDOZA. (339114).

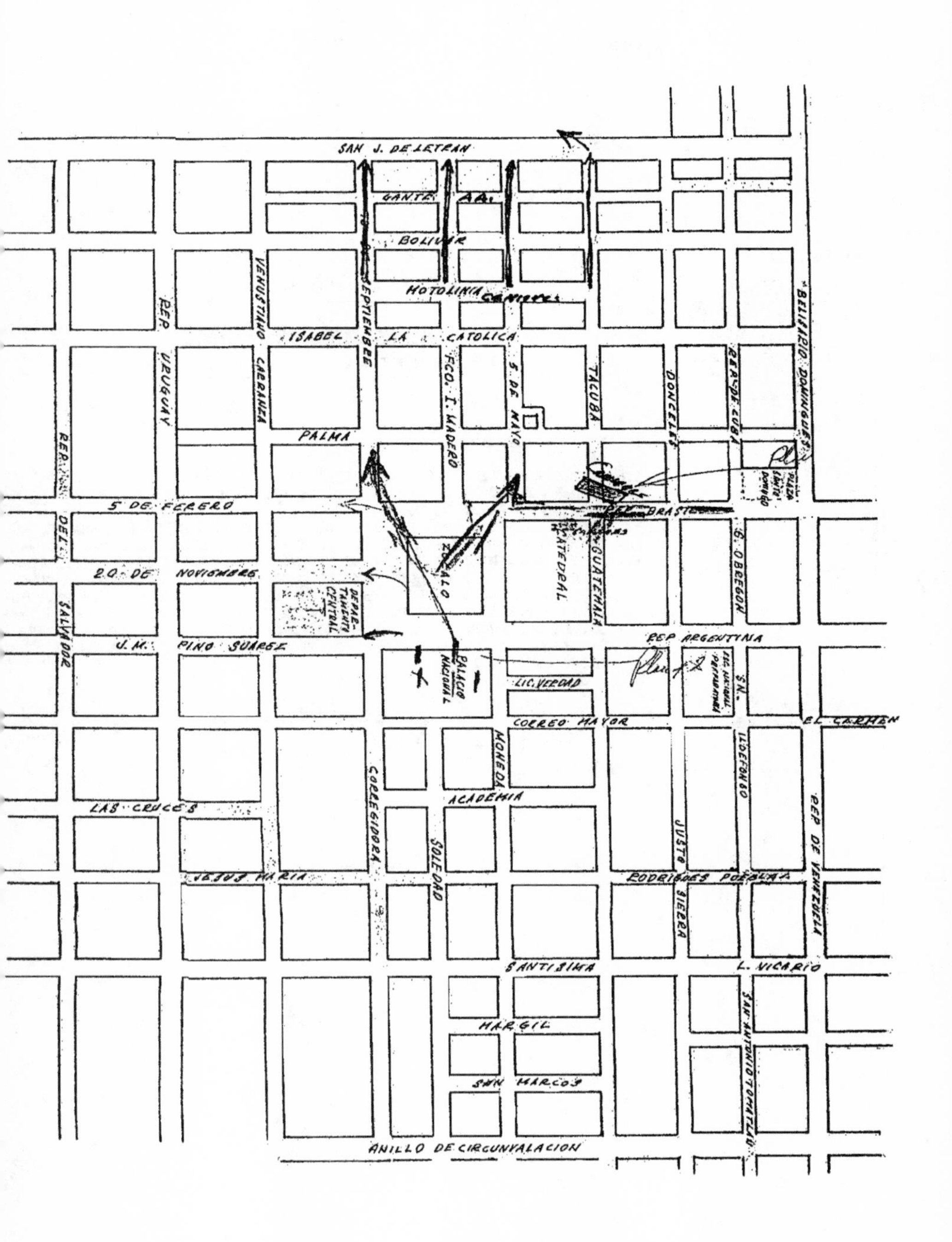

SAN J. DE LETRAN
BOLIVAR
HOTOLINIA
ISABEL LA CATOLICA
PALMA
5 DE FEBRERO
20 DE NOVIEMBRE
J. M. PINO SUAREZ
REP. ARGENTINA
CORREO MAYOR
EL CARMEN
ACADEMIA
LAS CRUCES
RODRIGUEZ PUEBLA
SANTISIMA
L. VICARIO
MARGIL
SAN MARCOS
ANILLO DE CIRCUNVALACION
REP. URUGUAY
VENUSTIANO CARRANZA
FCO. I. MADERO
5 DE MAYO
TACUBA
DONCELES
REP. DE CUBA
BELISARIO DOMINGUEZ
REP. DEL SALVADOR
DEPARTAMENTO CENTRAL
ZOCALO
CATEDRAL
GUATEMALA
REP. BRASIL
R. OBREGON
PALACIO NACIONAL
LIC. VERDAD
MONEDA
CORREGIDORA
SOLEDAD
JUSTO SIERRA
ILDEFONSO
REP. DE VENEZUELA
SAN ANTONIO TOMATLAN
PLAZA SANTO DOMINGO

P. S. O. # 1. (CONFIDENCIAL).

MEMORANDUM

SECRETARIA
DE LA
DEFENSA NACIONAL

Al C. CAP.2/o. DE INF. PARAC.CTE.1/A. CIA.

PRESENTE.

México, D. F., 27 de AGOSTO de 1968.

1.- NO ABASTECER ARMAS.
2.- CALAR.
3.- NO LLEGAR A LA VIOLENCIA SI ESTA NO ES NECESARIA.
4.- SE HARA FUEGO UNICAMENTE A ORDENES DEL MANDO Y HASTA QUE HAYA CINC MUERTOS POR ARMA DE FUEGO.
5.- AUNQUE HAYA DISPAROS DE PARTE DE LOS ESTUDIANTES NO SE HARA FUEGO.
6.- SE BUSCARA EL COMBATE CUERPO A CUERPO SIN EMPLEAR EL ARMA BLANCA.
7.- EL PERSONAL MILITAR QUE SE ENCUENTRA ENTRE LAS FILAS DE LOS ESTUDIANTES PORTARAN UN BOTON AMARILLO CON UNA COMA INVERTIDA DE COLOR DORADO, DEBIENDO TENER ESPECIAL CUIDADO PARA QUE ESTOS ELEMENTOS N VAYAN A SER AGREDIDOS POR PERSONAL A SUS ORDENES.
8.- ACTUAR CON MUCHA CALMA EMPLEANDO AL MAXIMO EL CONVENCIMIENTO PARA HACER QUE EL PERSONAL DE ESTUDIANTES DESALOJEN LA PLAZA DE LA CONSTITUCION O ZOCALO.

ATENTAMENTE.
SUFRAGIO EFECTIVO NO REELECCION.
EL GRAL. BRIG. D.E.M.A. COMDTE. BTN.

JOSE HERNANDEZ TOLEDO. (259481).

Elaboro:
El Cap. 2/o.F.A.P.J.S.I.I.OPS.

JONAS GONZALEZ MENDOZA.(339114).

DISTRIBUCION "A".

SECRETARIA
DE LA
DEFENSA NACIONAL

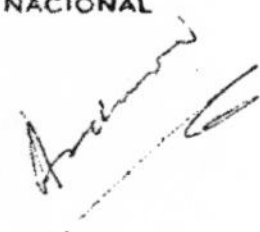

DEPENDENCIA FUERZA AEREA MEXICANA.
BTN. DE FLROS. PARACAIDISTAS.
GRUPO DE COMANDO.
INST., INF. Y OPS.
SECCION UNICA.
MESA 0113.
NUMERO DEL OFICIO V/111/.
EXPEDIENTE

ASUNTO.- Remite SIETE rollos de fotografía recogidos a - fotografos no identificados como periodistas.

Campo Militar No.1,D.F. a 28 de agosto de 1968.

AL C. GRAL. DE DIVISION.
SRIO. DE LA DEFENSA NACIONAL.
ESTADO MAYOR.
SECCION SEGUNDA.
Lomas de Sotelo,D.F.

(SE ADJUNTAN SIETE ROLLOS DE FOTOGRAFIA).

Adjunto al presente me permito remitir a usted, SIETE rollos de fotografía recogidos a fotografos, los cuales no obstante habérseles exhortado a que se identificaran,no lo hicieron, por tal motivo les fueron recogidos dichos rollos en el cumplimiento de - la misión que desempeño esta Unidad el día de hoy.

RESPETUOSAMENTE.
SUFRAGIO EFECTIVO NO REELECCION.
EL GRAL. BRIG. D.E.M.A. COMDTE. BTN.

JOSE HERNANDEZ TOLEDO. (259481).

AL CONTESTAR ESTE OFICIO CITENSE LOS DATOS CONTENIDOS EN EL CUADRO DEL ANGULO SUPERIOR DERECHO

TOM/rpe.

FUERZA AEREA MEXICANA
BTN. DE FUS. PARACAIDISTAS
C O M A N D A N C I A
GRUPO DE INFORMACION

1060
V/111.

— Se informa sobre las Actividades desarrolladas — por esta Unidad el dia de ayer.

Campo Militar # 1, D.F., a 28 de Agosto de 1968.

C. GENERAL DE DIVISION.
SRIO. DE LA DEF. NACIONAL.
ESTADO MAYOR.—SECC. TERCERA.
Lomas de Sotelo, D.F.

Permitame informar a Usted, sobre las Actividades desarrolladas por esta Unidad el dia de ayer:

I.— El suscrito recibió la orden verbal del C. Gral. de Bgda. CRISOFORO MAZON PINEDA, Cmdte. de la Bgda. de Infantería, de trasladarse al Zócalo a desalojar a los Estudiantes que se encontraban acampados en ese lugar.

II.— El personal de esta Unidad con un efectivo de 1 General, 2 Jefes, 30 Oficiales y 450 de Tropa, con 13 Vehículos del 3/o. B. T. P., y el 1/er. [illegible] del Cuerpo de Guardias Presidenciales dado en refuerzo a este Batallón de conformidad con los planes elaborados por la Sria. de la Def. Nacional, llegó a las 00.25 horas de hoy a la — calle de JESUS MARIA, entre CORREGIDORA y MONEDA.

III.— A las 00.00 horas despues del exhorto que el Ciudadano Regente de la Ciudad de México dirigió a la multitud ahí reunida, conminandola a que depusieran su Actitud y se retiraran a sus domicilios, y como dicha arenga no tuvo eco se procedió a — desalojarlos.

IV.— Los estudiantes fuerón canalizados hacia las calles de: 20 DE NOVIEMBRE, 5 DE FEBRERO, 16 DE SEPTIEMBRE y MADERO, con cierta resistencia opuesta por los estudiantes a ello, ya que mientras se retiraban lanzaban improperios hacia el Instituto Armado y muchos no conformes con ello lanzaban piedras y botellas de refresco a la — Tropa.

V.— La Acción se desarrolló por el Este hasta las calles de ROSALES y BUCARELI (Glorieta del Caballito) y por el Sur hasta las calles de IZAZAGA terminando a las — 02.15 horas de hoy, informando a Usted haberse recogido 7 rollos de Película para — Camara Fotografica, a personas que se negarón a Identificarse como Periodistas.

VI.— A partir de las 02.15 horas y hasta las 04.00 de la mañana, se Patrullarón las Avenidas y Calles adyacentes al Zócalo con elementos [illegible], los cuales se encargaron de disolver los pequeños grupos que habian quedado diseminados, habiendose recibido los partes de estas Patrullas Sin Novedad.

VII.— A las 03.45 se recibió la orden verbal del C. Gral. de Bgda. CRISOFORO MAZON PINEDA, de incorporarse a la matriz de la Unidad, haciendolo del 1/er. Cuadro a las —

A LA VUELTA..................

EJERCITO MEXICANO.
FUERZA AEREA MEXICANA.
BTN. DE FLROS. PARACAIDISTAS.

P.M. PLAZA DE STO. DOMINGO D.F.
1500 hrs. 29-Ago-68.

ORDEN DE OPERACIONES NUM. UNO.

I.- INFORMACION:
OMITIDA.

II.- MISION:
El B.F.P. proceda a desalojar a los estudiantes que se encuentran alterando el orden frente a la Vocacional No.7, situada en la parte Norte de la Plaza de las --- Tres Culturas.

III.- MISION A LAS UNIDADES:

A. 1/a. y 2/a. Cías. al mando del C.Cap.2/o.F.A.P. TOMAS GONZALEZ MENDOZA, penetrará por la parte W. de la Plaza de las Tres Culturas avanzando hasta su interior, hasta desalojar a todos lo elementos que se encuentren alterando el órden en dicha Plaza.

B. La 3/a. y Cía.A.A. al mando del C.Tte.Corl.I.P.EDMAR EUROZA DELGADO, avanzará - por el lado S. (Secretaría de Relaciones Exteriores e Iglesia), a fín de desalojar de dicha plaza a todos los elementos que se encuentren alterando el órden.

C. La Cía.P.M.S. al mando de su Comdte. dará seguridad al Escalón de Transportes.

X. TODO EL PERSONAL DE LA UNIDAD EXHORTARA AL PERSONAL DE ESTUDIANTES, DESALOJEN DICHA PLAZA, SIN LLEGAR A LA VIOLENCIA.
-LOS COMDTES. VIGILARAN QUE POR NINGUN MOTIVO LAS ARMAS SEAN ABASTECIDAS.

IV.- PRESCRIPCIONES ADMINISTRATIVAS:

A. INTENDENCIA:-Estará en condiciones de proporcionar rancho caliente a la hora - y puntos de racionamiento que posteriormente se ordenen.

B. SANIDAD:-Proporcionará apoyo médico a cada una de las unidades, mediante un — elemento provisto de botiquin.

C. TRANSPORTES:-Seran proporcionados por la Dir.Gral.de Transportes.-La protección de estos vehículos quedará a cargo de la Cía.P.M.S.

V.- PUESTO DE MANDO Y TRANSMISIONES:

A. P.M.BTN. durante el transporte en el Vehículo No.1, en la Zona de Acción al — centro del dispositivo.

B. P.M.UNIDADES. durante el transporte en el Vehículo No.1, en la Zona de Acción a la cabeza de sus Unidades.

C. TRANSMISIONES:-Proporcionará una estación AN-PRC-8 al P.M.Btn.y una a cada Unidad.-El Enlace se materializará por medio de radio y agentes de liga.

EL GRAL.BRIG.D.E.M.A.COMDTE.BTN.

JOSE HERNANDEZ TOLEDO.(259481).

Elaboró:
El Cap.2/o.F.A.P.Jef.Int.Sec.I.I.Ops.

TOMAS GONZALEZ MENDOZA. (339114).

DISTRIBUCION.

CIA.P.M.S.
1/A.CIA.
2/A.CIA.
3/A.CIA.
CIA.A.A.

INTENDENCIA
SANIDAD.
TRANSMISIONES.

FUERZA AEREA MEXICANA
BTN. DE FUS. PARACAIDISTAS
C O M A N D A N C I A.
GRUPO DE INFORMACION

1068.
V/111.

- Se informa sobre las actividades desarrolladas - por esta Unidad el dia de ayer.

México, D.F., a 30 de Agosto de 1968.

C. GENERAL DE DIVISION
SRIO. DE LA DEF. NACIONAL
ESTADO MAYOR.-SECC. TERCERA
Lomas de Sotelo, D.F.

Se informa sobre las actividades desarrolladas por esta Unidad el dia de ayer:

I.- Se recibió la orden verbal del C. Gral. de Div. Srio. de la Def. Nal. a efecto de que se trasladara a la Plaza de las TRES CULTURAS a evitar se efectuara un mitin sin el permiso correspondiente de las Autoridades.

II.- El personal de esta Unidad que se encuentra en la Plaza de Sto. Domingo con un efectivo de 1 General, 2 Jefes, 26 Oficiales y 320 de Tropa en 13 Vehículos del 3/er. B.T.P., se trasladaron a las calles de SANTA MARIA LA REDONDA y AV. NONOALCO, llegando a las 16.00 horas, haciendo del conocimiento de Usted que en dicho lugar ya se encontraba el 2/o. E.B.R.

III.- Al llegar a la Plaza de las TRES CULTURAS, el C. Gral. Brig. DEMA. Cmdte. del Btn. exhortó a los ahí presentes que se disolvieran y no efectuaran dicho mitin, y por toda respuesta las Familias que habitan los Edificios contiguos a dicha Plaza, así como Estudiantes que se encontraban refugiados en esos Edificios lanzaron insultos y botellas de refresco vacios sobre el personal de esta Unidad.

IV.- A las 19.00 horas y despues de haber sostenido un dialogo el suscrito con algunos Profesores de los Estudiantes encaminados a que los Estudiantes ahí reunidos se retiraran a sus casas, se logró se calmaran los animos y empezaron a desalojar.

V.- A esa misma hora y despues de haber recibido orden telefonica del C. Gral. de Div. Srio. de la Def. Nacional y ratificada por el C. GRAL. de Div. Cmdte. 1/a. Z.M. Este Batallón procedió a retirarse a su base de operaciones situada en la Plaza de Santo Domingo SIN NOVEDAD.

RESPETUOSAMENTE
SUFRAGIO EFECTIVO.-NO REELECCION
EL GRAL. BRIG. DEMA. CMDTE. DEL BTN
JOSE HERNANDEZ TOLEDO (259481).

C.c.p. El C. Gral. de Div. Cmdte. de la 1/a. Z.M. P/su sup. Conoc. .... Palacio Nacional, D.F.
El C. Gral. de Bgda. FAPA. Jef. de la F.A.M. mismo fin. .... Lomas de Sotelo, D.F.
El C. Gral. de Bgda. Cmdte. de la Bgda. [illegible] mismo fin. .... Campo Militar # 1, D.F.
El C. Cap. 2/o. F.A.P. J.I.S.I.I.O. del [illegible] su conoc. .... Presente.

EJERCITO MEXICANO.
FUERZA AEREA MEXICANA.
BTN.DE FLROS.PARACAIDISTAS.
GRUPO DE COMANDO.
SEC. DE INST., INF. Y OPS.
MESA UNICA.
OFC. S/N.

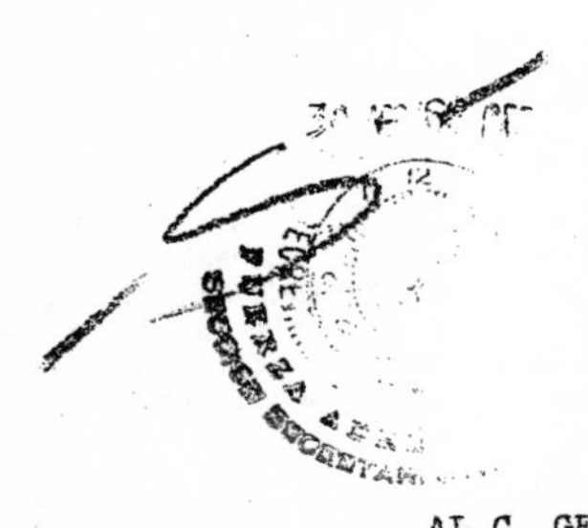

ASUNTO: Comunica Actividades desarrolladas el día de ayer.

México, D.F. a 30 de agosto de 1968.

AL C. GENERAL DE DIVISION.
SRIO.DE LA DEFENSA NACIONAL.
ESTADO MAYOR.
SECCION TERCERA.
LOMAS DE SOTELO, D.F.

22314

Me permito informar a Ud., las actividades desarrolladas el día de ayer, por esta Unidad a mi mando.

I.- A las 1530 hrs. se recibio orden verbal del Sr.Srio.- de la Defensa Nacional y ratificada por el C.Gral. de División Comdte.de la 1/a. Z.M. en el sentido de: Disolver un mitin que se estaba desarrollando en la Vocacional # 7.

II.- Se llego a dicho lugar a las 1600 hrs. procediendo a desalojar la gente que se encontraba en la Plaza de las Tres Culturas, lugar en que se desarrollaba el Mitin, incorporandose en refuerzo el 2/o.Esc.Blindado de Reconocimiento de la Brig. de Inf.

III.- Durante el desarrollo de la misión, la gente que habita dichos edificios no cesaron un momento de lanzar insultos en contra el Ejército.

IV.- Desde los edificios donde grandes cantidades de estudiantes se refugiaron, fueron lanzadas gran cantidad de piedras y botellas.

V.- En ningún momento por parte de la Tropa a mis ordenes se empleo la violencia.

VI.- Se dio por terminada la misión a las 1900 hrs. recibiendo órden telefonica de incorporarme a la Plaza de Sto.Domingo, de órden del Sr. Srio. de la Defensa Nacional y confirmada esta por el C. Gral.de Div.Comdte de la 1/a. Z.M. Incorporandome a dicha Plaza a las 1720 HRs. SIN NOVEDAD.

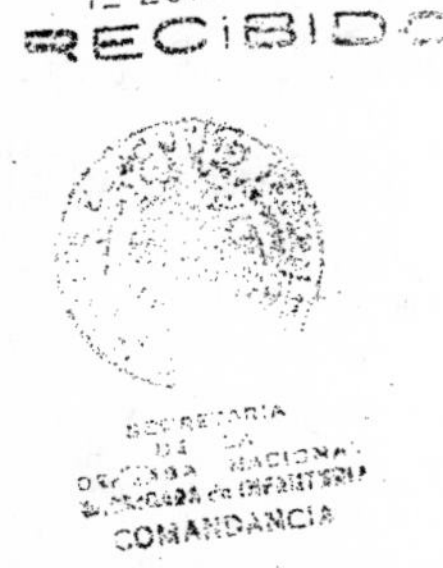

RESPETUOSAMENTE.
SUFRAGIO EFECTIVO NO REELECCION.
EL GRAL.BRIG.D.E.M.A.COMDTE.BTN.

JOSE HERNANDEZ TOLEDO. (259481).

C.c.p. El C.Gral.Div.Cte.1/a.Z.M.Para su Sup.Conocimiento......Palacio Nacional, D.F.
El C.Gral.Brigda.F.A.P.A.Jef.F.A.M.Mismo fin..........Lomas de Sotelo,D.F.
El C.Gral.Brigda.Cte.Brig.Inf.Mismo fin...............Campo Militar # 1,D.F.
A R C H I V O .

FUERZA AEREA MEXICANA. JEF. DE INST., INF. Y OPS.
BTN.DE FLROS. PARACAIDISTAS.

ORDEN DE OPERACIONES # UNO.

I.—INFORMACION:
OMITIDA.

II.—MISION:
El Agrupamiento ocupará y retendra los Edificios de las Facultades de MEDICINA, CIENCIAS POLITICAS Y SOCIALES, MATEMATICAS, INGENIERIA, QUIMICA, LABORATORIO FISICO NUCLEAR Y AUDITORIO DE MEDICINA a partir de las 2200 hrs. 18-Sep-68 y hasta nueva órden, llevando a cabo aprensiones de todo el personal de estudiantes que se encuentren en dichos edificios.

III.—MISIONES A LAS UNIDADES:
A.—PARACAIDISTAS:
1.—1/a. Cía y Cía.A.A. a las ordenes del C.Tte.Corl.I.P.EDMAR EUROZA DELGADO ocupará las facultades de: CIENCIAS POLITICAS Y SOCIALES, deteniendo a todo elemento civil que se encuentre en dichas facultades.—Recibirá en refuerzo a la 3/a. Cía. del 1/er.Btn.de G.P. en su Zona de Acción a partir de las 2100 hrs. 18-Sep.-68.
2.—2/a. y 3/a.Cías. a las ordenes del C.Mayor de I. SERGIO RAUL PEÑA YAÑEZ, ocupará la Facultad de Medicina y Auditorio de MEDICINA, capturando a todo elemento civil que se encuentre dentro de estos edificios.
B.—1/er.BTN.C.G.
1.—1/a. Cía. capturará a todo elemento civil que se encuentre en el INSTITUTO DE MATEMATICAS y LABORATORIO FISICO NUCLEAR.
2.—2/a.Cía. capturará a todo elemento civil que se encuentre en las facultades de INGENIERIA Y QUIMICA.
3.—3/a.Cía. reforzará en su Zona de Acción a la 1/a.y Cía.A.A. B.F.P. rodeando con sus elementos las facultades de CIENCIAS POLITICAS Y SOCIALES y [illegible] a partir de las 2100 .Hrs. 18-Sep-68.
C.—RESERVA:
Estará constituida por la Cía.A.A.1/er.Btn.G.P.en la zona de desembarco de este, estará en aptitud de apoyar a los elementos del 1/er.Escalon (Tanto sus propias tropas, como Paracaidistas).
D.—El 2/o.Esc.Blindado de Reconocimiento proporcionará la mitad de sus elementos al Btn.de F.Parac.y el Resto al 1/er.Btn.G.P.con el objeto de taponar las avenidas e impedir el Paso de vehículos.
X.—1.—Obrar con cordura e inteligencia para evitar estudiantes muertos.
2.—Si es necesario, usar el combate CUERPO A CUERPO, SIN EMPLEAR LA BAYONETA.
3.—Emplear el fuego del armamento, solo contra francotiradores, perfectamente localizados y bajo ORDENES EXPRESAS DEL COMDTE.DEL AGRUPAMIENTO, debiendo emplear para el efecto tiradores selectos.
4.—Registrar a todo elemento capturado, recogiendo, (ARMAS DE FUEGO, BLANCAS, CADENAS, VARILLAS, ETC.). cerillos y encendedores.
5.—Los detenidos deberan ser conducidos al 1/o. y 2/o.vehículos de Parac.
6.—Terminantemente prohibido a todo los elementos de este agrupamiento tomar cualquier clase de material didactico.
7.—Cada Btn.proporcionará seguridad a su escalón de transportes.
8.—Limpiar las barricadas que se encuentren en las avenidas.
IV.—PRESCRIPCIONES ADMINISTRATIVAS:
A.—INTENDENCIA:-Estará en condiciones de proporcionar alimentación a ordenes directas de sus comandantes.
B.—SANIDAD:-Instalará un puesto de Socorros: 1.—PARACAIDISTAS, frente al AUDITORIO DE MEDICINA. 2.—1/er.BTN.G.P. frente al INSTITUTO DE BIOLOGIA.

C.-TRANSPORTES:-
1.-Para el Btn.de F.P. seran proporcionados por el 2/o.B.T.P.
2.-Para el 1/er.B.G.P. serán proporcionados por el 1/er.B.T.P.G.P.
3.-Escuadron Blindado de Reconocimiento transportado por sus propios medios.

D.- ZONAS DE DESEMBARCO:-
1.-PARACAIDITAS.-Frente al AUDITORIO DE MEDICINA.
2.-1/er.B.G.P.-frente al INSTITUTO DE BIOLOGIA.

V.- PUESTO DE MANDO Y TRANSMICIONES:
A.-P.M.del Agrupamiento en su actúal ubicación hasta la hora "H-15", durante el transporte en el Vehiculo Cabeza del Convoy del B.F.P. en la Zona de Acción frente al Auditorio.
-P.M.del 1/er.B.G.P. a eleccion de su comdte.
-Partes de ubicación 15 min. despues del desembarco de sus tropas.
-P.M.del Esc.Blind.de Rec. a eleccion de su Comdte.
-Partes de Ubicación 15 min.despues del desembarco de sus tropas en la Zona de Acción.
B.-TRANSMICIONES.
El Enlace se materiqlizara por medio del Radio y mensajeros, debiendo cada uno de los Batallones mantener en el P.M. del agrupamiento UN — Oficial con dos de tropa para mantener el Enlace respectivo con sus — Unidades.

EL GRAL.BRIG.D.E.M.A.COMDTE.BTN.

JOSE HERNANDEZ TOLEDO. (259481).

Elaboró:
El Cap.2/o.F.A.P.Jef. de Int.Inf.y Ops.

TOMAS GONZALEZ MENDOZA. (339114).

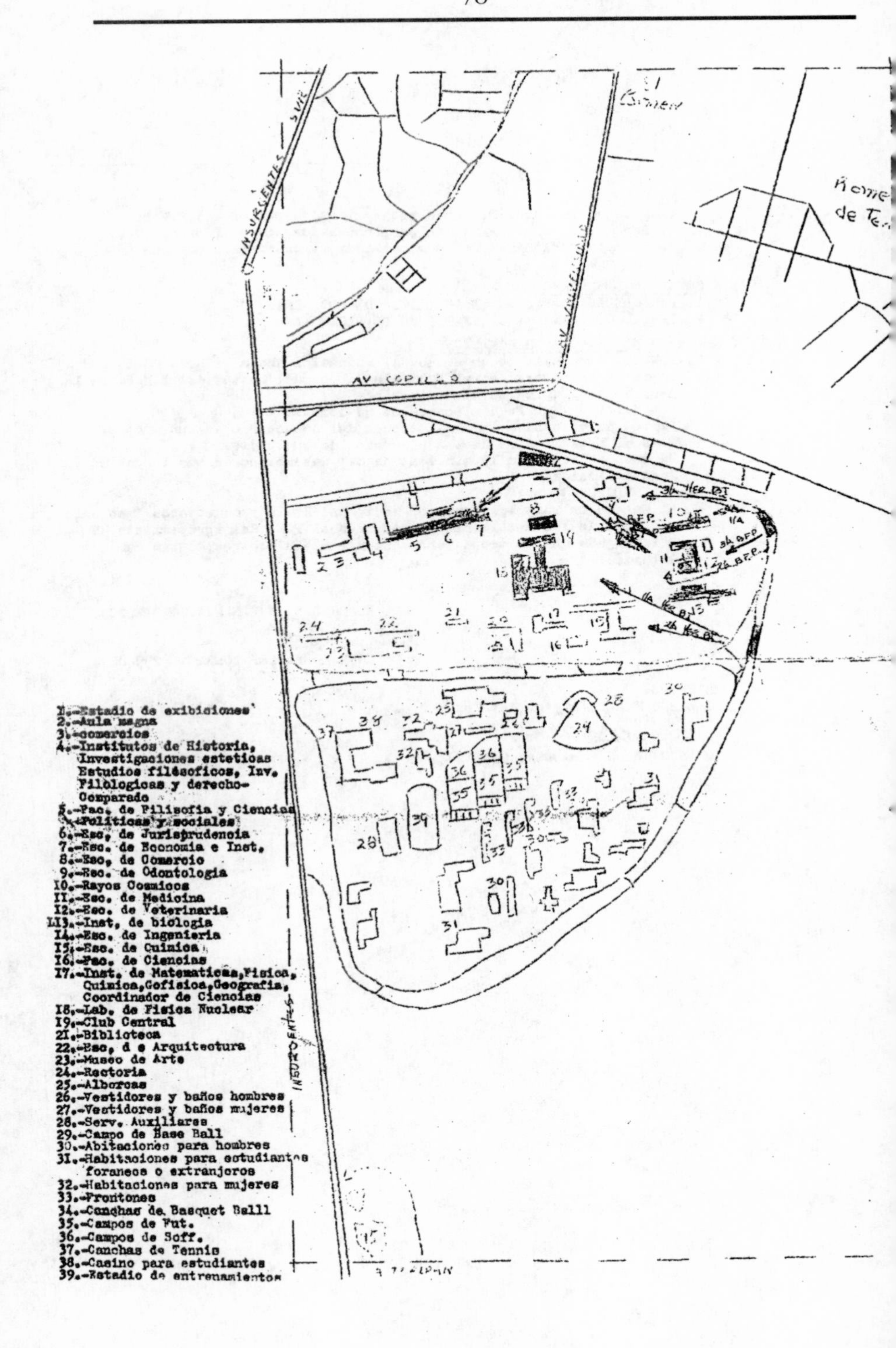
INSURGENTES SUR
AV. COPILCO
INSURGENTES
I.-Estadio de exibiciones
2.-Aula magna
3.-comercios
4.-Institutos de Historia,
Investigaciones esteticas
Estudios filósoficos, Inv.
Filologicas y derecho-
Comparado
5.-Fac. de Filisofia y Ciencias
Politicas y sociales
6.-Esc. de Jurisprudencia
7.-Esc. de Economia e Inst.
8.-Esc. de Comercio
9.-Esc. de Odontologia
I0.-Rayos Cosmicos
II.-Esc. de Medicina
I2.-Esc. de Veterinaria
LI3.-Inst. de biologia
I4.-Esc. de Ingenieria
I5.-Esc. de Quimica
I6.-Fac. de Ciencias
I7.-Inst. de Matematicas,Fisica,
Quimica,Gofisica,Geografia,
Coordinador de Ciencias
I8.-Lab. de Fisica Nuclear
I9.-Club Central
2I.-Biblioteca
22.-Esc. d e Arquitectura
23.-Museo de Arte
24.-Rectoria
25.-Alborcas
26.-Vestidores y baños hombres
27.-Vestidores y baños mujeres
28.-Serv. Auxiliares
29.-Campo de Base Ball
30.-Abitaciones para hombres
31.-Habitaciones para estudiantes
foraneos o extranjeros
32.-Habitaciones para mujeres
33.-Frontones
34.-Canchas de Basquet Balll
35.-Campos de Fut.
36.-Campos de Soff.
37.-Canchas de Tennis
38.-Casino para estudiantes
39.-Estadio de entrenamientos

AGRUPAMIENTO MEXICO
COMANDANCIA

P.M. RECTORIA C.U.
25-SEP-68

INSTRUCCIONES PARA GUARNECER LA CIUDAD UNIVERSITARIA

1.-BTN. DE ING. DE COMBATE.-Protejerá las siguientes instalaciones:
A.-Por el SUR cubrirá la zona comprendida por:RADIO UNIVERSIDAD,RECTORIA Y FACULTAD DE INGENIERIA.
B.-Por el NORTE protejerá la zona comprendida por:TORRE DE LA RECTORIA,FAC. DE JURISPRUDENCIA Y CRUCE DE INSURGENTES CON LA CALZADA QUE LIMITA LA C.U.
C.-Mantendrá,si es necesario,un peloton en el estadio Universitario.
D.-Mantendrá una reserva al BTN. y a 100 Mts de la rectoria.

2.-BTN. DE PARACAIDISTAS.-Protejerá las sigientes instalaciones:
A.-Por el SUR cubrirá la zona comprendida por: FACULTAD DE ODONTOLOGIA,FACULTAD DE MEDICINA.
B.-Por el NORTE cubrirá la zona comprendidapor:FACULTAD DE CIENCIAS POLITICAS hasta la FACULTAD DE MEDICINA
C.-Mantendrá una reserva en la FACULTAD DE FISICA NUCLEAR.

3.-ESC. BLIND. DEL 12 R.C.
A.-Reforzará al B.F.P. y al 2/o. B.I.C.
B.-Patrullará el perimetro interior de la C.U.

4.-CONDUCTA POR OBSERVAR
A.-PRUDENCIA.
B.-Si atacan con fuego aislado y sin consecuensias,contestar al aire(solamente Of.
C.-Si continua el fuego,buscar los francotiradores y hacer fuego con tiradores SELECTOS.
D.-Si la situacion lo requiere contestar como sea necesario.
E.-El personal estará,durante la noche,protejido en las sombras y a cubierto de los fuegos
F.-Durante la noche permanecer siempre alerta
G.-RECOMENDACION.-En cada zona de accion en donde converja una calzada al perimetro de C.U. taponar con piedras una superficie regular para evitar la penetración de carros.

EL GRAL BRIG. CMDTE.

JOSE HERNANDEZ TOLEDO(259481)

J.H.T./f.v.m.

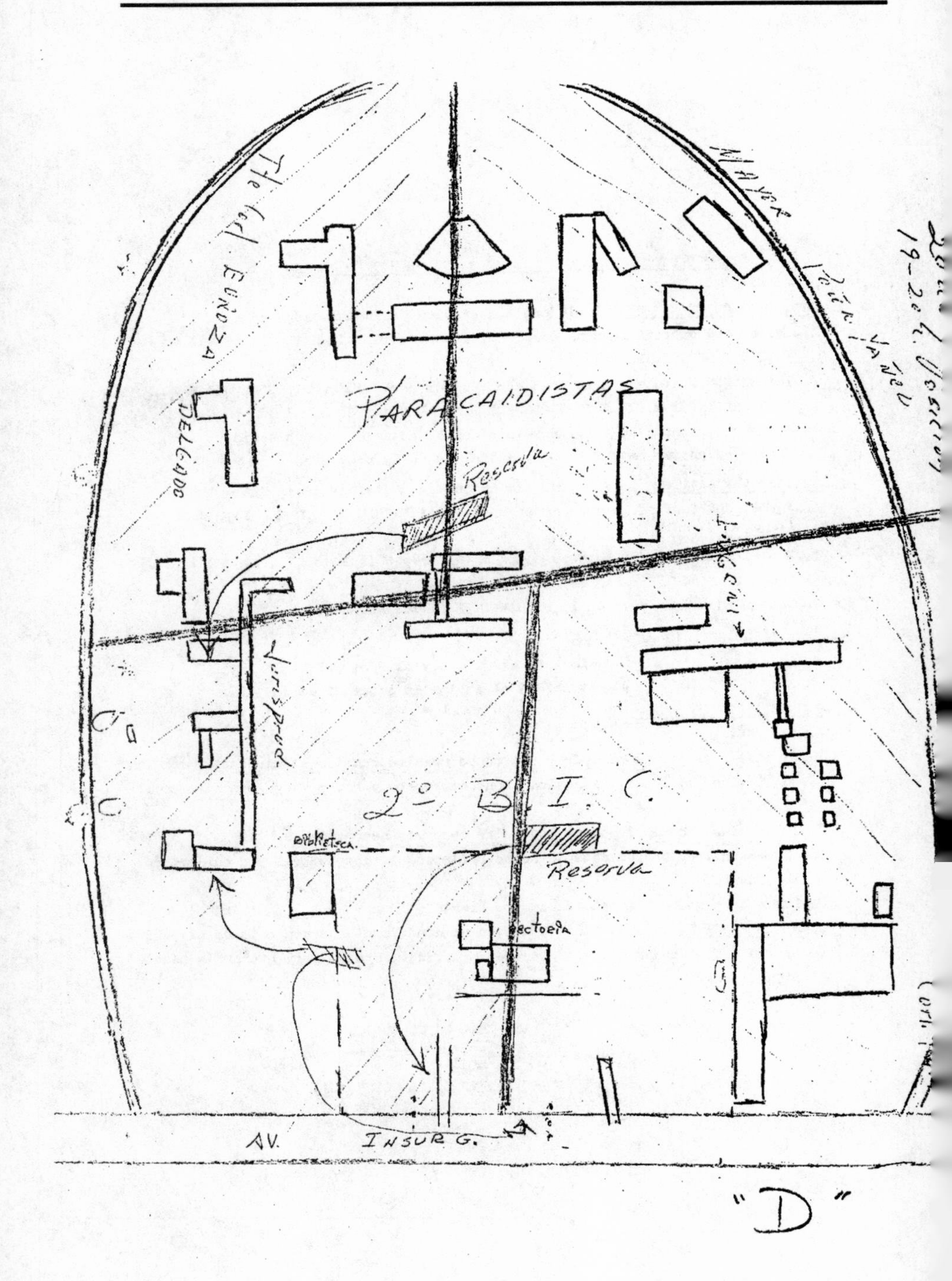
PARACAIDISTAS
Reserva
2º B. I. C.
Reserva
AV. INSURG.
"D"

EJERCITO MEXICANO

AGRUPAMIENTO MEXICO

COMANDANCIA.

Directivas a que se sujetara el servicio que guarnece la C.U.

1.- CONDUCTA POR OBSERVAR

A.- Suma Prudencia e inteligencia para conminar a que se retire cualquier personal extraño que se presentare.

B.- Si se tratare de una masa de gente desarmada se tratara de jalonarlos y rodearlos con el fin de aprenderlos.

C.- En caso de recibir fuego por parte de francotiradores se contestara el fuego con tiradores selectos tratando de localizar a los tiradores emboscados.

D.- Si el ataque es con piedras y varillas buscar el combate cuerpo a cuerpo sin emplear la bayoneta.

E.- En todo caso actuar de acuerdo con la situacion tactica que exista.

2.- MODO DE ACTUAR

A.- Buscar el ocultamiento para ver sin ser visto.

B.- Estar siempre alerta para hevitar el fuego de los francotiradores

C.- Organizar la seguridad por unidades constituidas deviendo estar siempre el oficial comandante en el lugar mas ventajoso posible.

D.- Por ningun consepto se permitira la entrada o salida de personal sin la autorizacion correspondiente.

E.- Aprovechar la observacion destacando al frente,POR PAREJAS,personal de observadores o escuchas.

F.- La sombra y las ramas de los arboles es la mejor manera de ocultarse.

3.- RESERVA

A.- La reserva devera ser movida de inmediato a donde se nesecite por el comandante de quien dependa y si es nesesario de inmediato pedira la reserva de la unidad vecina.

Ciudad Universitaria D.F. a 27 de Septiembre de 1968

EL GRAL BRIG. COMANDANTE

JOSE HERNANDEZ TOLEDO 259481

JHT/fvm.

- - - - - En la Ciudad Universitaria, Distrito Federal, a las once horas y quince minutos del día treinta de septiembre de mil novecientos sesenta y - ocho, se reunieron el C. General Brigadier JOSE HERNANDEZ TOLEDO, Comandante de las tropas que ocupan la Ciudad Universitaria, y los Señores C.P. Ernesto Patiño Hernández, Director General de Administración y Licenciado Octavio Roca Marín, Director del Patrimonio de la Universidad Nacional Autonoma de México, en representación de las Autoridades de dicha Casa de Estudios, con el objeto de recibir del primero los edificios e instalaciones de la propia Ciudad Universitaria, ocupados por fuerzas del Ejército Nacional la noche del - día dieciocho de septiembre del corriente año.- - - - - - - - - - - - - - - -

- - - - - En este acto el C. General Brigadier José Hernández Toledo manifiesta que en cumplimiento de las órdenes telefónicas que le fueron dadas por el C. General de División Marcelino García Barragán, Secretario de la Defensa Nacional, hace entrega a los representantes de la Universidad de los edificios e instalaciones de la misma. Por su parte, los Señores C.P. Ernesto Patiño y Licenciado Octavio Roca Marín, expresan que reciben dichos edificios e instalaciones, los cuales fueron revisados en su totalidad, quedando a cargo de personal de la Universidad, así mismo hacen constar que las fuerzas militares han sido desalojadas en su totalidad de la Ciudad Universitaria a las doce horas y diez minutos.- -

- - - - - Firman de conformidad la presente acta, en el día de su fecha, las personas que en ella intervinieron.- -

EL DIRECTOR GENERAL DE ADMINISTRACION

C.P. ERNESTO PATIÑO H.

EL DIRECTOR DEL PATRIMONIO

LIC. OCTAVIO ROCA MARIN.

GENERAL BRIGADIER JOSE HERNANDEZ TOLEDO.

EJERCITO MEXICANO.
FUERZA AEREA MEXICANA.
BTN. DE FLROS. PARACAIDISTAS.

P.M. Campo Militar No. 1, D.F.
1500 hrs. 2-X-68.

ORDEN DE OPERACIONES NUM. UNO.

I.-INFORMACION:
(OMITIDA).

II.-MISION:
Desalojar a los estudiantes de la Plaza de las Tres Culturas, empleando la Prudencia.

III.-MISION A LAS UNIDADES:
A. PARACAIDISTAS:-
a. La 2/a. y 3/a. Cías. y Cía.A.A. a las ordenes del C.Tte.Corl.I.P.- EDMAR EUROZA DELGADO, desalojarán a los estudiantes de la Plaza - de las Tres Culturas, actuando de W. a E. sin efectúar fuego hasta no tener CINCO MUERTOS.

b. Las Cías. P.M.S. y 1/a. a las ordenes del C. Cap.2/o.I.P.DAVID ROSAS TORAL, flanqueara por el N. la Plaza de las Tres Culturas, llevando las armas desabastecidas y NO HARA FUEGO hasta no tener CINCO MUERTOS por arma de fuego.

B. El 1/er.Btn.de G.P. desalojará a todos los estudiantes de la parte W. de la Plaza de las Tres Culturas, a partir del Puente de Sn.Juan de Letran, empleando la prudencía y no hacer fuego, cubrira la Retaguardía del B.F.P.

C. El 2/o.Esc.Blind.de Recon. a ordenes de su Comdte. dará apoyo al B.-F.P. y al 1/er.B.I.G.P. a petición de sus Comdtes., para el efecto - se dividira en DOS ESCALONES.

IV.-PRESCRIPCIONES ADMINISTRATIVAS:
- INTENDENCIA:-Estará en condiciones de proporcionar alimentación cuando se necesite y donde sea.

- SANIDAD:-Dará apoyo médico a la 2/a.,3/a. y Cía.A.A.

TRANSPORTES:-Seran proporcionados DOCE vehículos Dina por el 2/o.B.T.P.

- ENLACE Y TRASMISIONES:-El Serv. de Transmisiones proporcionará una estación de Radio PRC-77 a cada unidad incluyendo al 1/er.B.I.G.P. y -- 2/o.Esc.Blind.Recon.-El Enlace se mantendra visual y a viva voz.

PUESTO DE MANDO:
Del B.F.P. en el Centro del Dispositivo.
De las Unidades a la cabeza de las mismas.

EL GRAL. BRIG. D.E.M.A. COMDTE. BTN.

JOSE HERNANDEZ TOLEDO. (259481).

Elaboró:
El Cap.2/o.F.A.P. Jef.Int.S.I.I.O.

TOMAS GONZALEZ MENDOZA. (339114).

DISTRIBUCION:
Cía.P.M.S.
1/a. Cía.
2/a. Cía.
3/a. Cía.
Cía.A.A.
Tte. Corl. 2º Cdte.

a la vuelta.........

EJERCITO MEXICANO.
FUERZA AEREA MEXICANA.
BTN. DE FUS. PARACAIDISTAS.
GRUPO DE COMANDO.

ASUNTO: Informa sobre la misión encomendada a esta Unidad.

Ciudad Tlatelolco, D.F. a 3 de Octubre de 1968.

Al C. GENERAL DE DIVISION.
SECRETARIO DE LA DEFENSA NACIONAL.
ESTADO MAYOR.
SECCION TERCERA.
LOMAS DE SOTELO. D.F.

Me permito hacer del superior conocimiento de Usted que hayer siendo las 1615 hrs. fué herido por arma de fuego el C. Gral. Brig. DEMA. JOSE HERNADEZ TOLEDO. (259461) Comandante de la Unidad durante el cumplimiento de la Misión encomendada a la Unidad por esa superioridad de desalojar estudiantes de la Plaza de las Tres Culturas, en el momento enque los exhortaba a desalojarlo en orden y sin oponer resistencia de ninguna especie; habiendo sido trasladado al Hospital Central Militar en un vehiculo particular.

RESPETUOSAMENTE.
SUFRAGIO EFECTIVO NO REELECCION.
El Tte. Corl. Inf. P. Cmdte. Acc. Btn.

EDMAR BOROZA DELGADO. (395083).

rjh.

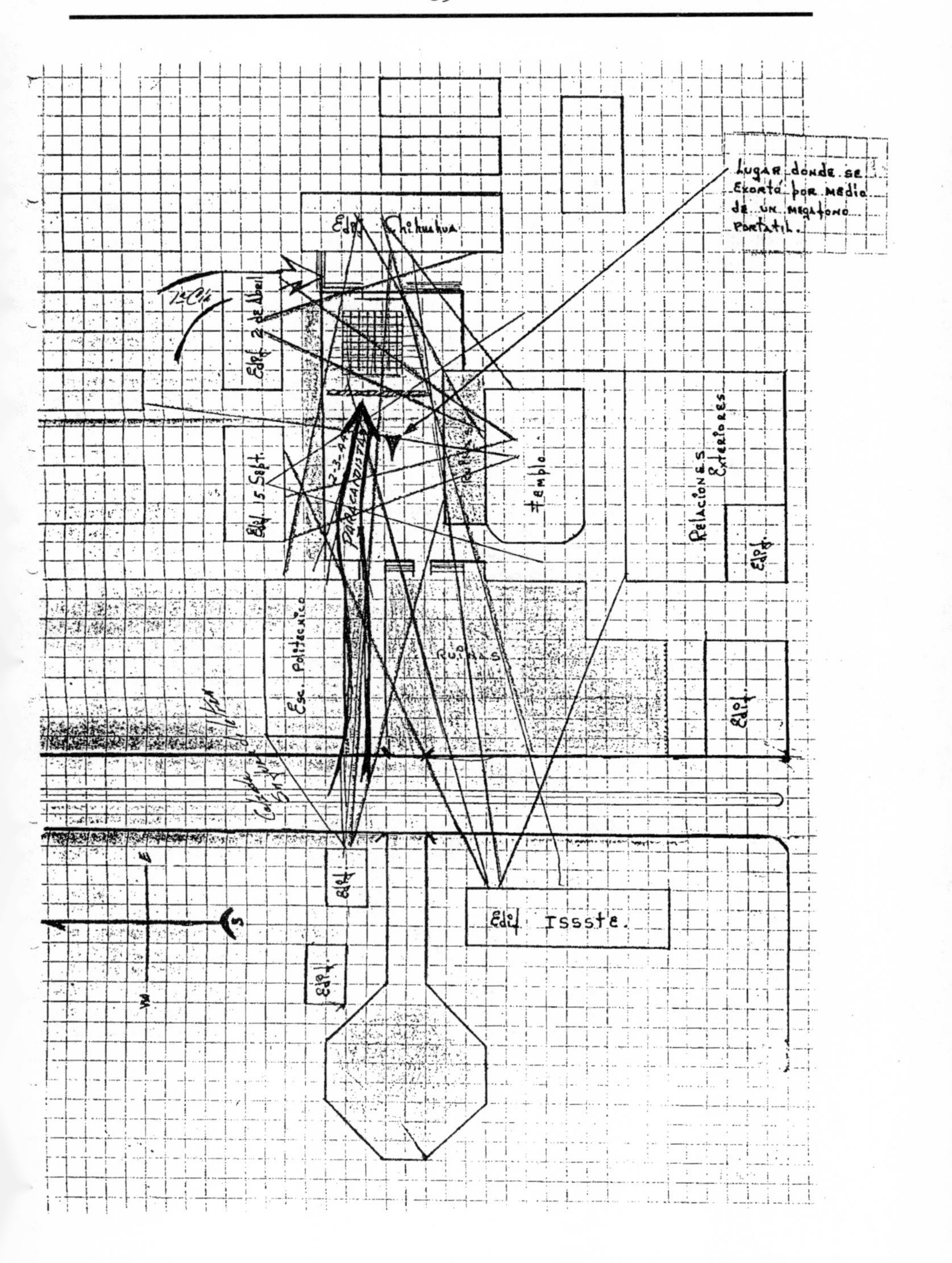

Lugar donde se Exortá por medio de un megafono portatil.
Edif. Chihuahua
Edif. 2 de Abril
Edif. 15 Sept.
PARACAIDISTA
Templo
Relaciones Exteriores
Edif.
Esc. Politecnico
RUINAS
Edif.
Edif.
Edif. ISSSTE.
Edif.

SECRETARIA
DE LA
DEFENSA NACIONAL

FORMA C-2

FUERZA AEREA MEXICANA.
DEPENDENCIA: BTN. DE FLROS. PARACAIDISTAS.
GRUPO DE COMANDO.
SECCION: INST., OPS. BTN.
MESA: UNICA.
NUMERO DEL OFICIO: 123.
EXPEDIENTE: V/111/.

ASUNTO: - Se informa sobre las Actividades Desarrolladas por esta Unidad el día de Ayer.

Cd. Tlatelolco, D.F. a 5 de octubre de 1968.

AL C. GENERAL DE DIVISION.
SRIO. DE LA DEFENSA NACIONAL.
ESTADO MAYOR.
SECCION TERCERA.
Lomas de Sotelo, D.F.

Pemitame hacer del Superior Conocimiento de Usted que el día de ayer se continúo custodiando la Plaza de las Tres Culturas con un Efectivo de DOS Jefes, VEINTE Oficiales y 410 de Tropa pertenecientes a esta Unidad, y Un Oficial, DOCE de Tropa con DOCE Vehículos Dina del 2/o. B.T.P.

Continúa encamado en el H.C.M. el C. General Brig. D.E.M.A.- Comandante del Batallón JOSE HERNANDEZ TOLEDO.

RESPETUOSAMENTE.
SUFRAGIO EFECTIVO NO REELECCION.
EL TTE. CORL. INF. PARAC. COMDTE. ACC.

EDMAR MUÑOZ DELGADO. (395083).

SECRETARIA DE LA DEFENSA
BTN. DE FUS. PARACAIDISTAS
COMANDANCIA

C.c.p. El C.Gral.deDiv.Comdte.de la 1/a.Z.M.P/sup.Conoc.............Palacio Nacional.C
El C.General de Brigda.F.A.P/A.Jef.F.A.M.Igual fín..........Lomas de Sotelo,D.
El C.Gral.de Brigda.Comdte.de la Brigda.de Inf.Igual fín.....Campo Mil.# 1,D.F.
El C.Cap.2/o.F.A.P.J.I.S.I.I.Ops.Btn.P/su Conoc.............Campo Mil.# 1,D.F.

AL CONTESTAR ESTE OFICIO, CITENSE LOS DATOS CONTENIDOS EN EL CUADRO DEL ANGULO SUPERIOR DERECHO

"Para la historia, que ésta se escribe a largo plazo", asienta el general Marcelino García Barragán en la hoja inicial de una carpeta negra, delgada. Eje y razón del documento es el parte militar del dos de octubre de 1968. Asoman en él los primeros recelos: "movimientos sospechosos", "francotiradores emboscados". También asoma una forma de locura en la ríspida literatura castrense. Sólo entre los concurrentes al mitin fueron capturadas dos mil personas.

La subjefatura del Estado Mayor de la Secretaría de la Defensa Nacional elaboró el documento. Una a una de sus páginas las avala la firma del general García Barragán.

Los partes, íntegros, son los siguientes:

Un mitin en el Zócalo capitalino.

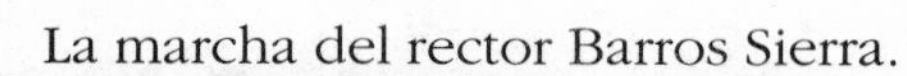
La marcha del rector Barros Sierra.

S. D. N. SUBJEFATURA.
E. M.

HECHOS SOBRESALIENTES DEL PROBLEMA ESTUDIANTIL Y ACTUACION DEL EJERCITO PARA MANTENER EL ORDEN.

I. ANTECEDENTES.

A. El 23-JUL-68 se inició el problema estudiantil cuando alumnos de las Vocacionales 2 y 5 se reunieron en la Plaza de la Ciudadela para lanzar un ataque contra la Preparatoria "ISAAC OCHOTERENA", en virtud de que con anterioridad ya habían tenido una riña a pedradas.

Para calmar los ánimos intervino el Cuerpo de Granaderos habiendo resultado varios lesionados por ambos bandos.

B. Por la intervención del Cuerpo de Granaderos en este conflicto el 26-JUL-68 estudiantes del I. P. N. efectuaron una manifestación de protesta, coincidiendo ésta con otra que realizaban organizaciones comunistas para celebrar el aniversario de la Revolución Cubana; ambos grupos manifestantes se unieron dirigiéndose hacia el Zócalo donde se originó un encuentro con la Policía que los obligó a retirarse hacia la Alameda, lugar en que volvieron a tener otro encuentro con el Cuerpo de Granaderos con saldo de varios lesionados; los estudiantes se retiraron a la Preparatoria 3 (Justo Sierra y Argentina) donde se encerraron.

C. Los días 27 y 28-JUL-68 los estudiantes de las Preparatorias 3 y 7 se dedicaron a secuestrar autobuses quemando algunos de ellos y obstruyendo el tránsito.

D. El 29-JUL-68 los estudiantes realizaron actos vandálicos en diversos rumbos de la Ciudad y cuando algunos grupos de ellos se dirigían al Zócalo tuvieron encuentros con la Policía en las calles de Tacuba, Argentina y Guatemala.

II. INTERVENCION DEL EJERCITO EL DIA 30-JUL-68.

El General y Licenciado ALFONSO CORONA DEL ROSAL, Regente del Distrito Federal, y el Licenciado LUIS ECHEVARRIA [*sic*], Secretario de Gobernación, tomando en consideración la agresividad de los estudiantes y la incapacidad de los Granaderos, en dos días de luchas consecutivas, me pidieron que mandara un Oficial de Estado Mayor, para que en auxilio del General LUIS CUETO RAMIREZ, ayudara a planear la intervención de la Policía Preventiva en los disturbios estudiantiles. Designé a los CC. General Brigadier DEM. MARIO BALLESTEROS PRIETO, Jefe del Estado Mayor de la Secretaría de la Defensa Nacional y al Coronel de Artillería DEM. RAUL FLORES ROMERO, Jefe de la Sección Quinta del propio Estado Mayor, acompañados del C. Capitán 1/o. de Caballería JUAN MANUEL ROJAS HISI, Ayudante del suscrito. Tan pronto me informó el General BALLESTEROS que se encontraba en la Oficina del General CUETO RAMIREZ para iniciar la planeación, cuando el General CORONA DEL ROSAL y el Lic. ECHEVARRIA [*sic*] me volvieron a llamar, indicando que había aumentado considerablemente el número de estudiantes por las calles de BRASIL y ARGENTINA, que trataban de abrir una Armería y a la vez invadir el ZOCALO; por lo que estimaban apremiante la intervención del Ejército sin los planes que se habían pedido.

Como nosotros en los planes tenemos previstos los dispositivos necesarios para la intervención de las tropas en casos de motines, ordené la entrada en acción del Ejército, bajo la siguiente directiva de operaciones:

A. Integración del Destacamento Militar.

Mando: General de Brigada, CRISOFORO MAZON PINEDA.

a. AGRUPAMIENTOS.

Núm. 1.- Btn. de Fusileros Paracaidistas.
Btn. de Policía Militar (menos los servicios establecidos en el Campo Militar # 1 y en la S. D. N.)

Núm. 2.- 3/er Btn. de Infantería.
2/o. Edn. Blindado de Reconocimiento.

Núm. 3.- 40/o. Btn. de Infantería.
44/o. Btn. de Infantería.
2/o. Grupo Mixto de Armas de Apoyo.

B. Misión del Destacamento Militar.

a. Apoyar a la Policía Preventiva en la restauración y mantenimiento del orden, por medio del convencimiento haciendo uso de altoparlantes y solamente en caso de que el Ejército sea agredido con armas de fuego se hará frente a la situación contestando con armas de fuego, poniendo especial cuidado en ordenar se batan directa y únicamente los lugares de donde éste provenga, para que en lo posible se eviten desgracias en personal inocente.

b. Desalojar a los estudiantes que se encontraran posesionados de los diferentes establecimientos culturales.

c. Entregar a la Policía Preventiva los estudiantes detenidos.

d. Custodiar los alojamientos culturales hasta nueva orden.

e. Dar seguridad con patrullas móviles al área que circunde los planteles ocupados.

f. Por órdenes de esta Secretaría de la Defensa Nacional, entregar a las autoridades civiles que se señalen, los edificios o áreas ocupadas por el Ejército.

C. Idea de Maniobra.

a. Con los Agrupamientos 1, 2 y 3, efectuar una maniobra de envolvimiento en el área que ocupan las Escuelas Preparatorias 1, 2, 3 ubicadas en las calles de Justo Sierra y San Ildefonso, dentro del primer cuadro de la Ciudad de México para que por medio del convencimiento, permitir que los contingentes civiles que se encuentran ocupando los citados centros culturales, depongan su actitud hostil, se entreguen a las autoridades civiles y se restablezca el orden en la Ciudad.

b. Dispositivo:

Agrupamiento Núm. 1.- En acción de Norte a Sur considerando a las Preparatorias 1, 2 y 3 como centro.

Agrupamiento Núm. 2.- En acción central abriendo cerco en el área de las Preparatorias 1, 2 y 3.

Agrupamiento Núm. 3.- En acción de Sur a Norte, considerando a las Preparatorias 1, 2 y 3 como centro.

D. Enlace y Transmisiones.

En lenguaje claro empleo de radiotelefonía, tanto del Ejército como de las Fuerzas de Seguridad Pública.

Cuando las necesidades lo exijan, utilización del teléfono público.

E. Puesto de Mando.

En permanencia hasta nueva orden el despacho del C. Gral. de Div. Secretario de la Defensa Nacional.

F. Mientras el Destacamento Militar a las órdenes del General CRISOFORO MAZON PINEDA, se desplazaba, el General BALLESTEROS cumpliendo órdenes, dispuso que el C. Cor. FLORES ROMERO saliera de las Oficinas del Jefe del Departamento del D. F. , hacia la Plazuela Aquiles Serdán, con el objeto de transmitir órdenes especiales al Agrupamiento Núm. 1, que se desplazaba por el itinerario REPUBLICA DEL PERU-ARGENTINA; consistente en que se ocuparan las azoteas de los edificios de la Secretaría de Educación Pública y CONASUPO, y que mediante exhortos se obligara a los estudiantes a deponer su actitud y salir de los planteles ocupados por ellos, así como que se cumpliera con la misión y dispositivos señalados.

G. Estaban ya las tropas en marcha sobre sus objetivos, con el dispositivo señalado, cuando volvieron a hablar el Lic. ECHEVARRIA[*sic*] y el Gral. y Lic. CORONA DEL ROSAL, diciendo que estaban 10,000 estudiantes en SAN CRISTOBAL ECATEPEC, procedentes de PUEBLA, PUE.; que en COAPA había otros 3,000; que en la CIUDADELA había de 5,000 a 10,000 y que en TLATELOLCO había otro tanto, con la amenaza de ser reforzados por los de PUEBLA; que por esa razón era urgente que se destacaran tropas a los lugares mencionados, para auxiliar a la Policía que se encontraba tratando de disolver a los grupos revoltosos. Les contesté a los funcionarios antes mencionados, que no se podían modificar las órdenes, por estar las tropas en marcha y cuando cumplieran su misión se haría otro dispositivo hacia los objetivos señalados, y personalmente dí instrucciones al General BALLESTEROS para desalojar consecutivamente las instalaciones.

H. Cuando el Coronel FLORES ROMERO llegó a la Plaza de Aquiles Serdán, el convoy ya había pasado por dicho lugar, motivo por el cual el citado Jefe se trasladó por el mismo itinerario, hasta llegar a las calles de Justo Sierra, esquina con Carmen, dándose cuenta de que las tropas ya estaban distribuidas en el área, cercando prácticamente a las escuelas preparatorias que se encuentran ubicadas en las calles de Justo Sierra y San Ildefonso. El citado Jefe localizó a los CC. General JOSE HERNANDEZ TOLEDO, Comandante del Batallón de Fusileros Paracaidistas, Coronel JORGE CRUZ GARCIA, Comandante del 3/er Batallón de Infantería, Coronel EDMUNDO ARRIAGA LOPEZ, Comandante del Batallón de Policía Militar, y posteriormente al General CRISOFORO MAZON PINEDA, Comandante del Destacamento Militar, comunicándoles las órdenes especiales que llevaba y que ya fueron mencionadas.

I. Según informes dados por el Coronel FLORES ROMERO, cuando él se presentó en las calles de San Ildefonso y Justo Sierra, éstas se encontraban cubiertas con gases lacrimógenos y el personal correspondiente a las dos Secciones del Batallón de Policía Militar y dos Secciones del Batallón de Fusileros Paracaidistas, al Mando del Coronel ARRIAGA LOPEZ, ya habían penetrado al recinto de la Preparatoria # 3. Es de hacerse notar que minutos antes de la entrada de las tropas a la Preparatoria # 3, se escucharon disparos (aproximadamente de 8 a 10) procedentes de la azotea de la citada Preparatoria; afortunadamente no hubo ningún soldado herido.

J. Con la presencia de las tropas en la Preparatoria # 3, el grupo de estudiantes se movió en su interior, unos bajando de la azotea y otros de los corredores, hacia la puerta que da salida a la calle de Justo Sierra; como la puerta la tenían cerrada los propios estudiantes, al sentir la presencia de las tropas volaron la citada puerta, según informes, con bombas molotov y algunos cartuchos de dinamita. Como el Batallón de Fusileros Paracaidistas, al Mando del General TOLEDO, estaba cubriendo la calle de Justo Sierra, capturó a los estudiantes que salieron por la puerta de este lado, habiéndolos entregado al personal de la Policía para ser trasladados a los separos de la misma.

K. El personal del Btn. de Fusileros Paracaidistas, también desalojó a estudiantes que se encontraban en la Preparatoria # 1; mismos que fueron entregados a la Policía para su traslado a los separos de la misma. En ningún momento los agitadores lograron penetrar a la Plaza de la Constitución. Los puntos más cercanos en donde estuvieron aglomerados fueron los desemboques de la calle de Argentina esquina con Guatemala, donde quemaron un auto-transporte y otro núcleo, a la altura de la calle de Brasil, esquina con Monte de Piedad; en esta calle de Brasil también quemaron otro auto-transporte.

L. Al restablecerse el orden en dicha área, y una vez que el General BALLESTEROS se cercioró de que los edificios correspondientes a las Escuelas antes mencionadas habían quedado desalojados de estudiantes amotinados, ordenó que se quedaran los efectivos correspondientes al Agrupamiento Núm. 1, custodiando las Preparatorias 1 y 3, hasta recibir órdenes para entregarlos a la Policía Preventiva del D. F. , aprovechando ese lapso para recoger todo tipo de proyectiles, bombas molotov, propaganda, etc. etc. , que usaron los estudiantes, y ser consignados como cuerpos de delito a las autoridades competentes. El 40/o. B. I. perteneciente al Agrupamiento Núm. 3, también quedó en el área de San Ildefonso en misión de patrullamiento.

M. Los Agrupamientos Núms. 2 y 3, menos el 40/o. B. I. , a las órdenes del General CRISOFORO MAZON PINEDA, se trasladaron a la Vocacional # 5, situada en la calle de Emilio Dondé, esquina con Enrico Martínez; al llegar las tropas al citado lugar, se encontraba el Cuerpo de Granaderos cercando la citada escuela, quienes a pesar de sus insinuaciones al estudiantado, éstos no querían salirse del local, continuando en actitud hostil. Al darse cuenta de la presencia de las tropas y por insinuación que les hiciera el General BALLESTEROS, fueron saliendo del edificio de uno por uno, quien después de haberse percatado que no había quedado ningún amotinado en la Escuela, ordenó que los detenidos fueran conducidos en vehículos de la Policía Preventiva a los separos de la misma; simultáneamente se revisó la Escuela Prevocacional # 2, que se encuentra en las calles de TOLSA Y TRES GUERRAS, no habiendo encontrado ningún estudiante en dicho Centro, motivo por el cual se dejó únicamente una Sección de Infantería perteneciente al 3/er. B. I. en la Vocacional # 5, con el resto de los contingentes, sumando a éstos los efectivos del Batallón de Transmisiones; los Generales MAZON PINEDA y BALLESTEROS PRIETO se trasladaron por la vía más rápida hacia la Vocacional # 7 en Tlatelolco, donde los estudiantes se encontraban amotinados sin hacer caso a la policía y preparándose para quemar aproximadamente 15 autobuses que tenían como barricada, pegados uno a otro, con las llantas desinfladas, cubriendo el frente del edificio; cuando se presentó el Ejército, cambiaron su actitud y previo exhorto que les hizo el General BALLESTEROS y después de cierto tiempo que llevó el diálogo, los estudiantes amotinados fueron desalojando el edificio.

N. Tan pronto salieron éstos, fueron conducidos hacia los vehículos de la Policía Preventiva, para ser trasladados a los separos de la misma; con esta acción se permitió que la Dirección General de Tránsito pudiera inflar las llantas de los autobuses y remolcarlos con grúas hacia sus respectivos garages. Personal del 40/o. B. I. se quedó en custodia de la Vocacional # 7 en Tlatelolco.
El Ejército no hizo fuego en ninguna ocasión, concretándose a desalojar las áreas y los planteles.

O. La operación ejecutada por el Ejército se desarrolló entre las 0055 a las 0545 Hs. , del 30 de JULIO de 1968.

P. Horas después y a pedimento de las autoridades de Gobernación y del Departamento del D. F. , fueron entregados los edificios escolares antes citados a la Policía Preventiva del D. F.

Q. FUNDAMENTO LEGAL.

La Intervención del Ejército fue motivada a solicitud de las autoridades enunciadas en el párrafo anterior y en acatamiento en lo estipulado en la Constitución de la República y demás Leyes y Ordenamientos que a continuación se citan:

a. Constitución Política de los Estados Unidos Mexicanos.

Los Artículos 35/o. Fracción IV y 73/o. Fracción XIV de la propia Constitución señalan respectivamente la misión del Ejército, o sea la Defensa de la República y de sus Instituciones; y la Facultad del Congreso para levantar a las Instituciones Armadas de la Unión y para Reglamentar su Organización y Servicio.

b. Con apoyo en dicha Fracción XIV del Artículo 73/o. de la Constitución, el Congreso expidió el 11 de marzo de 1926 la Ley Orgánica del Ejército en vigor.

La Ley Orgánica señala en sus Bases Generales que dicha Institución está destinada a defender la Independencia de la Patria, a mantener el imperio de la Constitución y de las demás Leyes y a CONSERVAR EL ORDEN INTERIOR; y que el mando del Ejército corresponde al Presidente de la República quien podrá ejercerlo por sí o por medio de las autoridades militares a quienes designe.
El Artículo 28 de dicha Ley Orgánica del Ejército dispone que el Secretario de Guerra (hoy de la Defensa Nacional) o quien haga sus veces, despachará las órdenes que reciba del C. Presidente de la República en el ejercicio del Mando Supremo.

c. Ley de Secretarías y Departamentos de Estado, expedida por el Congreso de la Unión el 23 de diciembre de 1958.

Esta Ley de Secretarías y Departamentos de Estado, distributiva de competencias expedida por el Congreso con apoyo en el Artículo 90 Constitucional, señala en su Artículo 4/o. Fracción XIX que corresponde a la S. D. N. prestar los servicios civiles que a dichas fuerzas (Ejército y Fuerza Aérea) encomiende el Ejecutivo Federal; y auxiliar a la Policía es un servicio público.

d. Reglamento General de Deberes Militares, expedido por el Ejecutivo Federal el 10 de noviembre de 1936.

El Reglamento General de Deberes Militares señala en sus artículos 28 y 29 los casos en que las tropas deben intervenir en auxilio de la Policía cuando lo disponga la Secretaría de Guerra (hoy de la Defensa Nacional) y en los casos de flagrante delito de acuerdo con el Artículo 16 de la Constitución de la República y cuando las autoridades civiles requieran su auxilio.

e. Reglamento General de Regiones y Zonas Militares, expedido por el Ejecutivo Federal el 2 de abril de 1951.

El Reglamento General de Regiones y Zonas Militares señala en sus Artículos 10, párrafos 6, 8, 9 y 21 de la Primera Parte y 9, párrafos, 5, 6 y 11 de la Segunda Parte entre los deberes y atribuciones de los Comandantes respectivos, las de auxiliar a las autoridades civiles y restablecer el orden alterado impartiendo garantías a la sociedad e instituciones, así como proporcionar tropas para salvaguardar propiedades de la Nación.

f. Reglamento de Comandancias de Guarnición del Servicio Militar de Plaza, expedido por el Ejecutivo Federal el 1/o. de julio de 1933.

Este Reglamento señala en sus Artículos 33, 36, 37 y 38 los casos en los cuales los Comandantes de Guarnición intervendrán para mantener o restablecer el orden público y para impartir el auxilio de tropas a las autoridades civiles que lo pidan.

g. Ley Orgánica del Ministerio Público Federal, expedido por el Congreso de la Unión el 10 de noviembre de 1955, señala en su Artículo 66 que:

"Las Autoridades Policiacas y MILITARES que no acaten los acuerdos que el Ministerio Público Federal dicte en ejercicio de sus funciones, o se nieguen a prestarle el auxilio que les sea requerido, incurrirán en las sanciones de quince días a un año de prisión, multa de diez a cien pesos y destitución del cargo".

h. Código de Justicia Militar expedido por el Congreso de la Unión el 28 de agosto de 1933.

Por su parte el Código de Justicia Militar que tiene su apoyo en el Artículo 13 de la Constitución Federal, estatuye en su Artículo 347 lo siguiente:

"El que ejerciendo el Mando o desempeñando servicio de armas, y requerido por la autoridad competente, de cualquier orden no prestare la cooperación a que esté obligado para la administración de justicia u otro servicio público, sin causa justificada, incurrirá en las penas de ocho meses de prisión y un año de suspensión en empleo o comisión".

III. INTERVENCIONES DEL EJERCITO EN AGOSTO Y SEPTIEMBRE DE 1968.

A. Con anticipación se tuvo conocimiento que el día 1-AGO-68, se llevaría a cabo una marcha-estudiantil de la U. N. A. M. con itinerario CIUDAD UNIVERSITARIA-INSURGENTES-FELIX CUEVAS-CIUDAD UNIVERSITARIA, encabezada por el Rector JAVIER BARROS SIERRA y autorizada por el Departamento del D. F. y la Secretaría de Gobernación; a petición de los titulares de las dependencias de referencia fueron establecidas tropas aproximadamente a un kilómetro fuera del área de recorrido para garantizar que la citada marcha se llevara a cabo sin ningún incidente.

B. Para el efecto, emití la siguiente directiva de operaciones:

1.- Integración del Destacamento Militar.

a. Mando: C. Gral. de Bgda. CRISOFORO MAZON PINEDA.

b. Agrupamientos:

<u>Núm. 1</u>.- "<u>Universidad</u>"

- Mando: C. Gral. Brig. F. A. P. DEMA. JOSE HERNANDEZ TOLEDO.

- Unidades:

  3/er. B. I.
  Un Escuadrón 4/o. R. C.
  2/o. G. M. A. A.
  2/o. E. B. R.
  Btn. de Fus. Paracaidistas (Reserva del Agpto.)

<u>Núm. 2</u>.- "<u>Politécnico</u>"

- Mando: C. Cor. Inf. RAMON ARRIETA VIZCARRA.

- Unidades:

  40/o. B. I.
  53/o. B. I.
  Un Escuadrón 1/er. R. C.
  1/er. E. B. R. C. G. P.
  3/er. Btn. Art. (Reserva Agpto.)
  B. I. C. F. A. (Reserva Agpto.)
  2/o. B. I. C. (Reserva Agpto.)

<u>Núm. 3</u>.- <u>Reserva General</u>.

- Mando: C. Cor. Inf. ARMANDO DEL RIO ACEVEDO.
- Unidades:

  44/o. B. I.
  2/o. B. I. C. G. P.
  Btn. Transm.
  13/o. R. C. (-)
  Btn. Pol. Mil. (+) una Sección Btn. Tpas. Admón.

2. <u>Misión del Destacamento Militar.</u>

a. Impedir que los estudiantes procedentes de las instalaciones de la U. N. A. M. , prolonguen su manifestación hasta el Palacio Nacional, disolviéndola entre las calles de Parroquia y Perpetua, así como evitar que cualquiera manifestación de estudiantes del I. P. N. llegue al Monumento de la Revolución.

b. Para el caso de tener que intervenir se hará uso de altoparlantes, para que por medio de un exhorto (Ver Anexo 1) se trate de convencer al estudiantado de que no debe rebasar los límites señalados por el permiso para la manifestación, concedido por las autoridades del D. F.

c. Solamente en el caso de que el Ejército sea agredido con armas de fuego, se hará frente a la situación contestando con armas de fuego, poniendo especial cuidado en ordenar se batan directa y únicamente los lugares de donde éste provenga, para que en lo posible se eviten desgracias en personal inocente.

d. Entregar a la Policía Preventiva al personal que por desórdenes o actos delictuosos sea detenido.

e. Dar seguridad con patrullas móviles al área donde se disuelva la manifestación.

3. Idea de Maniobra.

a. El Agrupamiento Núm. 1.- "Universidad", envolverá a los manifestantes que abandonen la ruta que seguirá el Rector de la U. N. A. M. (Ver Anexo 2) sobre la Av. Insurgentes y entre las calles de Parroquia y Perpetua.

b. El Agrupamiento Núm. 2.- "Politécnico", taponará las calles por donde intenten efectuar su progresión los estudiantes del I. P. N. , a efecto de impedir su llegada al centro de la Ciudad (Monumento a la Revolución) y reunirse con estudiantes procedentes de otros centros de estudio.

c. La reserva general se mantendrá en sus respectivos cuarteles en condiciones de actuar en las áreas de operaciones de los Agrupamientos 1 y 2.

d. Ningún movimiento de tropas se efectuará antes de las 1600 Hs. del 1-AGO-68.

4. Enlace y Transmisiones.

En lenguaje claro empleo de radiotelefonía, tanto del Ejército como de las fuerzas de seguridad pública y empleo del teléfono público cuando las necesidades lo exijan.

5. Puesto de Mando.

En permanencia hasta nueva orden: Despacho del C. Gral. Div. Secretario de la Defensa Nacional.

Algunos seudo-estudiantes se reunieron en áreas fuera de la ruta de la manifestación y en grupos más o menos numerosos en diversos rumbos de la Ciudad, para cometer desmanes y actos fuera de la Ley, posiblemente con intenciones de desvirtuar la marcha estudiantil, los que fueron sometidos por la policía auxiliada por el Ejército.

Las tropas permanecieron en sus áreas de estacionamiento hasta que se dispersaron los manifestantes, habiendo rendido parte de sin novedad en lo referente a la marcha de la U. N. A. M.

A las 2015 horas de la propia fecha comenzaron a reunirse grupos estudiantiles en el Monumento a la Revolución; a las 2130 horas cuando aproximadamente sumaban 2,000 elementos estudiantiles, intervino el Ejército empezando a disolverlos y para las 2315 horas fue desintegrado el último contingente.
En esta participación tampoco se hizo uso del fuego.

La intervención del Ejército en esta acción se fundamenta en los Ordenamientos Federales que se han citado en el Párrafo II letra "Q".

C. El día 2-AGO-68 las tropas que intervinieron para controlar los disturbios estudiantiles se reintegraron a sus Cuarteles, permaneciendo en estado de "alerta".

D. El 5-AGO-68 encabezada por algunos maestros, aproximadamente 15,000 estudiantes efectuaron una marcha partiendo de ZACATENCO por el itinerario MONTEVIDEO-MISTERIOS-GLORIETA DE PERALVILLO-MANUEL GONZALEZ-SAN JUAN DE LETRAN-NO-

NOALCO-CASCO DE SANTO TOMAS, donde después de realizar un mitin se dispersaron. Las tropas acuarteladas en el Valle de México no intervinieron, permaneciendo en sus respectivos alojamientos en estado de "alerta".

E. El 13-AGO-68 a las 1710 horas del CASCO DE SANTO TOMAS salieron de 30 a 40,000 manifestantes, entre los cuales se tuvo conocimiento se encontraban personas con apariencia de obreros, campesinos y mujeres, desplazándose por la AV. INSTITUTO TECNICO-MELCHOR OCAMPO-SULLIVAN-PASEO DE LA REFORMA-AV. JUAREZ-CINCO DE MAYO-PLAZA DE LA CONSTITUCION, donde realizaron un mitin habiendo terminado este acto a las 2110 horas, quedando posteriormente la Plaza de la Constitución totalmente despejada.

En esta fecha el Ejército, en previsión de los acontecimientos que se contemplaron, sólo reforzó los servicios de Palacio Nacional con dos Compañías de Infantería, permaneciendo en sus alojamientos el grueso de las tropas en estado de "alerta".

Las manifestaciones enunciadas las realizaron los estudiantes en demanda de la solución de sus peticiones.

F. El 27-AGO-68 se efectuó una marcha estudiantil, la que se inició en el MUSEO NACIONAL DE ANTROPOLOGIA E HISTORIA, a las 1700 horas con efectivo aproximado de 80,000 elementos, entre estudiantes, padres de familia y vendedores ambulantes, desplazándose por el PASEO DE LA REFORMA-AV. JUAREZ-CINCO DE MAYO-PLAZA DE LA CONSTITUCION, donde lanzaron insultos a las autoridades izando un lienzo rojinegro en el Asta Monumental, un grupo de estudiantes hizo repicar las campanas de la Catedral, en tanto que otros grupos pintarrajeaban las paredes de Palacio y lanzaban insultos a las autoridades.

A las 2230 horas de la fecha indicada quedaron aproximadamente 4,000 estudiantes en el Zócalo para hacer guardia, lo cual era un acto ilegal y que originaría trastornos al resto de la población; a las 0045 horas del 28-AGO-68 arribaron al Zócalo elementos del Ejército invitando a los estudiantes a desalojar la

Plaza de la Constitución. A las 0105 horas el Ejército procedió a desalojar a los estudiantes obligándolos a replegarse a la Av. Juárez y Balderas donde se disolvieron.

A las 1345 horas de la misma fecha arribaron al Zócalo entre 1,500 y 2,000 estudiantes sentándose frente a la Puerta Central de Palacio y a las 1405 horas del 28-AGO-68, tropas del 3/er. B. I. y vehículos del Escuadrón Blindado de la Brigada de Infantería, desalojaron a los estudiantes que invadieron el Zócalo.

A las 1425 horas elementos del 27/o. B. I. y vehículos blindados desalojaron a los grupos estudiantiles que se reunían en las calles de Lic. VERDAD, GUATEMALA y ACADEMIA.

En la noche del mismo día un grupo de elementos desconocidos balacearon la Vocacional 7.

G. A las 1530 horas del 29-AGO-68 en la Plaza de las Tres Culturas se inició un mitin estudiantil, el que fue disuelto por personal de Paracaidistas que arribaron a las 1540 horas y conminaron a los estudiantes a retirarse del lugar, porque su conducta alteraba el orden y se apartaba de los lineamientos de reclamación constitucional.

H. A las 1625 horas del 13-SEP-68 se ordenó a la Brigada de Infantería que enviara una Compañía de esa Unidad a Palacio Nacional y que permaneciera en ese lugar en refuerzo hasta nueva orden, permaneciendo en sus alojamientos el grueso de las tropas en estado de "alerta".

A las 1735 horas del 13-SEP-68 se inició una marcha estudiantil en el MUSEO NACIONAL DE ANTROPOLOGIA E HISTORIA con efectivo aproximado de 10,000 participantes, desplazándose por el PASEO DE LA REFORMA-AV. JUAREZ-CINCO DE MAYO-ZOCALO en donde realizaron un mitin y se dispersaron posteriormente.

I. En la noche del 18-SEP-68 y debido a que el personal del Comité de Huelga continuaba apoderado de algunos edificios de la Ciudad Universitaria, a petición de las autoridades competentes, el Ejército ocupó los planteles de dicha casa de estudios, bajo la siguiente directiva de operaciones:

1. Integración del Destacamento Militar "Restauración".

a. Mando: C. Gral. de Bgda. CRISOFORO MAZON PINEDA.

b. Agrupamientos:

Núm. 1.- Mando: C. Gral. Brig. F. A. P. DEMA. JOSE HERNANDEZ TOLEDO.

- Unidades:

Btn. Fus. Paracaidistas.
1/er. Btn. Inf. C. G. P.
2/o. Edn. Blind. de Rec.
Una Sec. (-) Btn. Pol. Mil.

Núm. 2.- Mando: C. Gral. Brig. DEM. GONZALO CASTILLO FERRERA.

- Unidades:

3/er. Btn. de Inf.
43/o. Btn. de Inf. (-)
1/er. Edn. Blind. de Rec.
Una Sección (-) Btn. Pol. Mil.

Núm. 3.- Mando: Cor. Inf. RAMON ARRIETA VIZCARRA.

- Unidades:

40/o. Btn. de Inf.
2/o. G. M. A. A.
Una Sección (-) Btn. Pol. Mil.

Núm. 4.- Mando: C. Cor. Inf. ARMANDO DEL RIO ACEVEDO.

- Unidades:

44/o. Btn. de Inf.
Una Cía. Btn. "Olimpia".

Núm. 5.- Mando: C. Cor. Cab. DEM. ALBERTO SANCHEZ LOPEZ.

- Unidades:

12/o. Rgto. Cab. Mec. (-)
Dos Cías. 19/o. Btn. de Inf.

Núm. 6.- Mando: C. Cor. Inf. DEM. GILBERTO BARRIGUETE SOTO.

- Unidades:

2/o. Btn. de Inf. C. G. P.
Btn. "Olimpia" (-)

2.- Misión del Destacamento Militar.

a. Ocupar la Ciudad Universitaria a partir de la hora H del día D, capturando a los agitadores del Comité de Huelga que han estado tratando de subvertir el orden constitucional, poniéndolos a disposición de las autoridades civiles competentes.

b. Solamente en el caso de que el Ejército sea agredido con armas de fuego, se hará frente a la situación contestando con armas de fuego, poniendo especial cuidado en ordenar se batan directa y únicamente los lugares de donde éste provenga para que en lo posible se eviten desgracias en personal inocente.
c. Custodiar los alojamientos culturales hasta nueva orden.

d. Dar seguridad con patrullas móviles al área que circunde los planteles ocupados.

f. [*sic*] Por órdenes de esta Secretaría de la Defensa Nacional, entregar a las autoridades civiles que se señalen, los edificios o áreas ocupadas por el Ejército.

3. Idea de Maniobra.

Dividir en cuatro zonas de acción la Ciudad Universitaria, asignándolos a cada uno de los cuatro primeros Agrupamientos para que en forma simultánea, orienten su esfuerzo en la ocupación de cada una de sus respectivas zonas de acción, capturando los puntos críticos dentro de la misma, concluyendo con la detención y entrega a las autoridades competentes de los agitadores del Comité de Huelga que se encuentren en su interior.

Con los Agrupamientos números 5 y 6 y en acción simultánea a la de los números 1, 2, 3 y 4; ejecutar una acción de envolvimiento para aislar la Ciudad Universitaria, taponando las salidas a toda persona a pie o en vehículo y al mismo tiempo convertirse en la reserva general del Destacamento Militar "Restauración".

4. Enlace y Transmisiones.

En lenguaje claro empleo de radiotelefonía, tanto del Ejército como de las fuerzas de seguridad pública y empleo del teléfono público cuando las necesidades los exijan.

5. Puesto de Mando.

En permanencia hasta nueva orden: Despacho del C. Gral. de Div. Secretario de la Defensa Nacional.

La Hora "H" se dio a las 2200 Hrs. Y el día "D" fue el 18 de Septiembre de 1968.
La ocupación de la Ciudad Universitaria se logró sin resistencia alguna y fueron detenidas aproximadamente 500 personas que se encontraban ahí, siendo conducidas a la Jefatura de Policía y a la Procuraduría del Distrito.

Al ocupar el Ejército la Ciudad Universitaria, las instalaciones se encontraron en las condiciones que se anotan en el Anexo 3.

J. Del 19 al 21-SEP-68 continuaron los disturbios estudiantiles registrándose algunos encuentros con la Policía.

A las 1900 horas del día 21-SEP-68 en la Vocacional 7 se registraron nuevos encuentros entre estudiantes y policías. En dichos actos el edificio de la Secretaría de Relaciones Exteriores, sufrió graves daños ya que fueron rotos grandes cristales de la misma originándose un incendio en el primer piso. Igualmente se inició un siniestro semejante desde el 4/o. Piso hacia arriba del edificio 11 del I. S. S. S. T. E. en la Unidad Tlatelolco, siendo sofocados ambos incendios por el Cuerpo de Bomberos.

K. A las 0150 horas del 22-SEP-68 intervinieron elementos del Ejército haciendo únicamente acto de presencia, patrullando la zona estudiantil y edificios aledaños, retirándose del área a las once horas.

L. El día 23-SEP-68 continuaron los disturbios estudiantiles y en el área del CASCO DE SANTO TOMAS los alborotadores se enfrentaron a la Policía atacándolos con armas de fuego, por lo que posteriormente se generalizó la balacera.

M. En la madrugada del día 24-SEP-68 intervinieron fuerzas del Ejército que en combinación de la policía, procedieron a ocupar los edificios del I. P. N. bajo las órdenes que dicté en la siguiente directiva de operaciones:

1. Integración del Destacamento Militar.

   a. Mando: C. Gral. Brig. D. E. M. GONZALO CASTILLO FERRERA.

   b. Agrupamiento:

      1/er. Btn. de Inf. C. G. P. (-)
      Batallón "Olimpia".
      1/er. Edn. Blind. de Rec. (-)
      2/o. Edn. Blind. de Rec.
      Dos Cías. del 43/o. Btn. de Inf.
      Btn. Tropas Intendencia (-)
      Una Sección Policía Militar.
      Cuarenta patrullas Policía D. F.

2. Misión del Destacamento Militar.

   a. Ocupación de instalaciones del I. P. N. en ZACATENCO y SANTO TOMAS.

   b. Captura de elementos subversivos que se encuentren dentro de las citadas instalaciones y su consignación a las autoridades civiles correspondientes.

   c. Solamente en el caso de que el Ejército sea agredido con armas de fuego, se hará frente a la situación contestando con armas de fuego, poniendo especial cuidado en ordenar se batan directa y únicamente los lugares de donde éste provenga, para que en lo posible se eviten desgracias en personal inocente.

d. Custodiar los alojamientos culturales hasta nueva orden.

e. Dar seguridad con patrullas móviles al área que circunde los planteles ocupados.

f. Por órdenes de esta Secretaría de la Defensa Nacional, entregar a las autoridades civiles que se señalen, los edificios o áreas ocupadas por el Ejército.

3. Idea de Maniobra.

a. En un primer tiempo, el Destacamento Militar íntegro ocupará las instalaciones localizadas en Zacatenco, por medio de una acción simultánea de ocupación de puntos críticos (edificios y áreas más importantes) por parte del Ejército y con patrullas de la Policía, taponar los accesos al área tanto de entrada como de salida.

b. En un segundo tiempo y con los elementos disponibles del Destacamento Militar, efectuar similar maniobra en el Caso de Santo Tomás.

4. Enlace y Transmisiones.

En lenguaje claro empleo de radiotelefonía, tanto del Ejército como de las fuerzas de seguridad pública y empleo del teléfono público cuando las necesidades los exijan.

5. Puesto de Mando.

En permanencia hasta nueva orden: Despacho del C. Gral. de Div. Secretario de la Defensa Nacional.

Las Fuerzas Militares hicieron algunas aprehensiones consignando a los detenidos a las autoridades competentes, entregándose también un arsenal que se encontraba en el CASCO DE SANTO TOMAS consistente en armas de fuego, bombas de tipo casero, propaganda subversiva, municiones y otros materiales, todo esto del dominio público debido a que la prensa le dio difusión.

En esta ocasión tampoco se dispararon armas de fuego por parte de las fuerzas del Ejército, a pesar de que durante la ocupación de los edificios ocurrieron algunos tiroteos por parte de los estudiantes, también es de hacerse notar que un grupo de individuos disparó contra las fuerzas desde un edificio fuera del área escolar, hiriendo personal de la policía y civiles.

La operación de ocupación de edificios del I. P. N. , aprehensión y consignación de elementos subversivos y restablecimiento del orden quedó terminado a las 0700 del 24-SEP-68.

La participación del Ejército en esta nueva ocasión, se basó en los mismos Ordenamientos señalados en el Párrafo II inciso "Q".

N. Para las 1115 horas, del 30-SEP-68 cumpliendo con mis órdenes, el Gral. Brig. JOSE HERNANDEZ TOLEDO hizo entrega de las instalaciones Universitarias a los CC. Lic. OCTAVIO ROCA MARIN y C. P. ERNESTO PATIÑO H. Director del Patrimonio y Director General de Administración de la UNAM, respectivamente, según consta en Acta levantada en la fecha arriba indicada (Ver Anexo 4).

IV. INFORME DE LAS ACCIONES DESARROLLADAS EN LA PLAZA DE LAS TRES CULTURAS, DURANTE LOS DIAS DEL 2 AL 7-OCT-68.

Teniéndose conocimiento de que iba a celebrarse un mitin en la Plaza de las Tres Culturas (2 de Octubre de 1968) y que en él se exhortaría a los asistentes para marchar al Casco de Santo Tomás y tratar de apoderarse de la citada instalación, desalojando a las tropas que la ocupaban; como tal decisión amenazaba con llegar a una situación grave, dispuse que la 2/a. Brigada de Infantería reforzada, montara la Operación "GALEANA" organizándose ésta en la siguiente forma:

A. Mando de la Operación: C. Gral. de Bgda. CRISOFORO MAZON PINEDA.

1. Agrupamientos:

Núm 1.- Al Mando del C. Cor. de Cab. DEM. ALBERTO SANCHEZ LOPEZ, constituído por:

- Un Edn. Blind. de Rec. del 12/o. Rgto. de Cab. Mec.
- 40/o. Btn. de Inf.
- Dos Cías. del 19/o. Btn. de Inf.

Núm. 2.- Al Mando del C. Gral. Brig. F. A. P. DEMA. JOSE HERNANDEZ TOLEDO, constituido por:

- 2/o. Edn. Blind. de Rec.
- Btn. de Fus. Paracaidistas.
- 1/er. Btn. de Inf. Cpo. Gdias. Presidenciales.

Núm. 3.- Al Mando del C. Cor. de Inf. ARMANDO DEL RIO ACEVEDO, constituído por:

- 44/o. Btn. de Inf.
- Un Edn. Blind. de Rec. del 12/o. Rgto. de Cab. Mec.
- 43/o. Btn. de Inf. (-)

Reserva: Btn. "Olimpia" al Mando del C. Cor. de Inf. ERNESTO GUTIERREZ GOMEZ TAGLE.

2. Misión de la 2/a. Brigada de Infantería (+).

a. En auxilio de la Policía Preventiva del D. F. y por medio del convencimiento, impedir que los concurrentes al mitin que según informes puede llevarse a cabo en la Plaza de Las Tres Culturas, se traslade al Casco de Santo Tomás.

b. Solamente en el caso de que el Ejército sea agredido con armas de fuego, se hará frente a la situación contestando con armas de fuego, poniendo especial cuidado en ordenar se batan directa y únicamente los lugares de donde éste provenga, para que en lo posible se eviten desgracias en personal inocente.

c. Dar seguridad con patrullas móvles en el área de Tlatelolco.

d. Aprehensión y entrega a la Policía Preventiva de elementos subversivos.

3. Idea de Maniobra.

a. En caso necesario, desalojar a las personas concurrentes al mitin.

b. Aislamiento del área para impedir el acceso a ésta una vez que fuere despejada.

4. Dispositivo.

A partir de las 1630 horas del 2-OCT-68, los Agrupamientos quedarán situados en la siguiente forma:
Agto. Núm. 1.- En el Monumento a la Raza.

Agto. Núm. 2.- Sobre la Calle de Manuel González e Insurgentes Norte.

Agto. Núm. 3.- En la Estación de BUENAVISTA (Continuación de Aldama).

Este dispositivo obedece a la necesidad de cubrir las rutas que probablemente pudiera emplear el contingente civil concentrado en la Plaza de Las Tres Culturas y que posteriormente pueda desplazarse hacia el Casco de Santo Tomás.

5. Enlace y Transmisiones.

En lenguaje claro empleo de radiotelefonía, tanto del Ejército como de las fuerzas de seguridad pública y empleo de teléfono público cuando las necesidades los exijan.

6. Puesto de Mando.

En permanencia hasta nueva orden: Despacho del C. Gral. de Div. Secretario de la Defensa Nacional.

B. Parte del C. Gral. de Bgda. CRISOFORO MAZON PINEDA, Comandante de la 2/a. Brigada de Infantería (+) en la Operación "GALEANA".

a. "A las 1820 Hs. Se recibió en mi Puesto de Mando petición de apoyo por parte de la Policía Preventiva, ya que se había iniciado fuerte tiroteo en la Plaza de Las Tres Culturas, tiroteo que proveniente de los edificios que circundan la Plaza citada, la propia policía no era capaz de controlar.

b. Previa autorización de la Secretaría de la Defensa Nacional ordené a los Agrupamientos a mi Mando, dar cumplimiento a la tarea de desalojar la Plaza de Las Tres Culturas y posteriormente aislar el área para facilitar la acción policiaca de capturar a los participantes en el tiroteo.

c. Para el efecto se procedió como sigue:

Agto. Núm. 1.- Del Monumento a la Raza por la Calzada Vallejo, para desembocar sobre el lado OESTE de la Plaza de Las Tres Culturas a retaguardia del Agrupamiento Núm. 2. , con la misión de apoyar la acción de éstos y del Agrupamiento Núm. 3, en caso de ser necesario y aislar la zona del Sector OESTE.

Agto. Núm. 2.- De la Calle Manuel González a la altura de Lerdo, irrumpiendo a la Plaza de Las Tres Culturas por el lado OESTE de dicha Plaza, con la misión de desalojar en coordinación con el Agrupamiento Núm. 3, a las personas concurrentes al mitin que se encontraban sobre el lado NORTE de dicha Plaza y posteriormente aislar ese Sector.

Agto. Núm. 3.- Desembocó sobre el lado SUR de la Plaza de Las Tres Culturas, con la misión de desalojar en coordinación con el Agrupamiento Núm. 2, a las personas concurrentes al mitin que se encontraban en dicho lado y posteriormente aislar este Sector.

d. Como recomendación muy especial a las tropas participantes se les indicó evitar el uso de las armas de fuego y sólo en caso de ser agredidos responder a tal agresión actuando exclusivamente sobre los franco tiradores o personas sorprendidas haciendo fuego contra el personal civil o militar que ocupaba la Plaza.

e. Al arribar las cabezas de los Agrupamientos a la Plaza de Las Tres Culturas, fueron recibidos por fuego proveniente de la mayoría de los edificios que circundan la Plaza, notándose singular intensidad del que venía de los edificios: CHIHUAHUA, 2 DE ABRIL, I. S. S. S. T. E. , MOLINO DEL REY y REVOLUCION 1910.

f. El fuego obligó a las tropas a cubrirse, exhortando a gritos a la gente civil para que despejara la Plaza y evitar que fuera blanco de las balas que venían de los edificios ya mencionados, al propio tiempo, la tropa efectuó algunos disparos al aire en tanto se localizaba el origen del fuego que continuaba recibiéndose. Una vez localizados los lugares desde donde se estaba disparando, parte del personal repelió la acción haciendo fuego sobre los balcones y ventanas desde donde se notaban los disparos, al propio tiempo otra parte del personal canalizaba la salida de las personas atrapadas dentro de la Plaza, conduciéndolas a lugar seguro. Un tercer grupo se lanzó sobre el Edificio CHIHUAHUA que parecía ser el más ocupado por tiradores emboscados. Por lo que en particular toca a mi Puesto de Mando, y parte del 2/o. Agrupamiento, cuando avanzábamos a la altura del puente que se encuentra sobre la Av. San Juan de Letrán y al Oeste de la Plaza de Las Tres Culturas y cuando trataba de localizar un lugar más adecuado para controlar la acción; la intensidad del fuego obligó al suscrito y mi Estado Mayor a permanecer al abrigo del puente, ya que en ese momento no era posible cambiar de ubicación; así mismo, en esos momentos el General Brigadier JOSE HERNANDEZ TOLEDO Comandante del 2/o. Agrupamiento, quien se desplazaba cerca de mí, exhortando con un magnavoz a las personas civiles para que desalojaran la Plaza, fue herido de gravedad quedando de inmediato fuera de acción. Los CC. Tte. Cor. M. C. MIGUEL HERNANDEZ AHUMADA y Mayor M. C. ARTURO VARGAS SOLANO, exponiendo su propia vida, procedieron a su evacuación aprovechando un automóvil civil que se encontraba estacionado a proximidad, llevándolo de inmediato al Hospital Central Militar, habiendo posteriormente regresado ambos médicos a mi Puesto de Mando.

g. El tiroteo se prolongó por espacio de 90 minutos aproximadamente, ya que era bastante difícil localizar a los tiradores apostados en las ventanas y azoteas de los edificios, debido a que aparentemente cambiaban frecuentemente de emplazamiento. En un período de calma, se procedió a pedir novedades a los

Agrupamientos para posteriormente dar parte a la Superioridad.

h. HERIDOS.

- Batallón de Fusileros Paracaidistas.

Gral. Brig. F. A. P. DEMA. JOSE HERNANDEZ TOLEDO, Comandante de la propia Unidad.

- 44/o. Batallón de Infantería.

Subtte. de Inf. JOSE MONTER HERNANDEZ, Cabo de Inf. CIPRIANO MARTINEZ MARTINEZ, Cabo Armero VICTOR M. GARCIA ELIZALDE, Sold. de 1/a. Tir. PABLO VENEGAS MARTINEZ, Sold. de 1/a. LUCIANO MORALES HERNANDEZ, Solds. de Inf. SANTIAGO D. ORTEGA LOPEZ, JOSE LUIS JAIMES GUDIÑO y RAFAEL MARTINEZ ORTEGA.

i. MUERTOS.

44/o. Batallón de Infantería.

Sold. de 1/a. Tir. PEDRO GUSTAVO LOPEZ HERNANDEZ.

j. El personal citado anteriormente, fue evacuado al Hospital Central Militar, por ambulancias militares y de las Cruces ROJA y VERDE.

k. Se ordenó también reorganizar las Unidades y aislar el área tomando precauciones para evitar sorpresas, tanto del interior como del exterior de la zona de disturbios.

l. Aproximadamente a las 2300 Hs. , se volvió a sentir una vez más, un nutrido tiroteo proveniente de diferentes edificios principalmente de: AGUASCALIENTES, REVOLUCION 1910, MOLINO DEL REY, 20 DE NOVIEMBRE, 5 DE FEBRERO, ISSSTE, CHAMIZL y ATIZAPAN, girándose órdenes de hacer fuego precisamente sobre aquellos puntos donde fueron localizados los francotiradores; esta acción duró aproximadamente 30 minutos.

m. Una vez controlada la situación, se ordenó a las Unidades efectuar la búsqueda de los francotiradores, por lo que se dispuso se tomaran definitivamente todos los edificios, donde se encontraban apostados éstos y se capturaran, recomendando tomar medidas de seguridad requeridas por el caso.

n. Como consecuencia de lo anterior, fueron puestos a disposición de las autoridades civiles, 230 individuos capturados en el edificio CHIHUAHUA, 130 de los edificios REVOLUCION 1910, MOLINO DEL REY, 20 DE NOVIEMBRE y CHAMIZAL, así como 2,000 de los capturados que eran concurrentes al mitin.

o. Controlada en forma definitiva la situación se ordenó a los Comandantes de Agrupamiento que sus Unidades ocuparan las alturas de los edificios ubicados dentro de sus respectivos sectores de responsabilidad. Se aprovechó para hacer un recuento detallado del personal militar muerto y herido, recuento que arrojó el resultado siguiente:

p. Muertos.

44/o. Btn. de Inf.

Soldado de 1/a. Tir. PEDRO GUSTAVO LOPEZ HERNANDEZ.

q. Heridos.

- Btn. de Fusileros Paracaidistas.

C. Gral. Brig. F. A. P. D. E. M. A. JOSE HERNANDEZ TOLEDO, Cmte. de la propia Unidad.

- 44/o. Btn. de Inf.

Subtte. Inf. JOSE MONTER HERNANDEZ, Cabo Inf. CIPRIANO MARTINEZ MARTINEZ, Cabo Armero VICTOR M. GARCIA ELIZALDE, Sld. de 1/a. Tir. PABLO VENEGAS MARTINEZ, Sld. de 1/a. Cmte. LUCIANO MORALES HERNANDEZ, Slds. de Inf. SANTIAGO D. ORTEGA LOPEZ, JOSE LUIS JAIMES GUDIÑO y RAFAEL MARTINEZ ORTEGA.

- <u>Batallón Olimpia.</u>

Cap. 1/o. Cab. ERNESTO MORALES SOTO (19/o. R. C.), Tte. Inf. SERGIO AGUILAR LUCERO (14/o. B. I.), Sld. Inf. TELESFORO M. LOPEZ CARBALLO (14/o. B. I.), Sld. Inf. ANTONIO VARGAS VALLE (14/o. B. I.), Sld. Cab. FLORENTINO MORENO MAGAÑA (18/o. R. C.), Sld. Inf. RAMIRO RODRIGUEZ GUZMAN (5/o. B. I.), Cabo Inf. CONSTANTINO CORRALES ROJAS (2/o. B. I.).

r. Como consecuencia de la información que se recibió, en el sentido de que algunos Departamentos que permanecían cerrados en los edificios de nuestra Zona de responsabilidad, se notaban movimientos sospechosos, se solicitó a la Secretaría de la Defensa Nacional autorización para catear dichas instalaciones, así como algunos otros edificios que por su ubicación no habían sido revisados, lo cual fue hecho por Agentes de la Policía Judicial Federal y del Servicio Secreto, apoyados por el personal de esta Brigada de Infantería (+), de conformidad con la orden que para el efecto giró el Juez 1/o. del Distrito.

s. En cumplimiento de esta tarea, se encontraron en los edificios CHIHUAHUA, 2 DE ABRIL, AGUASCALIENTES, 20 DE NOVIEMBRE, ISSSTE, GUELATAO y CHURUBUSCO, gran cantidad de armas, municiones y accesorios, así como propaganda subversiva, las cuales fueron puestas a disposición de la Secretaría de la Defensa Nacional, en los oficios sin número de fechas 4 y 5 de octubre del año en curso respectivamente.

t. El día 4-OCT-68 falleció en el Hospital Central Militar el C. Cabo de Infantería CONSTANTINO CORRALES ROJAS, perteneciente al 2/o. Batallón de Infantería y encuadrado en la fecha de los acontecimientos en el Batallón Olimpia, como consecuencia de las heridas recibidas el día 2-OCT-68, habiendo sido evacuado su cadáver a la Plaza de COATZACOALCOS, VER. En un avión de la Fuerza Aérea Mexicana. "

C. El 3/er. Batallón de Infantería al Mando del C. Coronel de Inf. JORGE CRUZ GARCIA, para efectos de seguridad y control, continúa ocupando las instalaciones correspondientes al CASCO DE SANTO TOMAS.

D. A partir de las 2200 Hs. del domingo 6-OCT-68, el Agente del Ministerio Público Federal en funciones en el Centro de Rehabilitación Social No. 1 en esta Capital, procedió a levantar el Acta respectiva para dar fe del armamento, municiones y equipo decomisado en los diferentes edificios ubicados frente y dentro del área de las Tres Culturas en TLATELOLCO, el 2 de octubre de 1968 (Ver Fotografía Anexo 5) lugares desde los cuales los elementos subversivos dispararon armas de fuego que provocaron la muerte y heridas de los miembros del Ejército ya señalados en los sub-incisos p, q, t, del párrafo B. Capítulo IV. Además de policías y civiles que también resultaron muertos y heridos.

V. ACCIONES COMPLEMENTARIAS.

A. Como medida previsoria y de seguridad ordené que el personal que se encuentra acuartelado en el VALLE DE MEXICO se mantuviera en estado de "ALERTA" para hacer frente a posibles contingencias en el desarrollo de la Olimpiada MEXICO 68 muy especialmente en los períodos correspondientes a la inauguración y clausura 12 y 27 de octubre de 1968, para el efecto quedaron organizados los siguientes Agrupamientos:

1.- Destacamento Militar 12-27 de Octubre de 1968.

a. Mando del Destacamento: Gral. de Bgda. CRISOFORO MAZON PINEDA.

b. Agrupamientos:

NUM. 1.- Mando: Cor. Inf. DEM. JORGE CRUZ GARCIA.

Unidades:

3/er. B. I.
43/o. B. I.
2/o. E. B. R.

NUM. 2.- Mando: Cor. Cab. DEM. ALBERTO SANCHEZ LOPEZ.

Unidades:

44/o. B. I.

19/o. B. I.
Un Edn. 12/o. R. C. M.

NUM. 3.- Mando: Cor. Inf. RAMON ARRIETA VIZCARRA.

Unidades:

40/o. B. I.
Un Edn. 12/o. R. C. M.

NUM. 4.- Mando: Tte. Cor. Inf. Parac. EDMAR EUROZA DELGADO.

Unidades:

Btn. Fus. Parac.
2/o. G. M. A. A.

NUM. 5.- Mando: Cor. Zap. DEM. LUIS CONTRERAS FARFAN. RESERVA GENERAL.

Unidades:

2/o. B. I. C.
Btn. Tpas. Admón.
Un Edn. 12/o. R. C. M.

B. Con gran satisfacción los eventos olímpicos se desarrollaron en absoluta paz no teniendo que haber hecho uso de los Agrupamientos antes señalados.

C. A petición de la Autoridad competente a las 12. 15 Hs. del 29-OCT-68 cumpliendo mis órdenes del C. Cor. Inf. D. E. M. JORGE CRUZ GARCIA Comandante del 3/er. B. I. hizo entrega de las instalaciones del CASCO DE SANTO TOMAS, al Licenciado CARLOS BORGES CEBALLOS Subdirector Administrativo del I. P. N. con asistencia de tres testigos, según consta en el Acta respectiva (Ver Anexo 6).

EL 68: LAS CEREMONIAS DEL AGRAVIO Y LA MEMORIA

CARLOS MONSIVÁIS

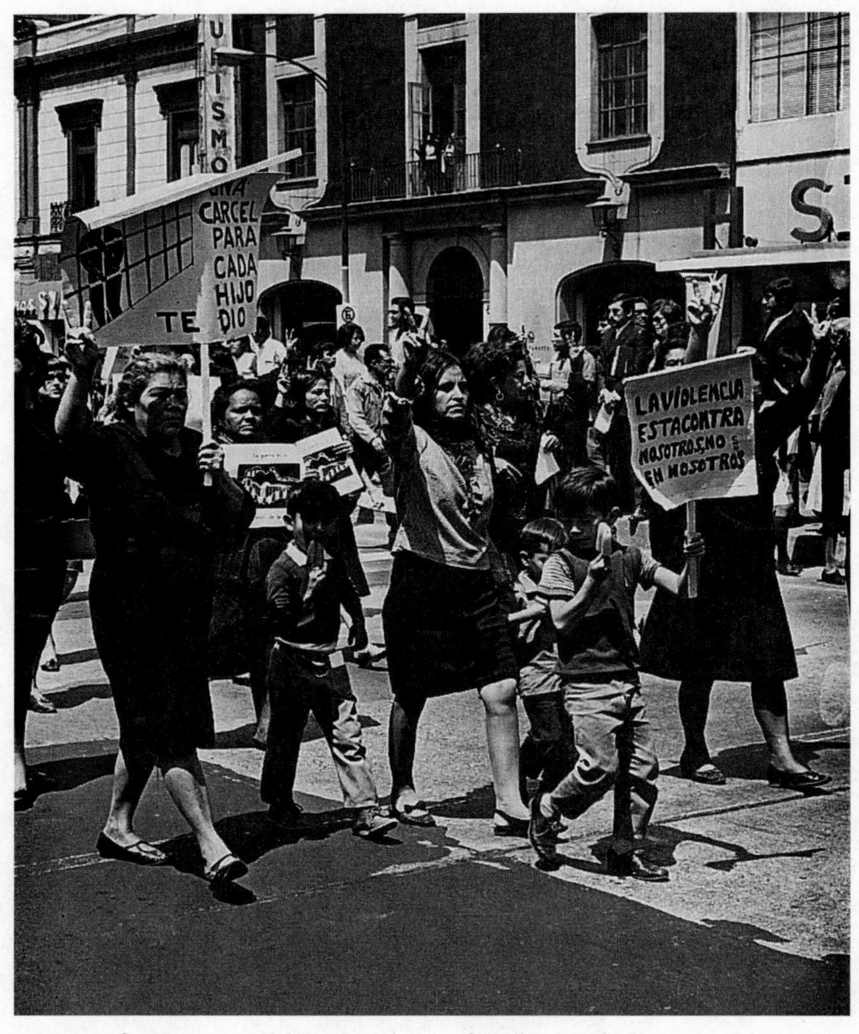

En manifestación pública, madres y familiares de los estudiantes.

Es imposible vivir sin olvidar.
NIETZSCHE

Un orador en el Hemiciclo a Juárez.

A estas alturas finiseculares, con el desgobierno que antcede a la ingobernabilidad y el miedo como la más legítima pasión urbana, las causas fundamentales de una generación suelen alimentar la incomprensión y la ironía de las siguientes. Si el olvido es con frecuencia técnica de equilibrio emocional, el pasado no sólo hace las veces de otro país, es también otro idioma que ha jubilado el sentido de muchas palabras clave. ¿Se aplica esto al Movimiento Estudiantil de 1968? ¿Es justo suponerlo historia sobrevaluada, ya ilegible para quienes ven en las movilizaciones comunitarias el principio fundador del tedio? ¿Qué fue el 68, un despliegue de vitalidad disuelto en sangre, un salir a la calle que la represión convirtió en viaje a los orígenes de la democracia, el principio del fin del inacabable sistema priísta?

Treinta años después, ¿tiene caso preguntarse por el legado del 68? ¿No está ya diluido y asimilado? ¿No es la fecha remota cuando un gobierno mató y reprimió a mansalva, y una generación estudiantil supo, como hubiese dicho el Presidente Gustavo Díaz Ordaz, lo que es "amar a Dios en tierra de indios"? ¿A quién le hacen falta los héroes y el heroísmo? ¿Hasta qué punto la memoria colectiva sigue siendo en lo básico un depósito de mitos?

¿Es posible determinar la contribución histórica de las muchedumbres que prefiguran el sueño y las realidades de la sociedad civil? Ya desde 1969, el 68 pertenece al tiempo sin tiempo de la historia abolida y resurrecta y es, para quienes lo evocan, energía, agonía y punto de partida. ¿Y qué es Historia en este caso? ¿La furibunda incomprensión gubernamental? ¿El avance pese a todo de la democracia? ¿El fracaso terminal de la Revolución Mexicana? ¿La emergencia de una generación a la que el gobierno intentó "reeducar" sangrientamente? Y la Historia, deidad del siglo XIX vuelta a fines del siglo XX más bien el Archivo de Archivos, ¿se mide por el desarrollo tangible de la democracia? Si esto es así, ¿en qué medida deben agradecérsele al 68 los cambios positivos de estos treinta años? Cierto, el presidencialismo que manda espiar a su sombra es irrepetible; la lucha por los derechos humanos es una conquista irreversible, y el proyecto del Consejo Nacional de Huelga, que apenas se esbozó en 1968, tiene que ver con los avances de la pluralidad. De acuerdo con el consenso, es innegable la deuda del país con el Movimiento Estudiantil.

Las limitaciones de la opinión pública en los años siguientes a 1968 —el temor, la desmovilización, la inermidad, la resaca de angustias— refrendan el escepticismo: ¿qué se obtuvo con el Movimiento? Muertos, heridos, carreras truncadas, impunidad y jactancia del aparato represivo, caos anímico, frustraciones resignadas o beligerantes, confusión entre impotencia y autocrítica, guerrilla, "guerra sucia". Para algunos, los más cínicos, los más oficialistas, nada se consiguió, ni logros democráticos ni perspectivas de organización. A la voluntad de cambio la reemplazó la desesperanza ante los tanques, las difamaciones y las cárceles, y al discurso incendiario lo sustituyeron los sermones de los ex-pirómanos vueltos funcionarios. Según ellos, el "Espíritu del 68" contiene en germen la desesperación de la guerrilla de los setenta, y el Movimiento se habría consumido en el desgaste de no darse la matanza del 2 de octubre.

Sin embargo, en los análisis del 68 hacía falta conocer del modo más puntual posible, lo que sucedió la noche del 2 de octubre, lo que equivale a una descripción esencial de la mentalidad que produjo la tragedia. Se sabía lo principal: la provocación desde el edificio Chihuahua, el ataque a la multitud indefensa, la larga noche de terror y oprobio. Pero a las evidencias cuantiosas se opuso la mentira coaligada del aparato judicial (llamarlo "Poder" entonces hubiese sido una calumnia inicua), de la casi totalidad de los Medios, de la maquinaria priísta y de las inhibiciones del temor. Desde hace treinta años, la verdad social y testimonial se ha enfrentado, y victoriosamente, a la versión oficial que ya ni siquiera presenta resistencia digna de ese nombre. Pero el testimonio del general Marcelino García Barragán, secretario de la Defensa del gobierno de Díaz Ordaz, y los documentos de su archivo, integran por fin un panorama coherente.

¿Coherente en qué sentido? En el de las versiones que se complementan. Por fin, así sea de modo muy ceñido, disponemos de la perspectiva faltante, y corroboramos la visión estudiantil que, sin embargo, peca por insuficiencia. Nunca, ni siquiera después de la toma de Ciudad Universitaria y Zacatenco, el Movimiento Estudiantil se considera enfrentado al Ejército. En todo caso, los estudiantes se califican a sí mismos de adversarios del "mal gobierno", y no advierten con la claridad suficiente los alcances de la voluntad bélica ahora ya documentable. Véase el Parte Militar del 29 de julio de 1968, a las once de la noche, dirigido a elementos del ejército, la Fuerza Aérea Mexicana y la Compañía de Fusileros Paracaidistas. A este último le toca desalojar a los "estudiantes alborotadores" en el perímetro de la calle Perú a Corregidora y del Carmen a República Argentina, llevando como refuerzo al Batallón de Policía Militar. Hay precauciones de la "baja intensidad": "X. POR NINGÚN CONCEPTO LAS ARMAS SE LLEVARÁN ABASTECIDAS", y hay dispositivos de combate bajo la forma de "Prescripciones administrativas":

> A. INTENDENCIA: -Estará en condiciones de proporcionar Rancho Caliente en los puntos de racionamiento que posteriormente se ordenen.
> B. SANIDAD: -Proporcionará apoyo médico a cada una de las Unidades, mediante un elemento provisto de botiquín.
> C. TRANSPORTES: -Serán proporcionados por el Segundo Batallón de Fusileros Paracaidistas. La protección de esos vehículos quedará a cargo del propio personal de transportes.

¿Qué tiene que ver lo anterior con la realidad de los activistas? Nada, según aclara el general García Barragán, al dar su versión de la presencia del Ejército, debida

> a) —A la información falseada y exagerada que recibió el entonces secretario de Gobernación, motivándolo a asumir la responsabilidad histórica de solicitarme la intervención del ejército la noche del 30 de julio de 1968, argumentando, sumamente alarmado, que la Policía Preventiva del Departamento del Distrito Federal era impotente para someter a los estudiantes que alteraban el orden en la Ciudad amenazando con asaltar las armerías del primer cuadro y mucho menos iban a controlar los que, según él me informó, venían procedentes en número

> aproximado de 10,000 de las ciudades de Puebla y Tlaxcala, encontrándose éstos en San Cristóbal Ecatepec y que, además, en la Ciudadela se encontraban de 5,000 a 10,000; en Tlatelolco de 6,000 a 8,000 y en la Preparatoria de Coapa de 2,000 a 3,000, todo ellos estudiantes.
>
> Al intervenir las Tropas en las Preparatorias 1, 2 y 3 se encontraron pequeños grupos de jóvenes que fueron desalojados sin dificultad, no disparándose un solo tiro. De igual manera se procedió con las escuelas antes mencionadas con idénticos resultados.

En esta declaración se encapsula el papel primordial de la Teoría de la Conjura, que está en el principio y en el fin del Movimiento. A la falsa alarma sucede la verdadera represión; al atropello feroz responde la organización cívica; para someter a la causa estudiantil se reprime en desorden y se calumnia, sembrando falsas alarmas. De nuevo acciones de resistencia, y así hasta el 2 de octubre.

"¡No queremos democracia, queremos Juegos Olímpicos!"

Además de la suprema incompetencia de un gobierno guiado por la mitomanía y los rumores, los documentos del archivo del general García Barragán exhiben la idea fija del Presidente de la República que ninguno de sus colaboradores se atrevió a enfrentar: la Conjura se propone boicotear, deshacer los Juegos Olímpicos, quiere manchar esa prueba irrefutable de la mayoría de edad del país, pretende sumergirnos en el ridículo y el atraso. Díaz Ordaz, profundamente convencido de la amenaza para las Olimpíadas, que serán atacadas por un ejército, desde el comienzo de su sexenio se prepara para el combate.

De esta intuición fallida al extremo se desprende el ritmo punitivo del 68. En un país presidencialista, el Primer Mandatario, atenido a su formación ideológica, a los informes de Seguridad Nacional, y a la ira que se le convirte en su único punto de vista, sale al campo de batalla. Tómense los mapas de la Secretaría de la Defensa, el trabajo de la inteligencia militar, el espionaje de Gobernación y la Federal de Seguridad, la movilización de las policías, los acuartelamientos, el clima de histeria bélica, y se tendrá la intención de Díaz

Ordaz y, por tanto, la obsesión de los suyos. Si los resultados no son aún más trágicos se debe a varios hechos: el escenario del Movimiento es la ciudad de México en vísperas de los Juegos Olímpicos; los estudiantes presentes en asambleas y marchas y brigadas no disponen, obviamente, de armamento; se requiere de la provocación intensa para acabar con la rebeldía.

El Movimiento estudiantil emprende una lucha civil que, por la solidez del autoritarismo, parece la revolución. Y no cuida su lenguaje ni toma muy en serio el acoso represivo. Hasta el 2 de octubre, y no obstante luchas violentas, tomas y ametrallamientos de escuelas, invasión del Politécnico y de Ciudad Universitaria, y un número indeterminado de muertos, los estudiantes no se consideran la otra parte de una batalla. Ven en Díaz Ordaz al adversario cerrado al diálogo; el Presidente los califica de sus enemigos. De julio a octubre de 1968 tiene lugar un desencuentro dramático: los estudiantes estrenan la ciudadanía y Díaz Ordaz, sinceramente, cree hallarse ante la subversión, estimulado por sus colaboradores y por las fantasías guerreras que llama "responsabilidades patrias". Del desencuentro terrible nacen una matanza y un instante épico de la vida nacional.

En el principio, está la Teoría de la Conjura.

"Si no tiene facha de capitalista, no lo dejes entrar"

En esto han creído los gobernantes rígidos: antes de la política y el juego de las fuerzas sociales, se desencadena el complot destinado a minar las instituciones y derruir la legitimidad. Así razonan, digo es un decir, los gobiernos anteriores al 68, y así en buena medida, aunque la convicción ya no los asista y se vean obligados a negociar, proceden los gobernantes posteriores. Pero en 1968, además, interviene un factor de la historia reciente: la Guerra Fría, cultura política radical que surge a fines de la Segunda Guerra Mundial, cuando el gobierno norteamericano aspira a hacerse cargo del orden planetario, en contraposición a la otra potencia militar e ideológica: la Unión de Repúblicas Socialistas Soviéticas. Si Stalin es un tirano multihomicida, es también el líder moral de millones de personas fuera de la URSS, atraídos por la mística revolucionaria. El Comintern, o el Kremlin, como se prefiera, tiene partidarios sinceros en todos los países que se atienen a la legalidad y, también, agentes por doquier, espías que transmiten secretos militares (en su mayoría no muy importantes). A la amenaza concreta que representa la URSS, el gobierno norteamericano, guiado por la tesis del Destino Manifiesto, responde con la Guerra Fría, el término periodístico que designa la inmensa cruzada por adueñarse de la opinión pública mundial. En Occidente se combate penal y políticamente a los comunistas e izquierdistas, o a quienes convenga calificar de ese modo; en los países del socialismo real, se suprime a "los cómplices del imperialismo". Etapa larga y costosa en todos sentidos, la Guerra Fría encumbra a la Teoría de la Conjura y causa el infortunio masivo en los países stalinistas y el infortunio selectivo, el miedo y la paranoia en las "democracias occidentales".

A la Guerra Fría como el gran pretexto del control totalitario, deben atribuírsele los procesos monstruosos de Checoslovaquia, Hungría, Polonia, Rumania, Albania, Corea del Norte, Bulgaria, China y Alemania Oriental y la interminable cauda de confesiones. A la Guerra Fría del capitalismo le corresponden las represiones en América Latina y Asia, y la creación de ese organismo inquisitorial: el Comité de Investigación de las Actividades Antinorteamericanas, donde alcanza la fama y presta el apellido para designar una actitud persecutoria el senador por Wisconsin Joe MacCarthy.

En América Latina, es impresionante el éxito de la Guerra Fría. Se vuelve parte de la cultura popular, incorpora al imaginario colectivo las imágenes de la conspiración en las sombras y de los comunistas como traidores y seres deshumanizados en el peor sentido (*Ellos eligieron tal condición*). Y a la campaña de demonización la complementa la ofensiva política y policial: a la izquierda en general y a los comunistas en particular, no se les concede el derecho a la réplica, no se publican sus aclaraciones y desmentidos, y las masas a las que piensan rescatar del infierno capitalista los temen, los aborrecen o los ridiculizan.

En México, la campaña, particularmente eficaz, usa del cine, de las negativas de visa para entrar a Estados Unidos (que afecta incluso a figuras como Carlos Chávez y Dolores del Río, por haber firmado un manifiesto a favor de la paz), de los artículos, de los sermones parroquiales. Ya en 1940, el candidato a la Presidencia de la República Manuel Ávila Camacho, ataca a los comunistas, señalándolos como un grave peligro para la República. No hay tal cosa. Los comunistas son un grupo pequeño que en 1942 disuelve sus células obreras para contribuir a la Unidad Panamericana. Pero el temor existe y ya en 1947 o 1948 el anticomunismo es ideología oficial que defiende a México de la amenaza bolchevique.

¿Por qué el anticomunismo se convierte en creencia dominante? Entre otras razones deben analizarse las siguientes:

—La ignorancia sobre la naturaleza de las ideas socialistas y comunistas.

—La ofensiva ideológica permanente de los norteamericanos, que al convertir lo verdadero (el totalitarismo soviético) en una embestida contra los anhelos de justicia social, distorsiona el mensaje y lo vuelve parte de una mentira.

—La reacción de la iglesia católica contra el ateísmo militante de la izquierda ("La religión es el opio del pueblo"). Si con los nazis el Vaticano pacta por un tiempo (el concordato entre el Vaticano y el régimen de Hitler), con los comunistas no hay tregua, particularmente luego de la confrontación entre el régimen húngaro y el cardenal Stefan Midzsenty, por largo tiempo en arresto domiciliario. Más que ningún otro episodio, el de Hungría desata la gran campaña de "la Iglesia del Silencio". Las jerarquías católicas de América Latina atacan por sistema a los comunistas y los movimientos sociales. Se demoniza (en sentido literal) a los marxistas y, por ejemplo, en los cincuenta, hay cartelitos de hojalata en las casas de conservadores: "En esta casa somos católicos y no aceptamos propaganda comunista", a semejanza de los ya existentes contra los protestantes. Pero si los protestantes se obstinan en la conversión masiva de los católicos, los comunistas no proceden así, y en rigor el objetivo de la campaña católica es imprimirle un rango devocional a la Guerra Fría.

—Las realidades del mundo totalitario que se conocen parcialmente a partir de las denuncias de los Procesos de Moscú a fines de los treinta. Pero en 1956, al divulgarse el Informe del premier Nikita Jruschov al XX Congreso del Partido Comunista de la URSS, sobre los crímenes de Stalin, y al invadir los soviéticos Hungría, se les da la razón a las denuncias acumuladas. Sin embargo, es tal la fuerza de la utopía que muchos continúan justificando a la URSS.

—El lenguaje cerrado de los comunistas, que ignora cualquier propósito didáctico y más bien parece el habla de una secta apocalíptica anunciando el fin del mundo.

—El proceso policiaco en Norteamérica, que acosa a una ideología que, de cualquier manera, no es muy persuasiva. En México, por las resonancias del radicalismo verbal del régimen, nunca se descalifica del todo el lenguaje de la justicia social, pero el anticomunismo convence porque alimenta los prejuicios populares y le da una causa irrefutable a las jerarquías empresarial y católica, a los sectores de clase media y a los tradicionalistas. El anticomunismo es algo muy distinto al antistalinismo. Es el odio a lo diferente, el rechazo beligerante de las protestas legítimas y de la defensa de los derechos humanos, el aplastamiento de la libertad de expresión que, sin embargo, desde los años cuarenta prende definitivamente en los círculos políticos, la burocracia, la clase media alta, los católicos militantes y vastos sectores populares. Casi reflejo condicionado, el anticomunismo le es necesario a los gobiernos comprometidos con el "panamericanismo" y la política norteamericana, y requeridos de la eliminación sistemática de la disidencia. Y el anticomunismo, también, exorciza los miedos de los ávidos de explicación enfática y milagrera de lo que no entienden. Eso explica el silencio y la indiferencia ante los asesinatos de izquierdistas en el país, la visión alarmada y alarmista de la mayoría ante los movimientos de independencia sindical de 1958-1959, y el desdén ante las atrocidades judiciales. ¿Para qué preocuparse del destino de "los subversivos"? La policía golpea, tortura y desaparece disidentes; el ejército ocupa las instalaciones ferrocarrileras; los agentes del Ministerio Público y los jueces inventan cargos y pruebas y emiten sentencias aberrantes, y todo se abona a la cuenta de los métodos legítimos contra la subversión.

—El control derechista de los medios informativos. A lo largo del siglo, es muy difícil infundir en la prensa (en la televisión será imposible) el sentido de objetividad y de trato justo. Las publicaciones se conciben al servicio de causas un tanto resonantes ("Las libertades de Occidente"), y en la práctica resultan genuflexiones ante los poderes políticos, empresarial y clerical. Así se procede en 1952 con el movimiento henriquista, en 1958-1959 con la disidencia obrera, y clásicamente, en 1968 con el Movimiento estudiantil.

Únete pueblo (para facilitarles la tarea de reprimirte)

En 1958, el último año de su sexenio, el Presidente Adolfo Ruiz Cortines cuida del aura de su anacronismo y de las formalidades administrativas. (Según se cuenta, cada que pronuncia una "mala palabra" agrega de inmediato: "Perdón, Investidura".) Si le confiaron un país, le toca preservar la fe en la eternidad del Sistema. Y, además, una de sus grandes convicciones (la naturaleza sacrílega de la oposición) se ajusta al clima político en Occidente, al que México idealmente pertenece. La Guerra Fría sataniza a la izquierda (corroída por el stalinismo) y consolida su aplastamiento. Y Ruiz Cortines, cuya sabiduría en asuntos internacionales mezcla la ideología del *Reader's Digest* con la Historia tal y como la transmiten las anécdotas, nunca humaniza del todo a los disidentes, para él monstruosos, y lo que es peor, incomprensibles. No se han ido a Rusia y todavía se ponen al brinco. Que se les castigue (y él ya lo ha hecho en 1956 con los estudiantes del Instituto Politécnico Nacional), no para exterminarlos sino para darles una lección.

El Presidente, al vigilar ese salón de clases que es la nación, se apoya en la grisura burocrática y la represión sorda y selectiva en todos los terrenos (el moral incluido). Y en el último año de su gobierno, estalla la insurgencia sindical. Los que desean independizarse de la CTM, ganan elecciones y producen asambleas, mítines, paros, huelgas. Se movilizan los electricistas, los ferrocarrileros, los telegrafistas, un sector de los petroleros, los profesores de la sección IX del SNTE. Y para colmo, los estudiantes, el contingente de relevo, también se indisciplinan.

La secuencia es dramática. En 1958 se agudiza el hartazgo que provoca la Confederación de Trabajadores de México (CTM), y su imperturbable dirigente Fidel Velázquez, que apenas tardará otros cuarenta años en abandonar el liderazgo. La independencia sindical es la causa que conduce a batallas campales con los granaderos, a los que en 1958, en vibrante artículo (que nadie lee) califico de "inconsciente liberado del régimen". Los granaderos son feroces y a veces también los obreros. Martín Reyes Vayssade refiere, horrorizado, la acción de unos petroleros cerca del Monumento a la Revolución, que "mantean" contra el cemento a un granadero. (No murió, si uno se fía de la prensa.)

La insurgencia crece y colma las calles. 1958 es año de enfrentamientos. Del 26 al 29 de junio los ferrocarrileros se lanzan al paro, y el 13 de agosto, Demetrio Vallejo, miembro del Partido Obrero Campesino Mexicano (POCM), grupúsculo de excomunistas, es elegido secretario general del Sindicato de Trabajadores Ferrocarrileros de la República Mexicana por 56 mil votos contra nueve. Al mismo tiempo, se fortalece el Movimiento Revolucionario del Magisterio (MRM), dirigido por un joven comunista de Guerrero, Othón Salazar, elegido hacía poco secretario general de la sección IX del SNTE. Las autoridades no lo reconocen. Se le encarcela el 6 de septiembre y en prisión gana de nuevo las elecciones por más de 12 mil votos contra 33. Othón exige dignidad salarial y autonomía sindical para un gremio indispensable en la construcción del Estado mexicano, y uncido desde los años cuarenta a la burocracia y el pago muy mezquino.

Los profesores se lanzan a un paro de labores y hacen una guardia de 38 días en la Secretaría de Educación Pública. Los ferrocarrileros aturden al gobierno. Othón y Demetrio (así les dicen todos) comparten características: la intransigencia, la fidelidad a los principios, el espíritu de sacrificio. Y son castigados con dureza, para que la fruta envenenada no dañe la recolección de voluntades (la metáfora es priísta).

Cachún, cachún, ra ra

En 1958 el voluntarismo es la expresión del delirio o del ensueño de quienes sienten a su alcance el resquebrajamiento del régimen de la Revolución Mexicana ("Habrá revolución, compañeros, si llegamos a tiempo a las reuniones de célula y repartimos los volantes en sitios estratégicos.").

En política, la única "aventura existencial" de una generación, estudiantil, dura unas semanas pero no deja consecuencias. Si nadie la evoca, debió ser un mero trámite o, sin negar el componente idealista de algunos, un experimento de juventud, una algarada hoy en el olvido porque no fue reprimida. El Movimiento Camionero, como se le conoce, es producto del azar, o del azar orientado por un grupo pequeño, lo que a estas alturas da lo mismo. Un día se produce el alza en los transportes, "severo golpe a la economía popular". A las diez de la mañana, un camión atropella frente a su Facultad al estudiante de Leyes Alfredo V. Bonfil (cuya vocación agraria lo depositó en la dirección de la Central Nacional Campesina del periodo de Echeverría). Como suele ocurrir, el incidente, politizado como es debido, se torna conmoción. En unas horas, Ciudad Universitaria es un cementerio de autobuses secuestrados, no sin escenas de violencia, y emisora de demandas de justicia para Bonfil, que dura unos días en el hospital.

Estallido de huelga, documentos que cimbran a los tipógrafos de los diarios que los publican, verbo flamígero de los estudiantes de Leyes que conmemoran la unión indestructible de los universitarios con el pueblo. Para no decepcionar a la costumbre, se recorre C.U. entonando el estribillo que condensa la experiencia de choque: "Me voy pal pueblo / hoy es mi día / chingue su madre la policía". Un buen número de los que en 1968 tratarán a los estudiantes con encono republicano, desfilan rumbo al Zócalo y hacen acopio de gravísimas reflexiones que nunca compartirán. Los más jóvenes se divierten haciendo guardia por las noches en las escuelas. No de otro modo se evita "la toma de las instalaciones".

Los transportistas se encrespan, y los estudiantes se sienten ante el pozo de vivencias que necesitaban. Se marcha del Monumento a la Revolución al Zócalo, a veces en compañía de los sindicatos independientes. El ejército cerca la Ciudad Universitaria, algo en principio terrible que en la práctica no lo es tanto, nadie cree en la invasión y se confía en las soluciones de última hora. No hay tensiones genuinas, sólo hay la previsión en la mayoría de los líderes (o que de esto hacen las veces) que atesoran técnicas útiles a la hora del poder y la responsabilidad. Por lo menos una vez en la vida, reza el proverbio en la pared de las tradiciones curriculares, un joven discrepará de las autoridades. Luego, llegan la reconciliación y el usufructo de la experiencia.

En 1958, los porros (los "paramilitares" en el universo estudiantil") se inauguran como tales, ansiosos de quebrantar a golpes la "subversión". (Antes de estos golpeadores, los porristas saltan encabezando el desfogue en los juegos de futbol americano.) Mientras, en el Zócalo, el exhibicionismo reta a las instituciones. ¡¡Un estudiante, adueñado del micrófono, tutea a don Adolfo Ruiz Cortines!!: "Y tú, Presidente, no te hagas el sordo, que ya sabemos que estás allí en tu despacho."

Nada es eterno, salvo la mecánica de los derrumbes, y la rendición del Movimiento Camionero se negocia en penumbras. Se convoca a una marcha, y antes de que salga del Monumento a la Revolución, se difunde el rumor: la Gran Comisión Estudiantil, órgano máximo de la contienda, ha pactado y acordó levantar la huelga. Gritos de "¡Traición, traición!", empellones, arrebatos y lo demás. A esa hora, los de la Gran Comisión se agolpan en el despacho presidencial, y con la sola excepción del estudiante comunista José Guerrero y Guerrero, aceptan volver en el acto a clases y lanzan un "Goya" en honor de don Adolfo.

"¡Tiembla, burguesía!"

A lo largo de tres décadas, de los cuarenta a los sesenta, el anticomunismo continúa su implantación triunfal. Pero en 1959 el triunfo de la Revolución Cubana matiza la importancia de esta ideología de masas. El castrismo, antes de petrificarse en la dictadura, alienta las esperanzas de cambio en América Latina. Es posible conquistar el poder a 90 millas de los Estados Unidos. Castro es el héroe fulgurante de una etapa, al punto de anular las críticas continuas a la rigidez de su gobierno, los fusilamientos, la salida de millones de personas de la isla, los miles de presos políticos, la conversión en policía doméstica de los comités de Defensa Popular, la introducción en Cuba del Estado-policía. Nada de eso registra el entusiasmo ante la novedad liberadora.

En la Reunión Tricontinental en La Habana, el comandante Ernesto Che Guevara pronuncia un discurso de intención épica: "Hay que crear dos, tres, muchos Vietnams". Con la era de las guerrillas, en toda América Latina la policía hace listas de subversivos, infiltra las organizaciones (hay algunas con mayoría de agentes), y aguarda la explosión. En 1967, muere asesinado el Che Guevara en Bolivia. El martirio fructifica en la urgencia de la lucha armada. Y la Teoría de la Conjura se consigue asideros en la realidad.

El anticomunismo, pasión de gobierno

Al llegar el primero de diciembre de 1964 a la Presidencia de la República, Gustavo Díaz Ordaz emblematiza, típica o clásicamente, como se prefiera, a su generación política, sus certidumbres y pavores. No está solo en el aferramiento a sus prejuicios (calificados de "sabiduría histórica"). Los comparten políticos de varias generaciones, la élite (empresarial, clerical, militar) y los encargados de la seguridad nacional. Cualquier cosa que sea entonces el anticomunismo, es un impulso emocional genuino que suprime el sentido de la realidad. La operación es implacable y llama la atención a más de treinta años de distancia, tal vez porque continúa reproduciéndose en diversas escalas.

Si todavía hoy, ya sepultado el comunismo sin honor alguno, el anticomunismo es causa identificable, es por haberse independizado casi desde el principio de su motivo de repudio para convertirse en un ariete del capitalismo salvaje. En 1948 o en 1999, el anticomunismo es la empresa ideológica y política dedicada a extirpar las demandas de libertad y justicia.

El Padre Normativo

Hay un aviso, registrado por nadie, del estilo del sexenio en la campaña presidencial de Díaz Ordaz. En la foto de un poster, el candidato, reverente y genuflexo, le besa la mano a su señor padre. Y la consigna es didáctica: "Quien supo obedecer, sabrá mandar". Y su mando es despótico. Al respecto, véase el hecho que inaugura la serie represiva. El movimiento médico de 1964-1965, que demanda mejoras en los salarios y las condiciones de trabajo, es calificado por el gobierno de Díaz Ordaz, recién estrenado, como "peligroso" en grado sumo. En sus memorias, un documento invaluable para los interesados en la Teoría de la Conjura, el general Luis Gutiérrez Oropeza, jefe del Estado Mayor Presidencial, denuncia a la primera manifestación de médicos y enfermeras (diciembre de 1964). Su obsesión, según el general, es combatir al Presidente de la República, por cuenta de "políticos resentidos, amargados y desleales" y de "elementos de nacionalidad centroamericana y sudamericana." La susceptibilidad oficial es extrema. En *1968. Los archivos de la violencia*, de Sergio Aguayo, se da noticia de un informe de Gobernación con una lista de médicos que se han significado por haber propuesto tácticas drásticas (manifestaciones y mítines públicos). Es decir, el servicio de espionaje para justificarse, le da características de amenaza mortal al ejercicio de derechos constitucionales.

El movimiento médico es intenso, heroico a su manera, combativo, y por eso se le reprime con ferocidad, con todo y encarcelamientos. Y al depositarse en el espionaje (la Inteligencia) los suministros de información confiable, se renuncia a entender. Más que ningún otro elemento, la desconfianza enfermiza aisla al régimen, que sólo se enterará de lo que quiere oír.

Reprimir es aplastar las tentaciones de conjura. En 1965, Díaz Ordaz cesa a don Arnaldo Orfila Reynal, director del Fondo de Cultura Económica, por publicar *Los hijos de Sánchez*, de Oscar Lewis, que "denigra a México". En 1966 patrocina a un grupo de seudolíderes estudiantiles de la Facultad de Derecho de la UNAM, que organiza la huelga que desemboca en la caída del rector Ignacio Chávez, tratado de modo ignomioso. En 1966 el Ejército ocupa la Universidad Nicolaíta en Morelia. En 1967 las tropas al mando del general José Hernández Toledo invaden la Universidad de Sonora, con la violencia a cargo de la "Ola Verde", un grupo de golpeadores. En estas maniobras se mezclan o se funden tres criterios básicos del Presidente: la Teoría de la Conjura, el odio a la ingratitud (el régimen concede oportunidades a quien sepa aprovecharlas), y la certeza de que la oposición la forman tropas enemigas. Estos jóvenes, hijos de la Revolución, han arribado a la enseñanza superior debido a la generosidad del régimen. Y en vez de rendirle tributos de admiración, lo acribillan a quejas y demandas bárbaras como balas. Recuerden: el Presidente de la República es el padre de la Gran Familia Mexicana. Tómese lo anterior como metáfora; interprétese como realidad estricta.

Aguayo reproduce parte de un documento de la CIA sobre las medidas de seguridad en ocasión de la visita del presidente Lyndon Johnson a México (1966): "La policía detuvo a unos 500 alborotadores potenciales [...] Las fuerzas de seguridad llamaron a 48 líderes de diversas agrupaciones izquierdistas sospechosas de tomar parte en manifestaciones antiestadunidenses [...] [Al presentarse 47] se les informó con toda claridad que se les haría responsables personalmente de cualquier actividad incorrecta de los miembros de sus organizaciones". La Teoría de la Conjura es también una práctica de la hospitalidad para con los mandatarios de Norteamérica. Y en abril de 1968, en Tabasco, el ubicuo Hernández Toledo disuelve otra movilización estudiantil. Le notifica el general a los jóvenes: "Me encuentro aquí para resguardar el orden. Para resolver el problema, tenemos un hombre en México (Díaz Ordaz) que dirige los destinos de México". Que no se mueva la hoja del árbol sin la voluntad del Padre Normativo.

1968: El Año de la Teoría de la Conjura

En el Año Olímpico, las autoridades padecen el terror propio del que a diario escucha las peores noticias de personas muy confiables (ellos mismos). "Este año, para las Olimpiadas, se prepara algo terrible", comentan los altos funcionarios ante el espejo. A la pregunta de "¿Quiénes lo preparan?", la respuesta es sincera: "¿Quién más ha de ser?" El temor alimenta al temor.

En cierto sentido, 1968 es una trampa en busca de inquilinos. El gobierno aguarda la conjura, un fenómeno no de la sociedad sino de la naturaleza, y se esfuerza en matar a la hidra de la maquinación apenas asome la cabeza, transformando episodios menores en batallas. Con ansiedad, Díaz Ordaz aguarda la irrupción del mal. Y el 26 de julio le resulta la fecha adecuada. Se conmemora el aniversario de la Revolución Cubana, y ya se sabe que los subversivos se rigen por símbolos.

El gobierno de Díaz Ordaz es una larga vigilia en prevención del estallido. Nunca antes la Teoría de la Conjura había dispuesto de tanto poder, de tanta gente empeñada en corroborarla. Si para los políticos "detener la embestida contra México" es la tarea del sexenio, para las fuerzas de Seguridad es su razón misma de existencia. Para la mentalidad autoritaria, el mundo se divide entre los carentes de opinión (es decir, los creyentes incondicionales de las instituciones) y los manipulados. Llevado esto al extremo, o si se quiere iluminado esto por la opinión presidencial, el libre albedrío resulta sinónimo de automanipulación. Además, si el sentido rector del Ejército es la disciplina, la lógica de los cuerpos policiacos es la inclemencia represiva a cambio de los derechos para la corrupción en diversas escalas. Muy probablemente, los provocadores han sido convocados y alertados meses antes y sólo esperan órdenes. Y los sucesos del 68 no requieren tanto de provocadores como de las reacciones de una policía convencida de que entre los jóvenes anida el delito de la traición. Golpearlos por lo que hayan hecho o por lo que puedan hacer, es darles su merecido.

El Día de la Conjura ha llegado, a juicio del gobierno. La irracionalidad engendra monstruos y prepara emboscadas. A fin de cuentas, debe recordarse, ni el secretario de Gobernación Luis Echeverría, ni el jefe del Departamento Central, Alfonso Corona del Rosal, tienen experiencia alguna en el manejo de la disidencia legítima, y no conciben siquiera las razones de cualquier desacuerdo. El gobierno entero se impacienta ante las protestas, y no las incorpora en sus previsiones. ¿Para qué? El país es dócil y la población tiene derecho al relajo vigilado, no a la protesta.

El agitador a pesar suyo: Gustavo Díaz Ordaz

En 1968, el sistema presidencialista conoce su apogeo. Con el licenciado Gustavo Díaz Ordaz (1911-1979) todo es gobierno y casi nada es oposición. Concentrada en unas cuantas publicaciones, la crítica sólo es frontal de vez en cuando y no tiene consecuencias. A comienzos de 1968, sin capacidad de combatir al autoritarismo, la sociedad lo goza como puede y reproduce a escala el comportamiento dogmático (el jefe de familia es un Presidente en miniatura; el Presidente de la República es el más prolífico de los jefes de familia).

Díaz Ordaz requiere de asideros políticos. Sin eso, no asciende con la solidez debida. La mayor certidumbre a su alcance es el patriotismo y la fe en el régimen de la Revolución Mexicana, por desvaído y deshilachado que ya se encuentre. En rigor, Díaz Ordaz es el último Presidente que, no obstante su comportamiento, cree en los grandes logros y en la disciplina del país a cargo de la tradición revolucionaria. El sucesor, Luis Echeverría Álvarez, a mitad del sexenio adopta el repertorio del Tercer Mundo como bandera y plataforma. El entierro casi formal de la Revolución Mexicana ocurre en 1968.

Díaz Ordaz está fatalmente predispuesto a luchar con fantasmas. El político amenazado por las tinieblas intensifica su control sin demasiadas protestas, y acumula juramentos de lealtad. Pero el elemento básico es la sinceridad. No miente al hablar de complots contra México o al reaccionar ásperamente contra los "apátridas". No dice la verdad, pero no miente. Tan confía en su formación ideológica que halla actos de justicia en donde sólo hay represiones. Le toca desbaratar el movimiento ferrocarrilero en 1959, y lo hace convencido. "En México no hay presos políticos, sino delincuentes". Nada le dice lo evidente: la debilidad numérica y política del Partido Comunista; la legión de infiltrados y provocadores, la fuerza de los aparatos de seguridad nacional; la escasa o nula penetración de la izquierda política en la sociedad; el sectarismo autodestructivo de los militantes. Díaz Ordaz no atiende estos datos. Lo suyo es la cacería de señales.

¿Quién le niega a Díaz Ordaz su papel central en el 68? Abogado poblano, oscuro agente del Ministerio Público en San Andrés Chalchicomula o Ciudad Serdán, político menor, intrigante habilísimo, de dureza y estilo cortante, burócrata con gran sentido de la oportunidad, Díaz Ordaz maneja una plataforma de arribo consistente en una persona: el presidente Adolfo López Mateos, que lo nombra secretario de Gobernación y lo entrena para el relevo. Inteligente-a-su-manera y despótico, a Díaz Ordaz lo sojuzgan la vanidad de sus defectos (es muy macho, y gobierna el país como a un hijo rebelde o a una amante levantisca) y el sitio del recelo en su conducta. Recela de sus colaboradores, de los aplausos, de la oposición. De quienes no son compulsivamente patriotas no recela: son traidores a la patria, y punto. Lo cerca la fama pública de su fealdad, acrecentada al comparársele con el apuesto López Mateos y al respecto hace una broma frecuente tomada de Abraham Lincoln: "Yo no puedo tener doble cara; me basta con la que traigo". Tal vez su autocrítica facial no haya causado la virulencia diagnosticada por la turba de psicoanalistas espontáneos, convencidos de la fuente de rencor presidencial: la lejanía del ideal griego. Pero sí lo aparta de la confianza en sí mismo.

La Teoría de la Conjura se consolida al dársele a México la sede de los Juegos Olímpicos de 1968. A partir de ese día, todo gira en torno al desbaratamiento de conjuras. Si el término "paranoia política" tiene sentido, aquí se aplica. Y no es únicamente psicologismo pop: describe también a un hombre enardecido por su conquista de la Presidencia pese a sus orígenes humildes y convencido de que un grupo o un sector quiere hacerle daño. Si como secretario de Gobernación Díaz Ordaz vive en la suspicacia (Éste sería su razonamiento: "Quieren dañar a México vetándome la llegada a la Presidencia"), como Presidente es a la vez el máximo responsable del gobierno y el detector de asonadas.

Díaz Ordaz le entrega su poder de rectificación de los agravios al Principio de Autoridad. Concibe a la Presidencia, allí están sus discursos y sus acciones para ratificarlo, como el centro político e interpretativo del país, y se identifica literalmente con México. La actitud es disparatada pero el sentimiento, como él diría, es infalsificable. Poco antes de terminar su periodo, se le pregunta: "¿Qué siente usted cuando oye el Himno Nacional en el extranjero?", y la respuesta nace desarmada: "Que se me enchina el cuero". Un patriota sentimental cree encarnar durante seis años a la Patria.

En el diseño de Díaz Ordaz, el miedo es a *self-fulfilled prophecy*. Si el complot existe, es cuestión de semanas localizar las pruebas. Así opera el mecanismo: se reprime para evitar la emergencia del complot, y la protesta consiguiente es la señal inequívoca de la conjura. Desde el 26 de julio, Díaz Ordaz, carcelero airado, impulsa a pesar suyo lo que quiso aplastar desde el inicio, y venera sin ambages el México no tocado por el desencanto, el país anterior a esa perdición que es el conocimiento.

¿Quién le informa a Díaz Ordaz de los sucesos del 68? El principal asesor es su fe dogmática en la Guerra Fría. Lo demás se da por añadidura, datos parciales, mentiras robustas, interpretaciones que no resisten un examen lógico. En sus memorias, el general Gutiérrez Oropeza reproduce la convicción genuina de su jefe: "Desde el principio del gobierno de Gustavo Díaz Ordaz, la izquierda radical que mucho se había soliviantado en el régimen anterior, recibió órdenes precisas del comunismo internacional de aprovechar los preparativos de la Olimpíada para desarrollar en México la parte que en la Revolución Mundial le estaba asignada. Díaz Ordaz no tuvo más opción que emplear la fuerza para contener la violencia en que nos querían envolver." A falta de hechos, buenos son presentimientos.

Ante los estudiantes Díaz Ordaz no duda. Lo aborrecen (ellos, los de las penumbras) por encarnar los valores del decoro y el derecho, y sería afrentoso considerar siquiera el pliego petitorio del Consejo Nacional de Huelga. Si libera a los presos políticos sindicales (Vallejo, Campa y los demás), fortalece el sindicalismo independiente. Si reconoce (así sea por omisión) la mínima injusticia, y cesa al jefe de policía o indemniza a las víctimas, daña el principio de autoridad. Si castiga a los culpables de la represión, admite la autocrítica... Y la solución al conflicto es la inflexibilidad. Para el autócrata, lo que no es alabanza es ruiderío amenazante o ininteligible.

Díaz Ordaz asegura no tenerle rencor a sus víctimas. Ni ese vínculo merecen. Han creído agraviar a la persona y se toparon con la institución. A él no lo agreden, sabe quién es, siempre lo ha sabido. "La injuria no me ofende. La calumnia no me llega. El odio no ha nacido en mí." Cuando proyecta el Gran Castigo del 2 de octubre (no toma la decisión solo, no la toma acompañado), lo hace porque en su lógica ceder a la protesta es compartir el mando, y si en su fuero interno es una persona sencilla, su rango de Mexicano de Excepción (por la voluntad expresa de los mexicanos comunes) lo hace trascender la condición del individuo, volviéndolo representación viva, mientras dure en su encomienda, de lo más hondo de las entrañas de la Nación. Lo que murmuren sobre él lo perdona. Pero lo que digan aquí y allá sobre el Poder Ejecutivo ofende a todos. Por eso, al reaccionar punitivamente, no lo hace como Gustavo Díaz Ordaz, el hombre lastimado en su orgullo de hombre, el jefe de familia golpeado en la reputación que hereda a sus hijos (para que éstos, a su vez, la transmitan intacta y acrecentada), sino como el patriota que reacciona en defensa de la Patria que abandera...

Ni un mártir ni un improvisado. Al tomar su decisión sabe que les dolerá por unos días, y que chillarán y maldecirán desde su impotencia y luego no pasará nada. Y aunque pasara (lo que no sucederá), no le inmuta el porvenir. Al contrario. La Historia le hará justicia a la fuerza porque trabaja a su favor, y el compromiso de extinguir la subversión lo asume a través suyo una nación harta del relajo patrocinado, ansiosa de salvarse del caos y la anarquía, y que le demanda que respete y honre el sitio que concilia y armoniza todos sus intereses. Caiga quien caiga...

¿Por qué no? A Díaz Ordaz se le encomienda tripular el navío, dirigir la expedición hasta puerto seguro, y él es piloto y padre y capitán. Sabe con detalle del sentido de sus acciones, las ha meditado generosamente y se entrega confiado en las manos rugosas del porvenir. No está enojado ni podría estarlo: México actúa dentro de él y dirige sus pasiones, las ordena, las depura, las vuelve inflexibilidad de conducta. Con violencia y alharaca y héroes extraídos del forro de sus conciencias descastadas, los subversivos se proponen hacernos olvidar la verdad: somos una gran familia, el país que atravesó —entre sangre, sudor y lágrimas— por una gran revolución. Y a Díaz Ordaz le toca hacer que el país siga teniendo amor y respeto a las instituciones. A como dé lugar.

Los antecedentes del Movimiento Estudiantil

En 1968, una de las plazas fuertes de la izquierda partidaria (Partido Comunista Mexicano y grupúsculos) es la UNAM, y más específicamente Ciudad Universitaria. Sin ser numéricamente de consideración, la izquierda, en el páramo de las organizaciones estudiantiles, es la única con campañas definidas, la sombra de un proyecto y un discurso articulado, así sea de modo muy esquemático. ¿Quién se ofende ante las visiones presurosas y un tanto patéticas del Estado y la burguesía, si lo opuesto es el alegato priísta de vaguedades sonoras y promesas de ascensos individuales? De 1929 en adelante, el destino de las causas estudiantiles ha sido renovar las dirigencias gubernamentales, por lo menos en la parte operativa. No ha variado la máxima no escrita: "Quien no es radical en su juventud, no sabrá bien cómo reprimir a los radicales en su madurez".

En 1966, un grupo de estudiantes de la Facultad de Derecho, instigados por el gobierno, ataca al rector Ignacio Chávez, toma la Rectoría y pontifica necedades a nombre de "la educación popular". Al cabo de la huelga, algo se modifica. A la ya inoperante Federación Estudiantil Universitaria (FEU), campo de entrenamiento de priístas menores y zánganos adjuntos, la suceden los Comités de Lucha, al menos en el nombre más acordes con el auge impresionante de las divulgaciones marxistas y los dogmas de la izquierda latinoamericana. Y el porrismo, el caudal de "teóricos del Estado" obstinados en liquidar la disidencia a punta de chacos y cadenas, languidece "conceptualmente" al no tener a quién amenazar o enviar a la Sala de Urgencias. Así de pacificada se ve la UNAM.

A la izquierda estudiantil la mueve el compromiso con la Historia, lo que desde fuera no quiere decir nada y de cerca se traduce en enredijos teóricos. A la burguesía, por decir algo, no la intranquiliza el bagaje izquierdista, los seminarios de estudios de marxismo, los rudimentos de

Historia de México con especialización en la etapa 1910-1940, las peregrinaciones del rollo revolucionario, las asambleas estudiantiles, las reuniones de célula o de grupo, los "Talleres de militancia" cifrados en el método de autopersuasión: "De tanto repetirlas, me aprendí mis convicciones". Hay altruismo y voluntad de entrega; hay sectarismo e impaciencia histórica (o como se le diga a la certeza íntima de que cinco años más haciendo y diciendo lo mismo no se soportarán).

El Partido Comunista de 1968 se ha profesionalizado en la reducción de sus posibilidades, y (sea esto o no importante) se obstina en simbolizar la muerte de la voluntad de poder. Si su presencia en algunas escuelas y facultades es persistente, su influencia sólo se nota en las emergencias. Por lo menos la mitad de sus militantes viene de provincia, y su común denominador es la sensación de apartarse por un tiempo de la normalidad para retornar a ella con otros saberes básicos. Por supuesto, esta actitud no es deliberada, ni los cuadros del Partido se sienten de paso en la organización, pero no hay las perspectivas de largo plazo, y apenas un puñado de compensaciones sentimentales, que en algo equilibran la verbomanía de los "Martillos Teóricos" y la noción compulsiva de militancia. A las compensaciones las enmarca el amor por las causas perdidas y el nacionalismo tradicional de los comunistas, todavía capaces de extraer de los corridos la insurrección anímica que necesitan:

> Señores, a orgullo tengo
> de ser anti-imperialista,
> y militar en las filas
> del Partido Comunista,
> y militar en las filas
> del Partido Comunista.
> (Con música de "El Corrido de Cananea")

Y si la sociedad no se toma muy en serio a la izquierda, es por considerarla no tanto opción ideológica sino rito de tránsito que evocan con cierto gusto los poseídos por "la conciencia social". Lo típico de la izquierda es su incapacidad retentiva, y los pocos que perseveran en la militancia, para no amargarse tienden a burocratizarse. Ingresan a la organización, se enardecen, desprecian a "reformistas y socialtraidores", exprimen hasta el alba las probabilidades de reavivar la lucha de clases... y luego se alejan para añadirse al monorritmo de las instituciones.

La izquierda, proveedora de dirigentes del PRI. Al funcionario Guillermo Martínez Domínguez se le atribuye la frase: "El gobierno no necesita escuela de cuadros. Ya la tiene: es el Partido Comunista". ¿En qué otro espacio ideológico se aprende a leer la plataforma doctrinaria de los adversarios, en dónde más se estudian los golpes de la retórica y la enunciación de las preocupaciones nacionales? ¿Quién enseña mejor el Tono Comprometido? El PRI no maneja un discurso que así sea remotamente tenga sentido, y transcurre una generación antes de que un priísta renueve con modestia su vocabulario de campaña. (Un priísta histórico es, como se quiera, un vacío argumental orgánico.) Y la izquierda partidaria intenta desquitarse del Sistema que cada cinco o seis años le arrebata a sus jóvenes guerreros, sembrando sentimientos de culpa. "Váyanse, porque aquí nunca tendrán oportunidades, pero nunca olviden que han traicionado a la revolución." Y a lo largo de los años, la deserción se paga exacerbando en "los desertores" o el odio frenético a la izquierda o el espíritu autodestructivo, la impresión de haber canjeado la utopía por el plato de lentejas de un puesto o de un puestazo, la desazón más bien teatral de quien, ya en la ronda de los tragos, canta "La Internacional" desde el fondo del remordimiento. De allí el éxito perdurable del poema de José Emilio Pacheco:

> Antiguos compañeros se reúnen.
> Ya somos todo aquello
> contra lo que luchamos
> a los veinte años.

Los inicios: "Todo empezó con una bronca"

El 22 de julio, en la Plaza de La Ciudadela, dos pandillas delincuenciales, Los Arañas y Los Ciudadelos (más los alumnos de la escuela Isaac Ochoterena), se enfrentan a los estudiantes de las Vocacionales 2 y 5 del Politécnico, ubicadas en La Ciudadela. Al día siguiente, la bronca se reinicia. Al regresar los del Poli a sus escuelas, aparecen los granaderos, que incursionan provocadoramente en las Vocacionales, maltratando a quien pueden. Al cabo de un rato, los granaderos se van de las escuelas, sólo para regresar minutos después lanzando macanazos y bombas lacrimógenas. Exasperados, los estudiantes acuden inesperadamente a la acción insurreccional. Casi de la nada, la desesperación adolescente extrae garrotes, gases, diluvio de piedras. De las diez de la mañana a la una de la tarde, tres mil politécnicos riñen con cientos de granaderos. A la brutalidad policiaca se opone el deseo de restablecer la justicia como se pueda.

A los detenidos se les libera en unas cuantas horas, pero abundan los golpeados, entre ellos maestros.

El estudiante de Ciencias Marcelino Perelló comenta con acritud los sucesos: "Los más indignados eran los politécnicos. Ellos no sabían qué querían. Realizaban mítines en las calles. Sus reuniones se caracterizaban por la indignación" (*Excélsior*, 17 de septiembre). En un nivel, han sabido lo que querían: no dejarse.

La dirección de la Vocacional 5 afirma:

> Al retirarse los estudiantes se refugiaron en la Vocacional 5. Poco después, los granaderos irrumpen en el edificio golpeando a los jóvenes, hombres y mujeres indistintamente, pero fueron rechazados por todo el alumnado.
>
> Los transeúntes exigían a los enfurecidos granaderos que no agredieran a los estudiantes, a lo que respondieron con improperios y nuevos ataques (*El Universal*, 24 de julio).

Es tan alta la cifra de golpeados, entre ellos maestros, que la indignación no amengua. Muy a su pesar, la Federación de Estudiantes Técnicos (FNET) le solicita al Departamento Central le permita hacer una marcha de protesta, de La Ciudadela a la Plaza del Carrillón en el Casco de Santo Tomás. El "exorcismo" de mantas, pancartas y consignas, calculan la FNET y sus manejadores, disipará la cólera. Algo les falla en sus razonamientos: se olvidan de la extensa red de activismo de izquierda, de las células del Partido Comunista, de la Juventud Comunista, del maoísmo, del espartaquismo. Si al producirse los acontecimientos, las organizaciones radicales no tienen en rigor influencia alguna y los activistas escasean, en unas cuantas horas han centuplicado su ascendiente y su número. Véase el testimonio de Jaime García Reyes (en *Pensar el 68*):

> El 26 de julio de 1968, la marcha de la FNET para protestar tibiamente por la agresión de los granaderos en días anteriores, se les volteó en el Carrillón cuando los opositores de la FNET nos apoderamos del sonido que ellos mismos había llevado. En ese momento pudimos contar con algunas fuerzas más y organizar-

> nos. Salimos con la pretensión de ir hasta el Zócalo. Caminamos unas dos cuadras hasta la calle de Nogal o de Fresno, tomamos autobuses, nos bajamos en el Panteón de San Fernando y desde ahí iniciamos nuestra marcha independiente. En la Torre Latinoamericana coincidimos con una marcha que había organizado la CNED en apoyo a la Revolución Cubana. Ahí nos marcaron una línea para que ellos se dirigieran al Hemiciclo a Juárez y nosotros tuvimos que meternos por la calle de Madero. Casi llegando al Zócalo, en Palma, los granaderos nos hicieron sandwich. Nos pegaron a muchos, posteriormente se corrió la versión de que yo estaba conmocionado, pero sólo salimos golpeados, y nos reorganizamos; en el camino, algunos compañeros sacaron las alcantarillas, que antes eran de concreto, las estrellaron contra el piso y nos proveyeron de piedras.
>
> No recuerdo que hubiera piedras en los basureros. Nosotros hicimos las piedras con las alcantarillas. Desorganizados, llegamos al Hemiciclo a Juárez y en ese momento se dejó venir la policía civil, encabezada por el jefe policiaco Mendiolea Cerecero, con la idea de meterse entre nosotros, dar pequeños golpes y desbaratar la manifestación, pero en cuanto los tuvimos a tiro los apedreamos.

Cualquier reexamen del Movimiento destaca lo apenas registrado en su momento: la voluntad de resistencia de los politécnicos, considerablemente mayor que la de los universitarios, y sus habilidades en la violencia callejera. A esta resistencia, de ningún modo adscrita a un plan revolucionario, se le percibe como la gran reivindicación. En primerísimo término, el Movimiento surge gracias a los politécnicos, capaces de combinar, entre otros elementos, la rabia ante las arbitrariedades de la policía, el rencor social y el impulso de la marginalidad que quiere dejar de serlo. Pero si el hábito de las contiendas físicas se enmarca dentro de la cultura urbana, Díaz Ordaz lo considera el preámbulo del levantamiento.

26 de julio: A la salida de la Preparatoria

La impunidad, el principio sagrado. Al intensificarse el conflicto, las autoridades del IPN retroceden un tanto y "lamentan los acontecimientos"; la FNET, muy parecida a la FEU, oscila entre la bravata tímida y la aceptación rauda de las disculpas que en rigor la policía nunca entrega. Y el 26 de julio en la tarde coinciden la protesta y la conmemoración. La Confederación Nacional de Estudiantes Democráticos (CNED), de filiación comunista, celebra como cada año el asalto al Cuartel Moncada en 1953 que originó el movimiento de Fidel Castro, y también, enardecidos, los estudiantes del Politécnico marchan al Zócalo a denunciar los atropellos. En el Hemiciclo a Juárez, los comunistas se cobijan al amparo de la gritería histórica ("Fidel, / Fidel, / ¿qué tiene Fidel? / que los americanos no pueden con él"). Apenas se atiende a los oradores y su vertidero de incienso revolucionario. Del otro lado de la Alameda se expresan, con bastante más energía, los politécnicos.

De pronto, una explosión salvaje de "generación espontánea". Cinco o seis núcleos de jóvenes y adultos, con aspecto de porros o de agentes judiciales, apedrean los aparadores de Avenida Juárez, insultan y maltratan a los transeúntes, persiguen a los jóvenes. En la Avenida San Juan de Letrán hay retenes policiacos. Para quien consigue pasar, la Avenida Madero es otro foso del terror. Comercios y joyerías asaltados, golpizas, agentes que se ríen como festejando una proeza, la de probar con sus instrumentos de trabajo la fragilidad de los cuerpos ajenos. Aturden las sirenas de las ambulancias, los gritos de heridos y vapuleados, las amenazas policiacas. En la Avenida 5 de Mayo la situación es más dramática. Los que pueden huyen hacia el Zócalo. Los agentes se multiplican. Nadie intenta el orden, ni se transmiten explicaciones. Alguien recuerda un cerro de zapatos perdidos en la corretiza.

Al salir de un festival, los estudiantes de las preparatorias 2 y 3 caen bajo la furia policiaca. Se les hace retroceder a los edificios universitarios, y para protegerse improvisan barricadas con camiones... "Brotan" o aparecen montones de piedras. El pleito dura cerca de cuatro horas. Hay detenidos... Los estudiantes se refugian en San Ildefonso. Al principio no se capta la estrategia gubernamental. ¿Para qué inventar el conflicto, para qué tal saña? Luego viene la explicación obvia: se procede así para liquidar el complot en su cuna. A Díaz Ordaz, convencido de los puñales en la sombra, el secretario de Gobernación lo subsidia con información que dibuja detalladamente la fantasía conspirativa. Pero lo inesperado es la respuesta estudiantil. Con piedras y objetos, estos adolescentes y jóvenes hacen retroceder a sus verdugos. En rigor, esta decisión de no dejarse del oprobio a nombre de la ley crea, desde la perspectiva estudiantil, el Movimiento. Ahora, cuando la memoria —y por razones entendibles— gira en torno del 2 de octubre, se ha borrado ese momento vertiginoso del 26 de julio, pero si Díaz Ordaz precipita la resistencia al soñar con la conjura, los estudiantes de las preparatorias, al resistir, precipitan la toma de conciencia.

Sin duda, hay a lo largo de los meses excesos verbales, algunas provocaciones, y mitos y leyendas asumidos como verdades estrictas (por ejemplo, el número de muertos previo al 2 de octubre, la matanza en San Ildefonso), pero lo fundamental del Movimiento, y no localizo argumentos sólidos en contrario, fue su carácter *civil, legal* y *heroico.* En los días posteriores al 26 de julio, los dueños de joyerías responsabilizan a la policía de los robos. No se les hace caso. Se ordena el linchamiento moral del Movimiento, y de eso se escapan unas cuantas publicaciones. Pero el aislamiento no se da porque el Movimiento crea su propio sistema de comunicación gracias a las brigadas y el mero impulso del rumor entusiasta.

26 de julio: La explicación oficial

En la noche del 26, se distribuye el boletín de la Jefatura de Policía. Actuaron, aclaran, porque José R. Cebreros, presidente de la FNET, solicitó la restauración del orden y la captura de "quienes estaban provocando esos actos, aunque se tratara de auténticos estudiantes".

En la noche del 26 de julio se ratifica en su esplendor la Teoría de la Conjura. "¿Ya ven? Lo habíamos dicho". El gobierno se alarma y se regocija simultáneamente. El mal se desenmascaró pero ya nadie tendrá duda del programa de los apátridas. Y como si hiciera falta, la orden llega a los medios informativos, a la clase política, al Ejército, a la policía, al Poder Judicial (regalémosle ese nombre): "Ahoguemos a la hidra antes de que nos asfixie, salvemos las Olimpiadas." Ha llegado la hora de darle solidez a la Teoría de la Conjura divulgando sus descubrimientos. El primero: despertar a la nación acosando al enemigo. Si el depósito de energía de un complot es la masa manipulable, hay que ganarle la partida a la subversión con andanadas propagandísticas. Si el sacrosanto nombre de la Revolución Mexicana ya no moviliza, debe acudirse al entusiasmo sobreviviente: el miedo, el pánico ante el reino de las sombras que envenenan las conciencias. Si no hay ciudadanía, que reaccione el colectivo del pavor. Y desde el 26 de julio la andanada en los medios informativos busca que la sociedad se aterre. Y la estrategia falla al no atemorizarse los estudiantes y vastos sectores de la opinión pública, entre otras cosas por no sentirse antes del 2 de octubre en medio de una guerra.

Desde el 27 de julio, los politécnicos le dan una salida organizada a su radicalismo. El Comité de Lucha del IPN presenta su pliego petitorio:

Desaparición de la FNET.
Expulsión de los dirigentes de la misma y de seudoestudiantes priístas que son agentes del gobierno.
Desaparición de los cuerpo represivos.

Del bazucazo a favor de las instituciones

El 27 y el 28 de julio el Zócalo se ve espectral y gélido. En San Ildefonso, un grupo reducido de estudiantes se da ánimo y relata su triunfo, o lo que califican de triunfo. Les estimula no haberse dejado, y los amedentra lo que sigue, aunque las autoridades universitarias (representadas por el doctor Alfonso Millán) los visitan y apoyan. Hablan sin tregua, con una mezcla de miedo y optimismo.

En la madrugada del 30 de julio, soldados de línea de la Primera Zona Militar, comandados por el general José Hernández Toledo, penetran en los edificios de San Ildefonso (donde se encuentran las preparatorias 1 y 3), en las preparatorias 2 y 5 de la UNAM, y en la vocacional 5. Al convoy lo integran tanques ligeros, jeeps equipados con bazukas y cañones de 101 milímetros, y camiones transportadores de tropas. La tropa marcha a bayoneta calada. Ábrete Sésamo: un bazucazo destruye una puerta de San Ildefonso. Las notas de prensa dan alguna idea de lo ocurrido: "La enfermería del plantel estaba tinta en sangre. Paredes, pisos, techos, mobiliario, puertas y ventanas fueron mudos testigos de los sangrientos hechos".

El gobierno desata una campaña de prensa, radio y televisión contra "los subversivos", y las Explicaciones Patrióticas se desbordan. A las dos de la tarde del 30 de julio, el secretario de la Defensa Marcelino García Barragán afirma: "Estamos preparados para repeler cualquier agresión y lo haremos con toda energía, no habrá contemplaciones para nadie". (En esta crónica se hace uso de la extraordinaria recopilación del maestro Ramón Ramírez, *El Movimiento Estudiantil de México, julio-diciembre de 1968*, dos volúmenes, Ediciones Era, 1969. Debido a estos libros indispensables, don Ramón padeció el hostigamiento del gobierno.) Y el general García Barragán le puntualiza a los paterfamilias sus deberes:

> Los padres tenemos obligación para la sociedad en que vivimos, para la patria y nuestros propios hijos y lo más cuerdo es encauzarlos en el estudio y que no pierdan ni un minuto, ni un segundo, en el aprovechamiento de sus clases, y mucho nos ayudarían con su autoridad paternal a observar el orden, lo que aprovecharía en mucho el país (*El Universal*, 31 de julio)

El general García Barragán da su versión de la intervención militar de la madrugada del 30 de julio: "no se disparó un solo cartucho, no se trató mal a los estudiantes", aunque participaron tres batallones de la brigada de infantería, un escuadrón de reconocimiento, un batallón de transmisiones, dos batallones de la guarnición de la plaza, otro de guardias presidenciales y otro de paracaidistas. En suma, la guerra contra el extraño enemigo de existencia nunca comprobada. El general es preciso: "La puerta de la Preparatoria 1 no fue abierta de un bazucazo, sino por un conjunto de bombas molotov lanzadas por los propios estudiantes." Y concluye: "Los estudiantes se dejaron arrastrar por las pasiones personales que fueron aprovechadas por grupos extremistas que los azuzaron hasta conducirlos a extremos de violencia. No creo que los estudiantes formen parte de una conjura."

A lo largo del proceso, las contradicciones y las omisiones, las distorsiones y las inexactitudes victiman a la información oficial. Así por ejemplo, según el parte del 30 de julio de 1968, en el desalojo de los "alborotadores" por órdenes del secretario de la Defensa, sucede lo siguiente:

> III. Un grupo aproximado de 300 a 400 estudiantes se parapetaron en la Preparatoria UNO negándose a salir y recibiendo el personal de Paracaidistas y Policía Militar a balazos, bombas Molotov, tabicazos así como de numerosos detonadores que usan las bombas de aviación de manufactura americana.
> IV. Se les exhortó a abrir la puerta, incluso se apuntó con el Bazooka, un pelotón de paracaidistas al paso veloz y con una viga trató de forzar la entrada, en dicho momento se escuchó una fuerte detonación resultando heridos los CC. Soldados Pa-

racaidistas Jesús García Vargas y Joaquín Nava Bernal, con la fuerza de la explosión cediendo dicha puerta.
V. Al estar abierta la puerta los granaderos y policía entraron apoyados por personal de esta Unidad, capturándose CIENTO VEINTISIETE hombres, DIEZ bombas Molotov, DOS botes de gasolina, UNA botella de ácido nítrico de CINCO litros, UNA botella de amoniaco, UNA caja con propaganda comunista, todo esto se le hizo entrega al C. Teniente de Granaderos Carlos Valderrábano Medina perteneciente a la Primera Compañía de dicho cuerpo.

Otra vez se despliegan las contradicciones que nadie se toma el trabajo de señalar. Si los "alborotadores" reciben a balazos a los soldados, ¿por qué no se encuentra un arma en el decomiso? Si son de 300 a 400 los estudiantes parapetados en San Ildefonso, de los cuales ninguno consigue salir, ¿por qué sólo se captura a 127 de ellos? ¿Por qué se niega haber usado la bazuca, pese a los testimonios fotográficos? Y sobre todo, ¿por qué desde el principio se recurre al Ejército, a los puestos de socorro, a los vehículos protegidos, al calificativo de "Zona de Acción" para el terreno del conflicto? Sólo hay una respuesta: porque el Presidente Gustavo Díaz Ordaz cree hallarse ante el bosquejo de un golpe de Estado. Las pesadillas de la paranoia se militarizan.

Prosigue la toma por etapas de la ciudad. Se ordena el cateo de las casas y departamentos alrededor de San Ildefonso. El ejército se adueña de otros centros educativos. En la Vocacional 5 los estudiantes, antes de la entrada de la tropa, cantan el Himno Nacional. El ejército se justifica: intervino a solicitud del regente del Distrito Federal, general Alfonso Corona del Rosal, para resolver "la situación planteada por los agitadores". Y a las 2:30 de la mañana se produce una alucinada puesta en escena del Exorcismo contra la Conjura. Citan a la conferencia de prensa el secretario de Gobernación, Luis Echeverría Álvarez, el regente, el procurador general de la República Julio Sánchez Vargas y el procurador del D.F., Gilberto Suárez Torres. El cuarteto se armoniza: "La acción militar: 1. Fue razonable; 2. Sirvió a los intereses de la colectividad; y 3. Estuvo apegada a la ley".

Como de costumbre, se anuncia lo que nunca se comprobará. El regente Corona del Rosal es un escribiente del Juicio Final: "La filiación de los promotores del plan de agitación y subversión [...] se encuentra en la identidad de algunos de los detenidos y en la propaganda por ellos desplegada [...]. En mi opinión se trata de elementos del Partido Comunista" (varios de ellos detenidos esa noche). El secretario de Gobernación es un tanto contradictorio: "Las medidas adoptadas se orientan a preservar la Autonomía Universitaria de los intereses mezquinos e ingenuos, muy ingenuos, que pretenden desviar el camino ascendente de la Revolución Mexicana."

La indignación suscitada por la imagen del soldado con las bazucas, se concentra por lo pronto en una fórmula legal. La importancia extrema que se le concede a la Autonomía Universitaria, da noticia de cuán distante se halla la noción de derechos humanos y civiles.

La violación de la Autonomía

¿Por qué surgen con tal celeridad en 1968 las comunidades de enseñanza superior: universitaria, politécnica, normalista, del Colegio de México, de los estudiantes de teatro del INBA, días antes sólo conglomerados sin unidad posible? El primero de agosto la respuesta es unívoca: "Se violó la Autonomía Universitaria, se violaron los recintos del IPN". Hoy, esta justificación se desvanece un tanto en los recuerdos y los análisis, pero entonces impulsa las nuevas actitudes y consolida los espacios de libertad de expresión y reunión. La Autonomía Universitaria en 1968 retiene y acrecienta su poderío movilizador.

Tras el bazucazo, se requiere de una fórmula de grandes resonancias para persuadir y radicalizar a una muy débil opinión pública, distribuida en unos cuantos órganos periodísticos y en sectores de funcionarios jóvenes, periodistas, profesionistas, sectores progresistas, académicos, estudiantes. Al ser entonces los residuos de cultura jurídica la única y última zona de fe en la democracia, resulta inevitable centrar el debate en torno a la violación de la Autonomía. Se ha vulnerado la esencia de la UNAM (su extraterritorialidad) y esto es inadmisible, porque en el país priísta la UNAM garantiza lo excepcional del conocimiento y de los derechos de la crítica. Son indignantes el vandalismo oficial del 26 y el 30 de julio, la entrada del ejército a las escuelas, el vislumbre del Estado de Sitio, pero lo que ordena o encauza a la protesta es un argumento: "la violación de la Autonomía". ¿Eso quiere decir que si no entran los soldados a las escuelas, la reacción hubiese sido distinta, menos homogénea, mucho más política que jurídica y política? Sí, exactamente eso, si uno se atiene a las protestas por represiones anteriores, tan escasamente concentradas en la protección de las instituciones simbólicas. Y le "sale lo universitario" a cientos de miles, no sólo porque los chovinismos particulares en algo compensan de la agonía del chovinismo nacional, sino por dos hechos comprobables: a) La Autonomía Universitaria es el argumento legal que desautoriza las devastaciones del gobierno, y b) En 1968 apenas se utilizan el término y la idea de los derechos humanos y civiles, al ser lo habitual la carencia de derechos. El Poder Judicial está en ruinas, nadie cree en la justa aplicación de las leyes, el principio de la "cultura jurídica" vigente es el atropello, y una defensa de los derechos humanos en 1968 hubiese sido casi inconcebible.

Desde 1958 no se sentía tan viva, tan convulsa a la Universidad (entonces por antonomasia). La atmósfera es histórica, o como se le llame a las sensaciones de participación conjunta. En Radio UNAM se leen apasionadamente los boletines de noticias. Pese a la situación, es inevitable reírse de una nota de *El Sol de México*: "El estudiante de Comercio de la UNAM, Federico de la O García, de 23 años, falleció ayer a consecuencia de una intoxicación por tortas que comió en la lonchería Kolm de Anillo de Circunvalación o de viejas heridas en las cabeza, y no por lesiones sufridas en los recientes disturbios." El comunicado es de la Procuraduría del Distrito Federal.

En C.U. hay premura y resentimiento. A la Explanada llegan en oleadas los estudiantes y los maestros que denuncian la violación de la Autonomía. Se presenta el rector Barrios Sierra y el ánimo se desborda. Su gesto es sereno pero no dramático, y el aplomo es su rasgo característico. Una multitud tensa y respetuosa lo sigue, acompasada por gritos previsibles: "¡Viva la Universidad!", "¡Viva México!", "¡Viva Barros Sierra!" El rector pone la Bandera Nacional a media asta y el silencio es abrumador. En ese minuto, para los presentes, la UNAM hace las veces de la nación.

Si la resistencia estudiantil el 23 y el 26 de julio es la fundación política del Movimiento, la acción del rector Barros Sierra le aporta al 68 la legitimidad y la convicción de justicia, lo que salva a la protesta del destino de la tradición izquierdista, fácilmente reprimible y desgastable. Sin la certificación ética de Barros Sierra, el Movimiento se hubiese disuelto en el círculo fatal de las marchas y arengas.

Si es válida la arqueología de las emociones, uno recuerda el silencio herido, súbitamente patriótico, que circunda el descenso de la bandera. Esto también consiguen los desmanes del gobierno, infundirle dimensión cívica a una comunidad que no se concebía como tal minutos antes. El razonamiento es instantáneo y no necesita verbalizarse: si protestamos por la violación de la Autonomía, existimos como universitarios y, al mismo tiempo, alcanzamos del modo más noble la ciudadanía. En unos segundos, la transgresión se concreta, así ninguno de los presentes se proclame ciudadano. ¿Cómo añadirse de pronto a lo desconocido, a la grave responsabilidad social? Se canta el Himno Nacional, y los asistentes, sin preverlo y sin evitarlo en sus declaraciones faciales, se consideran patriotas y universitarios, tal y como en otros actos similares los asistentes se piensan politécnicos o normalistas y patriotas. La ciudadanía se avizora.

El rector lee una cuartilla:

> Hoy es un día de luto para la Universidad; la Autonomía está amenazada gravemente. Quiero expresar que la institución, a través de sus autoridades, maestros y estudiantes, manifiesta profunda pena por lo acontecido.
>
> La Autonomía no es una idea abstracta, es un ejercicio responsable, que debe ser respetable y respetado por todos.
>
> Una consideración más: debemos saber dirigir nuestras protestas con inteligencia y energía.
>
> ¡Que las protestas tengan lugar en nuestra Casa de Estudios!
>
> No cedemos a provocaciones, vengan de fuera o de dentro...
>
> La Universidad es lo primero, permanezcamos unidos para defender, dentro y fuera de nuestra casa, las libertades de pensamiento, de reunión, de expresión y la más cara: ¡nuestra Autonomía! ¡Viva la UNAM! ¡Viva la Autonomía Universitaria!

En tres décadas el vigor del discurso no amengua. Sin aspavientos, se desmiente la versión oficial. Con una frase ("Hoy es un día de luto para la Universidad") se deshace el énfasis de la Teoría de la Conjura, y se desbarata también el chantaje "académico" de los Hombres de Pro. Véase el "fraternal llamado" de la Federación de Sindicatos de Trabajadores al Servicio del Estado (FSTSE), dirigido a los estudiantes:

> Regresen a sus centros de estudio consagrándose íntegramente a su preparación cultural, pues en esa forma no sólo estarán la-

brando su porvenir personal, sino que estarán contribuyendo a un mejor futuro para la patria (*Excélsior*, 31 de julio).

Personajes del 68: El rector Barros Sierra

Si los hechos ya son historia, los comportamientos del 68 son todavía nuestros contemporáneos. Inevitable citar una vez más a Julio Torri: "Toda la historia de la vida de un hombre está en su actitud." En 1968 la actitud de Javier Barros Sierra es coherente en grado sumo. No se inmuta ante las presiones, y resiste ataques y difamaciones. Hace a un lado lo que de él espera el gobierno, y la función pública por sobre los intereses de la clase política. Y la actitud determina la ruta del compromiso.

Se entiende el odio a Barros Sierra de Díaz Ordaz y los suyos. Barros Sierra representa lo inesperado: la contundencia moral y política de quien se rehúsa a la arbitrariedad, y pone al servicio de su actitud su trayectoria: fundador de ICA, exsecretario de Obras Públicas, miembro destacado del *Establishment* (nieto de Justo Sierra).

Cuando, hostigado por el díazordacismo, Barros Sierra renuncia a la Rectoría, consolida la versión civil de los hechos, opuesta a la oficial. Su autoridad moral se acrecienta y tocarlo entonces hubiera desatado algo próximo a la guerra civil. Sin ostentarlo en lo mínimo, concentra los valores del humanismo, y por eso asegura no sólo haber defendido a los estudiantes, sino —afirmación que él sin falsa modestia considera realista— haberles dado un ejemplo. Barros Sierra, en sus palabras, se manifiesta "públicamente como alguien que disentía de los actos y del estilo mismo del gobierno".

En el 68, Barros Sierra es el vencedor moral. No lo han intimidado la conservación del puesto, el cerco gubernamental, las atmósferas sucesivas y simultáneas de intolerancia. En abril de 1970, poco antes de concluir su rectorado, en una entrega de diplomas en Arquitectura, finaliza su discurso con una exclamación francamente triunfal: "¡Viva la discrepancia!", síntesis de su experiencia de esos años, su defensa de los estudiantes y los presos políticos, su desdén sardónico ante las rabietas del autócrata.

Meses antes de su muerte, en la ciudad de Viena, mientras conversábamos sobre los efectos de su renuncia, un amigo le dijo: "Ingeniero, en donde estuvo la estatua de Miguel Alemán pronto veremos la suya". Barros Sierra se rió y contestó: "Si he sabido que se trataba de un relevo de efigies jamás acepto la rectoría".

“Una mano está tendida...”

El mismo día de la manifestación del rector, desde Guadalajara, habla el Presidente Díaz Ordaz:

> Una mano está tendida, la de un hombre que a través de la pequeña historia de su vida, ha demostrado que sabe ser leal. Los mexicanos dirán si esa mano se queda tendida en el aire o bien si esa mano, de acuerdo con la tradición del mexicano, con la verdadera tradición del verdadero, del genuino, del auténtico mexicano, se ve acompañada por millones de manos que, entre todos, quieren restablecer la paz y la tranquilidad de las conciencias [...]. Estoy entre los mexicanos a quienes más les haya herido y lacerado la pérdida transitoria de la tranquilidad en la capital de nuestro país por algaradas en el fondo sin importancia. A mí me ha dolido en lo más intenso del alma que se hayan suscitado esos deplorables y bochornosos acontecimientos (1 de agosto).

¿Es de sorprender que a este desgarramiento retórico le correspondan los estudiantes con un sarcasmo: “A la mano tendida la prueba de parafina”? La insoportable astucia discursiva (“la pequeña historia de su vida [...] el verdadero, el genuino, el auténtico mexicano [...] me ha dolido en lo más intenso del alma”), no sólo no es estrujante, también irrita profundamente. Díaz Ordaz no intuye, ni podría hacerlo, que la efectividad de su discurso quedó cancelada por factores que incluyen el rock, el descubrimiento masivo del humor involuntario de los políticos, el culto al cinismo, la constancia del salvajismo gubernamental, el fin de la oratoria, el recién estrenado miedo a la cursilería y el hartazgo de la demagogia. A su retórica la inutilizan la modernidad o sus presentimientos.

“Los grupos extremistas azuzan”

Es la hora del sermoneo y el regaño. El general Juan Barragán, presidente del Partido Auténtico de la Revolución Mexicana (PARM), membrete muy animoso los fines de mes, califica de “medida acertada” la intervención del ejército. “Primero están las necesidades del D.F. que la petición de los estudiantes. Es lo mismo que pasó en

Washington cuando los negros quisieron llegar a la Casa Blanca" (*Últimas Noticias*, 31 de julio). Al festín de las condenas se enfrenta el rector con una sola página. Si Barros Sierra sitúa a la Autonomía por sobre las libertades de pensamiento, de reunión y de expresión, es por su convicción: en un medio regido por la intolerancia del pensamiento único: la Autonomía es el espacio que protege y fomenta el conocimiento, es el derecho de excepción ante la barbarie represiva, y ante la violencia ilegal a nombre de la ley. Y por lo mismo, desea resguardar a los estudiantes: "¡Que las protestas tengan lugar en nuestra Casa de Estudios!". Al día siguiente, olvida esta consigna y encabeza la marcha que en el recuerdo lleva su nombre.

Apuntes sobre el estado de ánimo

En el 68, las manifestaciones se convierten en imperativo categórico para cada uno de los sectores que las componen. Tal vez porque una obligación política que no se traduce en deber social tiende a disminuir y aletargarse, tal vez porque esta generación ignora los altibajos de una empresa común, el caso es que al Movimiento lo describe casi hasta el final el alborozo de resistir juntos. Se ha estudiado —Sergio Zermeño por ejemplo— el perfil de clases medias del Movimiento, dimensión inevitable en el estudiantado anterior a la explosión demográfica de la enseñanza, pero cualquiera que sea su filiación de clase, la mayoría de los participantes no tiene demasiado que perder, o se desentiende de su situación laboral. Y al no darse el "sentido de conservación", se acentúa la amalgama de movimiento político y comunidad festiva. Si nos pasa algo por estar aquí, más nos pasaría por no acudir, sería por ejemplo el mensaje de artistas plásticos, escritores, actores, directores de teatro, músicos (ni uno solo del medio televisivo, arriesgarían demasiado). Y esto es posible porque el gobierno ya no es el único empleador.

Primero de agosto: La manifestación del rector

Antes de la marcha, las tensiones se nutren de certezas y rumores. Se sabe de las unidades del ejército en espera de que los contingentes se desvíen de la ruta; se previene sobre la infiltración de provocadores; se comentan las amenazas terribles. Nada inhibe a los manifestantes, pero las autoridades deciden una ruta precavida, por Avenida Insurgentes hasta Félix Cuevas, y de allí el regreso. Y la comunidad universitaria, al sentirse desafiando al poder, cobra una existencia inesperada. Nada se sabe sin embargo, de los preparativos de combate, y el monto de la mitomanía oficial. En el Parte Militar del primero de agosto se asegura: "Grupos de estudiantes efectuando disturbios en diferentes puntos de la ciudad, han tenido encuentros de consideración con elementos de la Policía Preventiva del Departamento del DF, la que se ha visto impotente para sofocar esos disturbios". Esto es rigurosamente inexacto. Lo cierto es la movilización formidable de tres agrupamientos militares, más el Escalón de Transportes, más la Intendencia y el Equipo de Sanidad ("... los cuales evacuarán los heridos y muertos a la retaguardia de donde serán evacuados a bordo de ambulancias de la Cruz Roja..."). ¿Quién divulga la información que predispone de esta manera? ¿Quién consigue esta orden: "Si los estudiantes atacan informar en qué fuerza, con qué armamento y por dónde"? Los estudiantes van desarmados y no hay entre ellos la mínima disposición al combate, pero ese conocimiento no se esparce.

A la cabeza, Barros Sierra, el secretario general de la UNAM, Fernando Solana, el sociólogo Pablo González Casanova. Al júbilo lo encauza la consigna de no alentar la provocación. Todavía se cree vivir una algarabía de muy corto plazo, esto no puede durar, el gobierno emitirá el "Usted disculpe", no querrá pelearse con la generación del relevo. Se intercambian datos lúgubres: el número de muertos en la toma de San Ildefonso, el enfrentamiento (¡otro más!) en La Ciudadela, los estudiantes detenidos en la Preparatoria 5 de Coapa. Hace dos días había quinientos detenidos (mil, según otras versiones), que se han ido liberando... En las fantasías a propósito de los muertos se localiza uno de los elementos a la vez más vigorosos y más débiles del 68, la fe en el rumor, en especial en lo tocante a cifras de la represión. Es previsible este candor estadístico en una etapa tan regida por la desinformación; pero en alguna medida paralizan al Movimiento las visiones alucinadas. Si la realidad es tremenda, ¿qué necesidad hay del tremendismo?

La manifestación cuenta con la respuesta abrumadora del sector académico. (Nada más lo rechazan grupos de poder de algunas facultades, hechos a un lado durante el Movimiento.) Si la represión del 26 de julio se propuso liquidar a la conjura "en su cuna", consiguió lo opuesto: fortalecer en los centros de enseñanza media y superior una idea: el gobierno es en sí mismo la más vasta conjura. Y las intervenciones del rector afianzan la solidez de los argumentos. Antes de empezar la marcha (calculada en 150 mil personas), el rector se pronuncia:

> Quiero decir que confío en que todos sepan hacer honor al compromiso que han contraído. Necesitamos demostrar al pueblo de México que somos una comunidad responsable, que merecemos la autonomía, pero no sólo será la defensa de la autonomía la bandera nuestra en esta expresión pública; será también la demanda, la exigencia por la libertad de nuestros compañeros presos, la cesación de las represiones. Será también para nosotros un motivo de satisfacción y orgullo que estudiantes y maestro del Instituto Politécnico Nacional, codo con codo, como hermanos nuestros, nos acompañen en esta manifestación. Bienvenidos. Sin ánimo de exagerar, podemos decir que se juegan en esa jornada no sólo los destinos de la Universidad y el Politécnico, sino las causas más importantes, más entrañables para el pueblo de México. En la medida en que sepamos demostrar que podemos actuar con energía, pero siempre dentro del marco de la ley, tantas veces violada, pero no por nosotros, afianzaremos no sólo la autonomía y las libertades de nuestras casas de estudios superiores, sino que contribuiremos fundamentalmente a las causas libertarias de México. Vamos pues, compañeros, a expresarnos...

En unas cuantas palabras, Barros Sierra despliega el ideario esencial del Movimiento (diferente a trechos del programa del Consejo Nacional de Huelga): retener la autonomía, que es garantía de un reducto hurtado a los caprichos del autoritarismo; levantar un programa en defensa de derechos humanos y civiles (los estudiantes presos); unir las fuerzas de las instituciones agraviadas; ver en el combate a la impunidad gubernamental una causa primordial del país; tomar como bandera la constitucionalidad de la protesta en contra de la ilegalidad descarada de la represión.

La marcha avanza, guiada por el miedo a la provocación. El ejército aguarda en la colonia Nápoles y en la Del Valle con tanques y tanquetas, y soldados con fusil o a bayoneta calada. Al regreso, Barros Sierra habla con brevedad, aboga por el destino justiciero del país; encomia "la fuerza del uso de la razón, sin menoscabo de la energía"; declara su satisfacción: "Nunca me he sentido más orgulloso de ser universitario como ahora"; insiste en la continuidad de la lucha por la libertad de universitarios y politécnicos, "contra la represión y por la libertad de la educación en México".

Las insistencias de la izquierda

En julio de 1968 la izquierda militante no cuenta con demasiadas causas. Existe la meta fundacional, la toma del poder para instaurar el socialismo, pero es una meta lejana, en verdad inconcebible para los activistas. Tampoco resultan muy convincentes las campañas de coyuntura, en la medida del fracaso previsible, y sólo se acepta una idea filtrada por el humor: a la izquierda la constituye el largo plazo (el Triunfo de la Revolución) porque antes sus posibilidades son nulas.

Hay sin embargo una causa un tanto borrosa y a la que se regresa ritualmente: los presos políticos, los rescoldos dramáticos de la insurgencia sindical de 1958. Según el régimen, el más activo y peligroso de los sindicatos, por sus funciones estratégicas, es el ferrocarrilero, dirigido por Demetrio Vallejo, miembro de un grupúsculo, el Partido Obrero Campesino de México (POCM), al que también pertenece un excomunista, Valentín Campa, símbolo de las luchas proletarias de los treinta. Vallejo y los suyos son inflexibles, entre otras cosas porque todavía se proponen ser bolcheviques, y resisten intimidaciones y halagos del gobierno, y campañas de odio en la prensa. Se lanzan a una huelga y en febrero de 1959, el presidente López Mateos decide suprimir el problema de una vez por todas.

Se detiene a la dirección del Sindicato y a diez mil trabajadores ferrocarrileros en un mismo día; se golpea, se tortura, se asesina a un joven militante, Román Guerra Montemayor, y se "decora" el cadáver con afeites para hacerlo pasar por "crimen de homosexuales". La venganza del gobierno es severa y pedagógica: que nadie vuelva a desafiarnos. Para que la farsa judicial se desarrolle sin inconvenientes se exhuman los artículos 145 y 145 bis del Código Penal Federal, artículos implantados al principio de la Segunda Guerra Mundial para contener a los agentes del fascismo y el nazismo, y dejados allí para facilitar los golpes a los comunistas. El texto de los artículos, abstracto y amenazador, permite su uso a conveniencia. Véase el principio del 145:

> Se aplicará prisión de dos a doce años y multa de mil a diez mil pesos al extranjero o nacional mexicano que en forma hablada

> o escrita, o por cualquier otro medio, realice propaganda política entre extranjeros o entre nacionales mexicanos *difundiendo ideas*, programas o normas de acción de cualquier gobierno extranjero que perturben el orden público o afecten la soberanía del Estado mexicano.
>
> Se perturbará el orden público cuando los actos determinados en el párrafo anterior tiendan a producir rebelión, sedición, asonada o motín.
>
> Se afecta la soberanía nacional cuando dichos actos puedan poner en peligro la integridad territorial de la República, obstaculicen el funcionamiento de sus instituciones legítimas o propaguen el desacato de parte de los nacionales mexicanos a sus deberes cívicos.

Luego de una parodia de proceso judicial, van a prisión (a Lecumberri primero, y más tarde a Santa Marta Acatitla) los líderes del movimiento ferrocarrilero: Vallejo, Campa, Alberto Lumbreras, Miguel Aroche Parra, Hugo Ponce de León y otros. (La memoria es siempre injusta para *otros*.) Allí, víctimas del "vallejazo", languidecen durante once años y medio, por el único delito de buscar la independencia sindical. En mayo de 1968, Demetrio Vallejo emprende solo una huelga de hambre que moviliza a un puñado de activistas, y prepara el camino para incluir en el primer punto del pliego petitorio del Consejo Nacional de Huelga la libertad a los presos políticos, no una causa popular, pero tampoco una causa inventada sino, por el contrario, súbitamente iluminada por la estupidez y la maldad de la represión.

Los seis puntos del pliego petitorio

La velocidad de los cambios remite a las tesis o hipótesis sobre Lo Inesperado. ¿Cómo en unos días se vino abajo la fachada de la inmutabilidad? ¿De dónde extraen el temperamento radical los indiferentes de horas antes? Lo más fácil pero lo muy sectorial es ubicar el origen del discurso izquierdista: los militantes, que por su experiencia y sus horas-asamblea y sus años-reunión de célula, se apoderan de numerosos Comités de Huelga. La mayoría de esta minoría viene de la Juventud Comunista y del Partido Comunista, otros, con o sin espasmos ideológicos, se etiquetan al instante: maoístas, guevaristas (con estudios de posgrado en *Revolución en la revolu-*

ción, de Régis Debray, y la teoría del "foco" insurreccional), espartaquistas. Los unifica la urgencia de intervenir antes de que les arrebaten la palabra, costumbre de círculos de estudios donde se venera a tal punto los libros sagrados que nunca se pasa del cuarto capítulo. "Y aceptad mi profecía: el que llega al final del *AntiDühring*, *Materialismo y empiriocriticismo* y *El Capital*, tendrá derecho a encabezar la dictadura del proletariado".

Los militantes creen en el marxismo pero a sus horas, aguardan el advenimiento del socialismo pero sin la fe religiosa de sus antecesores, son dogmáticos porque esa es su herencia, son valientes porque la valentía es el habla anti-autoritaria, y practican la elocuencia circular (lo más arduo de una intervención en asamblea, para estos activistas, es cómo evitar que termine). Al constituirse el Consejo Nacional de Huelga, les toca casi naturalmente la dirección. Se habían preparado para dirigir una causa y para frustrarse por si nunca lo conseguían, así es el capitalismo de monopólico. A ellos también los sorprende la energía del Movimiento, tanto que no se proponen siquiera adjudicarle una ideología, así desde el primer momento sea incontestable el dominio de la izquierda. Examínense los seis puntos del Pliego Petitorio:

1. Libertad a los presos políticos.
2. Destitución de los generales Luis Cueto Ramírez y Raúl Mendiolea, así como también el teniente coronel Armando Frías.
3. Extinción del Cuerpo de Granaderos, instrumento directo en la represión, y no creación de cuerpos semejantes.
4. Derogación del artículo 145 y 145 bis del Código Penal Federal (delito de Disolución Social), instrumentos jurídicos de la agresión.
5. Indemnización a las familias de los muertos y a los heridos que fueron víctimas de la agresión desde el viernes 26 de julio en adelante.
6. Deslindamiento de responsabilidades de los actos de represión y vandalismo por parte de las autoridades a través de policía, granaderos y ejército.

¿Qué se desprende del Pliego? Las exigencias, por demás legítimas, de los militantes de izquierda (libertad a los presos políticos, eliminación del delito de disolución social), más las demandas muy específicas del 26 de julio y sus secuelas. Pero el elemento unificador es, con otras palabras, la defensa de los derechos humanos y civiles, punto de partida de los procesos democráticos. Si para las muchedumbres estudiantiles la existencia de presos políticos encarcelados en 1959 es asunto más bien nebuloso (no hay información disponible en libros y publicaciones), sí es clara la experiencia muy reciente de los detenidos en las invasiones a las escuelas y en las redadas de comunistas. Estos son presos políticos porque los procesos judiciales son una farsa, y porque si el crimen de los encarcelados por el vallejazo es retar al control sindical, la falta gravísima de los apresados a fines de julio es pertenecer a la Gran Conspiración que se descubre con granaderos y golpes de bazuka.

Derechos humanos y civiles. Los estudiantes descubren todo de golpe: es infame la cárcel por disidencia ideológica, es monstruoso el delito de disolución social, no es concebible la acción militar contra gente desarmada, es inadmisible que continúen en su puesto los represores más ostensibles, se rechaza el salvajismo del Cuerpo de Granaderos, es de elemental justicia la reparación de daños a las víctimas y sus deudos, es impostergable la investigación que delimite los roles represivos. En su pronunciamiento medular, el Consejo Nacional de Huelga no es ni pretende ser radical. Así se le juzga porque es "herejía" o "blasfemia" el mínimo cuestionamiento de la autoridad del Presidente, pero el Pliego Petitorio es en primera y última instancia una reivindicación ética de consecuencias políticas, no a la inversa. Y esto se produce en un Consejo Nacional de Huelga con presencia categórica de la izquierda política.

Personajes del Movimiento: El brigadista (30 de agosto de 1968)

—¿Que cómo le hacemos? Llegamos al mercado, invitamos al pueblo a la gran manifestación, a los que estén se les informa de la represión y la intolerancia de las autoridades y del gran proyecto de educación para el pueblo. La primera vez que fui sentí frío cuando oí el *Órale, te toca...* En eso habíamos quedado, pero era el mercado de Mixcoac y se me fue la voz. *¡Órale, contrólate!* Ni modo. Pensé rápido, voy a contar lo que sé y me consta, no porque lo haya visto todo sino porque esto me consta. Ya animado, que miro a las señoras y los señores y los chavos y los niños, híjole, demasiados rostros, ni modo de verlos uno a uno, y el montonal pues sí intimida... Mis cuates me animaron y me subí al cajón a decir lo que pasaba, ésta es la hora de la justicia y la verdad, y el pueblo hará valer sus derechos constitucionales... No sé por qué pero sólo en ese minuto entendí lo de los derechos constitucionales. Antes me parecían algo remoto, jamás había tenido en mis manos un ejemplar de la famosa Carta Magna y de la Constitución lo único que sabía es el chistecito ese de que la hicieron para violarla.

Así lo hacemos: distribuimos papeles informativos (volanteamos) y apelamos a la generosidad (boteamos), y nos dan dinero, más del esperado, y a la mayoría les caemos bien los estudiantes, nomás uno que otro señor y una que otra señora se ponen paternales y maternales, y nos mandan a estudiar y a dejarnos de alborotos y yo-a-tu-edad y esas pendejadas, y no es porque esté en Psicología, pero en la voz se les nota la bronca que traen con ellos mismos, porque a su edad ya se casaron con la cocina, o se hicieron del empleíto del que no se van a zafar, pero la consigna es no rebatirles, sí señora, sí señor, todos somos libres para opinar, ¿no quiere contribuir?, tiene usted razón, hay que estudiar y por eso seguimos con la huelga... ¿Para qué enojarse? Pobres, si nuestra venganza es verlos tan tiesos y amargos... No entiendo a esa chava de la brigada de Ciencias que se pelea con los regañones y les exige argumentos y los manda muy lejos con sus sermones, porque usted no tiene argumentos, señor, usted puros malos recuerdos de su adolescencia, y la chava se irrita, y se indignan con ella y le gritan que el sitio de la mujer es el hogar y ella los envía al mismísimo carajo, tan lejos o tan cerca como esté. A lo mejor tiene razón, hay cada imbécil, como los de la manifestación del primero de agosto, la del rector Barros Sierra, desde un balcón un grupito nos regañaba y gritaba: "¡Güevones, comunistas!", y algunos les respondían en el mismo tono y los de la comisión de vigilancia localizaron a los del sermoncito y se pusieron enfrente y pedían no contestar a las provocaciones, aunque a veces tragarse el insulto daña el estómago, porque por eso estamos aquí, para no soportar a quienes siempre nos tratan a mentadas y puntapiés.

En el mercado no te enfrentas a enemigos temibles sino a la curiosidad de la gente que es una pinche cárcel. Al meterme a la brigada les previne que no hablaba ni en la regadera, pero ya te conté, ni modo, me tocó el turno y al fin que aquí nadie me conoce, y que alzo la voz, y reclamo el interés de los presentes. Luego ni supe bien lo que dije, las frases se me insurreccionaron, y me di cuenta de que quién sabe qué rollo les lanzaba, algo novedoso incluso para mí no conocía mi facilidad para reproducir discursos que no había oído de modo consciente, y allí me tienes arengando a los compañeros populares, el gobierno reprime y nos mata a los estudiantes por defender los derechos de los humildes que son los tuyos. Pueblo, apóyanos porque tu causa es la nuestra, asiste a la gran manifestación, entérate, difunde nuestro pliego petitorio, marcha al lado de tus hijos... acabé con la boca seca, deprimido y aliviado, sin siquiera preguntar "¿qué tal estuve?" porque convinimos en eliminar esa pregunta, para evitar respuestas sinceras. De acuerdo, no me metí en esto para brillar, sino para cumplir con el Movimiento, salir con la brigada, volantear, treparme a los camiones, meterme a informar en billares y estaciones de autobuses, entrar a los restaurantes burgueses para echarles a perder la digestión a los cabrones, ir a las secundarias a contarles a los chavos lo mucho que los odia el gobierno, vencer el susto, aguantarme el sudor, conocer la ciudad a ritmo de vértigo, salir huyendo de todas partes, sonreírme cuando alguien dice o escribe del "régimen de libertades".

Pero éstas son mis nuevas creencias y mis nuevos olvidos. Nunca supuse el impacto que tendrían en mí esos cuates muy aburridos que me dieron clases en la Prepa, y dizque nos informaban de la economía capitalista en el virreinato. Pues resulta que los tomé en serio y que me andaban rondando muchas de sus pinches frases.

Será lo que sea, pero este cabrón gobierno no se va a salir con la suya.

"¡Despierta pueblo mexicano!": La retórica del Movimiento

En los volantes del Movimiento incorporados al archivo del general García Barragán no hallará nada novedoso un conocedor del lenguaje de la izquierda o de la ultraizquierda. Párrafos interminables, consignas kilométricas, poesía nonata, agudeza ocasional, planteamientos reiterados, candor militante. Sin embargo, el gobierno localiza en este material su obsesión: la declaración de guerra. Así, de seguro, se toma al pie de la letra un gran lugar común:

Estamos dispuestos a morir de pie
antes que sometermos de rodillas.
¡Viva México!

A los estudiantes los volantes y los manifiestos, previsiblemente nada les informan porque no suelen leerlos. Su aprovisionamiento ideológico les viene de los discursos, de las conversaciones circulares, de las consignas repetidas en las brigadas o en las marchas. Pero los encargados de la Seguridad Nacional necesitan extraer la conjura en donde sólo hay "escritura automática". Las frases culminantes de la volantería estudiantil enfrentan los mensajes oficiales: "NUESTRO PAÍS NO ESTÁ EN CALMA / Los gorilas analfabetas / Podrido gobierno / Lucha contra la represión". A esto se añaden los seis puntos del pliego petitorio del CNH, las convocatorias a las marchas y las irrupciones de versificadores. En un volante anónimo se habla de un estudiante moribundo:

> Y proclamó antes de morir
> "¡Viva la Constitución! ¡Viva México!"
> Su compañero, aún llorando
> y al cielo contemplando,
> dijo, no, tú de nosotros no te irás,
> porque en el corazón de todos vivirás.

La inocencia literaria se agrega a la espontaneidad política. El material no es ni podría ser subversivo. Es, sí, de confrontación, pero, como casi toda expresión de izquierda, amparado en la Constitución de la República. No se llama a las armas, se insiste en los derechos constitucionales y en la denuncia de la ilegalidad del gobierno. La novedad es la crítica al Ejército, y las referencias a los "gorilas". En los volantes se lee: "¡La violencia está contra las Olimpiadas! ¡No los estudiantes!". Sin tregua, se convoca a estudiantes, obreros, campesinos, empleados, amas de casa, padres de familia y pueblo en general. Es decir, a lo que hoy sería la sociedad civil. El tono es siempre dramático, teatral: "¡Despierta pueblo mexicano! ¡Tus hijos te llaman, óyelos!". Y los esquemas interpretativos del país se toman de los comunistas y de los nacionalistas revolucionarios. Por eso la andanada contra los gobiernos entreguistas y el imperialismo yanqui:

> Abiertas de par en par, las puertas al extranjero.
> Roba gringo desgraciado, pero échalo a mi sombrero.
> Canción de Judith Reyes, "Los restos de don Porfirio".

No se vislumbrará la complejidad del Movimiento en la inmensa mayoría de sus textos, sino en la manera en que su "desobediencia" frontal irrita, desconcierta y lleva al régimen a la puerilidad y las actitudes demenciales. La modernidad del Movimiento radica en el vigor con que exhibe el anacronismo del gobierno.

Los lenguajes del 68

¿Cuántos lenguajes se cruzan en el 68? El más inaudible, o el que nace muerto en cuanto a alcances persuasivos, es el oficial y el de sus organismos títeres. Así, por ejemplo, la FNET denuncia (3 de agosto) la conspiración nacional e internacional en contra del gobierno de México "por parte de los provocadores tradicionales" organizados en las "corrientes del maoísmo y del trotskismo", preparados para la violencia, "si no en estos días sí en las épocas en las que México ofrecerá su corazón a la juventud del mundo en la XIX Olimpíada, lo que hubiera sido grave". Cursilería y macarthismo, fórmula perfecta.

Un segundo discurso: el de la catarata de la izquierda partidaria, inaudible e ilegible, cuya eficacia radica precisamente en que no será ni oído ni leído, sino aceptado sin reparos por quienes le conceden a la causa la "indulgencia plenaria" para los excesos verbales de su dirigencia. Este discurso no se toma la molestia de razonar con los lectores, hace tabla rasa sin más de su adversario, lo exige todo en cada ocasión, no mide fuerzas. Léase el documento del CNH publicado el 3 de septiembre, donde se advierte una perceptible influencia comunista:

> Nuestro movimiento, por ello, no es una algarada estudiantil más; esto debe comprenderse muy bien por quienes se obstinan en querer ajustar sus realidades a los viejos sistemas obsoletos de su "revolución mexicana", de su régimen constitucional", de su "sistema de garantías" y otros conceptos vacíos, engañosos, de contenido expreso a lo que expresan y destinados a mantener y perfeccionar la enajenación de la conciencia, a la hipocresía social y a la mentira que caracterizan el régimen imperante.
>
> Que nadie pretenda llamarse a engaño. No estudiamos con el propósito de acumular conocimiento estáticos, sin contenido humano. Nuestra causa como estudiantes, es la del conocimiento militante, el conocimiento crítico, que impugna, refuta y transforma la realidad...

¿Cómo se explica en plena querella, con las fuerzas de seguridad patrullando la ciudad, los edificios de educación superior ametrallados, las detenciones constantes, ese desprecio al "régimen constitucional" y su "sistema de garantías", exactamente lo contrario a lo sostenido en cada manifestación por el Movimiento? Se explica, precisamente, por la ebriedad ideológica de una lucha en ascenso, y porque en definitiva no se confía en los documentos, sino en el lenguaje de las marchas, las pancartas, los lemas, el relajo, la emoción de persuadir y persuadirse.

Un tercer lenguaje es el de los brigadistas, que no cuaja de modo orgánico, pero es anárquico y vital mientras dura. ¿Cómo aprenden a dialogar con obreros, burócratas, amas de casa y estudiantes como ellos? No tienen programa, pero su convicción es profunda: esto debe cambiar, y ésta es la oportunidad. Y las carencias los vuelven, por necesidad, un programa vivo en su convicción y su fe contagiosa. La elocuencia de sus brigadistas es la gran oferta del Movimiento. Y, aparte del 2 de octubre, este lenguaje activo y corporeizado será lo más extraordinario a la hora de la evocación.

La modernidad del 68 se expresa a través de las brigadas de estudiantes, el ánimo de las concentraciones, la disciplina gozosa de las marchas, el dinamismo del relajo, la combinación de solemnidad y estrépito, la simpatía por el rock (que es el diablo), el gusto en una minoría significativa por novelas y poemas leídos como profecías. Moderno es un estudiante de Ciencias que usa de los momentos muertos para abismarse en *Rayuela* de Cortázar o *La estación violenta* de Paz; moderna es la brigada de Ciencias Políticas que sube a un camión, se disculpa por no saber cantar boleros y reparte propaganda agregando: "Si les aburre, dénselo al vecino que peor les caiga"; moderno es el estudiante de Facultad de Música, apasionado de Alban Berg, que toca en la guitarra canciones rancheras para atraer el público del mitin; moderna es la Manifestación del Silencio, donde se calla o se habla en voz baja para cederle el sitio de honor al rumor de las multitudes, infinitamente novedoso como arma política. Esa modernidad muy rara vez se expresa en los documentos.

Un cuarto lenguaje, aportado por los sectores medios, mayoría en el Movimiento Estudiantil, es el de la modernización cultural. Ya estuvo bien de la cultura de la Revolución Mexicana, ese potpourrí que banaliza las luchas campesinas y revolucionarias de las primeras décadas del siglo, y le añade a su escamoteo una moral conservadora, un chovinismo declamatorio, un nacionalismo cultural ya patético y la explotación recurrente de los Grandes Logros: el esplendor prehispánico, Sor Juana Inés de la Cruz, el churrigueresco, la poesía modernista, la Escuela Mexicana de Pintura, la gran literatura "para minorías"... y las instituciones que exigen —y merecen— gratitud, del Seguro Social a la enseñanza primaria obligatoria. La demanda de modernización es muy de otra índole, y se concentra en el deseo de legitimar y hacer muy explícita la sensibilidad ya presente en las actitudes, pero no todavía en el lenguaje público. Si la modernidad se identifica con el crecimiento de la libre empresa, los conjuntos habitacionales de lujo, el ritmo de internacionalización de la clase dirigente y las *joint ventures* que atraen a los empresarios de fuera, la modernidad concede ventajas atmosféricas a la nueva sensibilidad, se aburre con la función estatal de guardián de las conciencias, y ve en la americanización no a una imposición externa, sino —en el orden de la tecnología y el comportamiento— una exigencia interna.

Si se revisan los documentos que en 1968 producen el Movimiento Estudiantil y sus aliados, se observará la debilidad por las parrafadas interminables, las translaciones mecánicas del habla de asamblea y partido, la cursilería para nada ocasional, el autoritarismo de un cúmulo de planteamientos, los rescoldos de luchas de los años cuarenta. Por eso, no es tan provechoso el análisis del Movimiento centrado en sus textos de coyuntura. Es más fructífero el examen de las actitudes.

"¡San Baltazar contra los traidores!"

Una sola chispa puede encender una pradera.

De 1968 a 1998 se ha publicado un número infinito, o si se es menos modesto, jamás cuantificable, de artículos, ensayos, libros, entrevistas, declaraciones, sobre las causas del 68 mexicano. En la descripción del Movimiento varias de las explicaciones son convincentes, pero sigue haciendo falta un análisis del espíritu de resistencia del 23 y del 26 de julio. A los preparatorianos que afrontaron a la policía no los impulsó ciertamente el conjunto de factores que incluye el Mayo francés, las lecturas de Herbert Marcuse, los razonamientos del Che Guevara sobre el Hombre Nuevo, las lecciones de los estudiantes de Norteamérica (el Free Speech Movement de Berkeley, con su batalla por el derecho a decir "Fuck You"), y las repercusiones de la doctrina marxista. Influye en ellos, pero no de modo doctrinario, el hartazgo ante la monumentalidad de la corrupción y la represión priístas. Nadie dudó nunca: esas contiendas son asunto del contagio del ánimo o de la decisión simultánea del no dejarse, esa furia de persona, de grupo, de pequeña muchedumbre que, con audacia asombrosa, renuncian a uno de los rasgos constitutivos de la sociedad, la paciencia histórica ante la represión. De allí una hipótesis: lo que llamamos el 68 surge al chocar frontalmente la gana de no admitir el abuso y la consigna de extirpar la subversión. El miedo a la transgresión organizada cree ubicado al enemigo urdido por su inventiva, y al golpear con saña desata la transgresión espontánea. Emitida la profecía ("Quieren boicotear los Juegos Olímpicos para dañar a México y a su Presidente"), se buscan con ahínco las evidencias de su materialización, y se les ubica en un grupo de jóvenes sorprendidos y airados. Y en respuesta a la barbarie que surge de los infiernos mentales, el "¡Ya Basta!" se representa con piedras y palos y cocteles molotov.

Al cabo de treinta años, es tal el impacto de la matanza de Tlatelolco que translada el énfasis de la resistencia a la victimización, y relega a lo que, sin el fulgor de la tragedia, también fue primordial. A quienes poseen una información vaga o vaguísima del 68 (la gran mayoría, mientras no se demuestre lo contrario), no les es fácil asomarse a ese "incendio de la pradera" que en unas horas convierte a la masa dócil y arrinconada en las multitudes contestatarias en las calles. ¿Cómo explicar en una sociedad totalmente apaciguada el éxito súbito de la toma de conciencia?

Las dos fuerzas estructurales del Movimiento son la convicción del rector Barros Sierra al declarar el luto universitario y poner la Bandera Nacional a media asta (acto que el gobierno y la sociedad traducen de inmediato: "El rector dice que los estudiantes tuvieron razón al no dejarse"), y la gran energía anti-autoritaria que estalla por doquier, encauzada hasta donde es posible por el Consejo Nacional de Huelga. Sin un discurso propiamente democrático (pesa demasiado la retórica de la izquierda política), el Movimiento sí suscribe la crítica al "Hágase lo que yo digo, porque si ya lo dije es irrevocable", y esto determina el espíritu a la vez festivo, desconcertado, épico, frustrado y sacudido por la tragedia, que enorgullece a quienes se proclaman "de la generación del 68". La sucesión de acciones "de la desobediencia", y el hecho mismo de emprenderlas, corresponde al gozo de discrepar, fenómeno hasta entonces efímero en la experiencia estudiantil, de un día o dos de duración por lo general. En los meses del Movimiento se vive con ritmos inesperados en el ámbito de la nueva responsabilidad o, si se quiere, del compromiso generacional. Treinta años más tarde me permito traducir un tanto burdamente el mensaje de estas actitudes: "Nosotros tenemos la oportunidad jamás concedida a nuestros antecesores. Podremos liberarnos y liberar al país entero del yugo de los acatamientos feudales sin recurrir a las armas. Desde el minuto en que no se nos dio la gana arrodillarnos, hicimos Historia."

Personajes del 68: Un brigadista (1978)

—Claro que participé en el 68. Era una experiencia generacional. Lo hice por convicción y por no dejar solos a los cuates. Me metí en las manifestaciones, salí varias veces con las brigadas, repartí volantes a lo bestia y no me quedé con ninguno, qué lástima. Cuando vino lo de Tlatelolco, me quise ir de México para siempre. Este país no se merece a nadie, me dije, aquí sólo pasan chingaderas... Tardé en asimilar el fregadazo. Y luego, no he rectificado, ni transado, ni claudicado, ni entrado en razón, pero las oportunidades surgen y si se es competente, las oportunidades lo forman y lo reforman a uno. Para nosotros, los de la generación del 68, la experiencia de ese año fue amarga, pero al fin y al cabo fue experiencia de gobierno. Por lo menos, así lo veo en mi caso. De no haber participado en el Movimiento, me la habría pasado domando sillas en las antesalas, preocupado por la sobriedad de mis trajes. Gracias al 68 entendí la mecánica del poder desde afuera, en las calles y las manifestaciones, en el miedo, en la joda.

¿De qué me sirvió el 68? Aprendí por contraste a ser flexible, a negociar, a incorporar demandas, a no caer en provocaciones. He madurado en estos años. Ya creo ver todos los lados de la moneda, que siempre son más de dos. Cuando me metí al movimiento estudiantil ni me daba cuenta de las cosas. Vivía como dentro de una película de rock mexicano, preocupado por las tardeadas. Ahora mido la profundidad de nuestra crisis y la amplitud de nuestra capacidad de respuesta a nivel vivencia, y a nivel análisis y a nivel decisión administrativa y a nivel informática. Y sí, sí me siento orgulloso de ser miembro de la generación del 68 y por eso para que no se repita Tlatelolco, gente como nosotros debe participar en las decisiones de gobierno.

Los "medios de comunicación" del Movimiento

El Movimiento dispone de sus "medios masivos": las marchas, las asambleas, los mítines, los manifiestos y las brigadas. Por decirlo pronto, las marchas son espectaculares, anticipos notables de la vida ciudadana, la oportunidad para ejercitarse en el civismo recién descubierto. Si a estas alturas tantos recuerdan y con tal enjundia esas marchas, no es nada más por la necesidad de ennoblecer el pasado (inevitable y legítima), sino porque en verdad son una aportación del Movimiento, la mezcla logradísima de responsabilidad y relajamiento. Las marchas son exploraciones de la ciudad, exhibiciones de fuerza numérica, concursos discretos entre escuelas y facultades de récords de asistencia, prácticas políticas que se expresan como teatro de masas. Si la rigidez del gobierno se exacerba gracias a las marchas, los estudiantes instauran el diálogo consigo mismos (el reparto de lo colectivo en lo individual). Y lo que le otorga su dimensión especial a estas demandas actuadas, es la confianza en el poder de convocatoria. No son las manifestaciones simbólicas o sintomáticas que el tamaño de la ciudad ahoga, y por eso gran parte de la emoción, como suele suceder, se desprende del júbilo demográfico. Si somos tantos, nuestra causa no es ni marginal ni reprimible ni alegórica. Por lo menos en el capítulo de las marchas, el Movimiento no conoce el declive.

Si las asambleas, tan repetitivas, son un pregusto del fastidio de la eternidad, y si en los mítines sólo en contadas ocasiones se oyen en su integridad los discursos, en las marchas el Movimiento se desarrolla al otorgarse a sí mismo disciplina, vehemencia, sentido lúdico y orgullo por la persistencia y el crecimiento. Sin que jamás se olvide el maltrato a la UNAM y el Politécnico, se reafirma la indignación ante quienes, al cerrarse a cualquier posibilidad de diálogo, los tratan como niños regañables o incluso suprimibles. Y las declaraciones de autonomía o de mayoría de edad súbita, se expresan a través del frenesí multitudinario, ordenado por el temor a las provocaciones, asido a las consignas básicas, y de humor ya un tanto alejado de las tradiciones de izquierda. Cada contingente sella compromisos de grupo, de escuela, de actitud. Son, por ejemplo, combativos y homogéneos los de Ciencias, Economía, Filosofía y Letras, Ciencias Políticas, la ESIME, la ESIA, la ESIQUIE, las Normales. De otras facultades de historial más "despolitizado" se reciben sorpresas, por la cantidad y el entusiasmo de los participantes. Los que estrenan disidencia se felicitan por hacerlo y se radicalizan por un tiempo o hasta el día de hoy. Lo más probable es que sea su única experiencia política, lo seguro es que la seguirán contando hasta el fin de sus días o de sus oyentes. Si en un comienzo no entienden la regla de oro de estas marchas, cifrada en el anhelo de un "relajo escultórico", si tal cosa es posible, la aprenden al instante.

Sigue vigente el "¡Únete Pueblo!", ya un tanto inútil en estos meses porque tantos participantes no pueden ser sino pueblo. (Tal vez hubiese funcionado mejor un "Únete Élite", para denotar el carácter plenamente popular de la manifestación.) Hay transformaciones satíricas de la publicidad gubernamental: "Cuando todo granadero / sepa leer y escribir, / México será más grande, / más próspero y más feliz". Hay variantes de frases publicitarias: el jingle "¿Y qué es lo que queremos? La cerveza de barril embotellada", se transforma en "¿Y qué es lo que queremos? A Corona del Rosal embotellado". Un lema reiterado es de corte tradicional: "¡Muera Cueto!", en honor de Luis Cueto Ramírez, jefe de la policía. (Contribuí, de algo debo envanecerme, con el texto de una pancarta: "Santa Madriza, patrona de los granaderos".) Y en la manifestación del 5 de agosto, convocada por el Politécnico, colmada de incidentes, que parte de Zacatenco y termina en las instalaciones del IPN en Santo Tomás, se inicia una práctica que desconcierta. Se cuenta a partir del número uno, y llegando al 22 se hace una pausa y se grita "¡¡23 MUERTOS!!", con júbilo funeral no muy comprensible. Luego, ya en septiembre, de los 23 se pasa a los "¡¡32 MUERTOS!!", con alborozo idéntico.

¿Por qué se adopta tan rumbera necrofilia? No porque los muertos no importen, ni siquiera porque el carácter unilateral de las defunciones abona el desprestigio histórico del gobierno, sino porque anima en demasía cobrarle deudas a la represión. Antes, las víctimas desaparecían para siempre. Ahora, así sea sin nombres, se les echa en cara a sus victimarios. El mecanismo es muy simple, pero no despoja al rosario luctuoso de su carácter de magno disparate, ni hace menos penosa la falta de investigación al respecto. Si el gobierno lo controla todo y es casi imposible averiguar con eficacia la cifra número de muertos y heridos, el facilismo elige un número porque sí, y lo califica de hazaña. "¡¡32 MUERTOS!!!", es decir, 32 pruebas fehacientes de la monstruosidad priísta. Se pudo escoger cualquier otro dígito, lo importante era afinar el resentimiento.

El sentimiento de vanguardia, sin ese término, sí que se propaga y se vuelve determinante. El lema de los norteamericanos, "Desconfía de todo aquel mayor de treinta años", se convierte en "Desconfía de todo aquel seguro de su porvenir burocrático". En Ciencias hay un grafiti: "La madurez es un tigre de papel". En la Facultad de Filosofía, a instancias de Ignacio Osorio, se inaugura el "Paseo de la Momiza" para honrar a los bustos de próceres de la Academia que contemplan la efervescencia de los alumnos tan irresponsables. Lo comentado y escrito sobre el poder estudiantil se desplaza a las asambleas, así no sea nunca la ideología oficial del Movimiento. En un volante se reproduce la cita de José Cadalso que en 1968 José Emilio Pacheco rescató en una de sus crónicas desde Europa para *La cultura en México*: "Cuéntese, pues, por nada lo pasado y pongamos la fecha desde hoy". De la defensa de la UNAM y del IPN se pasa casi sin darse cuenta, aunque sin método, a la demanda de la educación superior diferente por completo. Según el líder del 68 alemán Rudi Dutschke "No se puede cambiar las universidades sin primero cambiar la sociedad". Ráfagas ideológicas se agregan a lo que fue resistencia impulsiva y necesaria, y ya se quiere enjuiciar al sistema capitalista y la función social que le atribuye a las universidades. Desconfía de todo aquel sin vocación de grafitero. Afirman Dutschke y Daniel Cohn-Bendit: "Ser de extrema izquierda es politizar y actuar para destruir la estructura represiva de las instituciones". Desde luego, esta profesión de fe la comparte un sector muy reducido, que jamás la explica de modo convincente, pero la retórica exacerba el miedo del gobierno al cumplimiento de su profecía.

Cuéntense, pues, por nada lo pasado y pongamos la fecha desde hoy. En las asambleas y en los mítines se impone una vanidad de "clase cronológica" o como se le diga a la seguridad de que si nada se ha modificado en el país con todo y una revolución, se debe a la ineptitud o la complicidad de las generaciones anteriores.

La prensa: "Ve a cubrir el mitin, pero antes redacta la nota, bien dura, contra los alborotadores. Si pasa algo distinto, ni modo. Así es el periodismo. No serán los hechos los que nos atrasen la impresión."

En 1968, el periodismo en México atraviesa por la experiencia mortecina de negar la modernidad desde un "respeto a las instituciones" que ya poco o nada les dice a los jóvenes y que por lo común se traduce al lenguaje del cinismo. ("Sólo cuando me hicieron magistrado me percaté de cuán provechosa es la injusticia.") El periodista, por lo común, está al servicio de los políticos, los únicos lectores que se toman en cuenta, y mientras más declamatorio se muestra, más corrupto resulta. El arquetipo de este servilismo es Carlos Denegri, columnista del poderosísimo diario *Excélsior*, al que la clase política lee devocionalmente. Denegri es despótico, turbio, machista hasta la ignominia (pleonasmo), adulador sin tregua. Denegri chantajea, miente, usa de su columna para enviar a los interesados los mensajes de la dirigencia priísta o de la Secretaría de Gobernación. En el restaurante Ambassadeurs, junto a *Excélsior*, donde despacha y se embriaga con ferocidad, es la imagen conspicua del poder a trasmano. Se soportan sus excesos porque, a su oscuro nivel, habla a nombre del poder.

En cada región, el esquema se reproduce: los periódicos son las plataformas de la voracidad de empresarios voraces; los gobernadores usan de las publicaciones como su caja de resonancia; la Buena Sociedad se frota los ojos de placer al ver las notas de sus bodas, bautizos, primeras comuniones, fiestas, funerales donde el ataúd y el recién fallecido son de la mejor calidad; el clero vigila desde las páginas editoriales el comportamiento adecuado de sus fieles; los reporteros se obsesionan no en publicar sino en negociar la noticia. Y en la capital, donde chovinistamente se proclama la existencia de "diarios nacionales", todo se sujeta a tarifa: las ocho columnas, las entrevistas exclusivas, las fotos que salen y que no salen, los comentarios, las noticias que nunca alcanzan la legitimidad de la letra impresa. El poderoso lee el periódico para asombrarse sinceramente con las alabanzas que paga de modo suntuoso. En ese panorama, las alternativas apenas existen, y de allí la importancia de la llegada de Julio Scherer García a la dirección de *Excélsior*, en septiembre de 1968.

En el 68, *Excélsior*, dirigido por Julio Scherer, el semanario *Siempre!*, dirigido por José Pagés Llergo (con el suplemento *La cultura en México*), y *¿Por qué?*, el semanario sensacionalista de Mario Menéndez (que publica el mejor testimonio sobre el 2 de octubre), son las excepciones en una prensa enemiga sin tregua de los subversivos, que reedita los capítulos más histéricos de la Guerra Fría. Esto explica el grito de "¡Prensa vendida!" en las marchas, y la grotecidad de la desinformación. Luego de la matanza de Tlatelolco, la ofensiva periodística de ocultamiento parece tener éxito, y sólo detiene a la Operación Amnesia el esfuerzo de los presos políticos, la memoria generacional, la obstinación de pequeños grupos y, muy señaladamente, *La noche de Tlatelolco*, de Elena Poniatowska.

En *Nexos* 246 se da a conocer un documento revelador en extremo del comporamiento "amistoso" de la mayoría de las publicaciones; la carta del 24 de septiembre de 1968, que el director de *El Heraldo de México*, Gabriel Alarcón, le dirige a Díaz Ordaz. Lo hace "para que no exista duda de mi buena fe y entrega a su gobierno, y muy especialmente a que respaldo abiertamente su actitud valiente, sensata y patriótica". Acto seguido, Alarcón le informa al Presidente de los agradecimientos recibidos por la lealtad de su periódico. El secretario Echeverría lo ha "orientado e indicado líneas a seguir en cada caso, externándome su conformidad con mi actuación". Alarcón, fiel a sí mismo, le avisa de un desplegado, organizado por redactores de *El Día* y *Excélsior*, que ha convencido a un grupo amplio de reporteros:

> El mismo era de reproches al gobierno, por lo que procedí a advertir al Güero O'Farril (director de *Novedades*) y convencí a mis reporteros de lo desorientadora y antipatriótica que resultaría esa publicación y que no la apoyaran. El Lic. Echeverría me dijo que gracias a la información que en detalle le di, se paró a tiempo este asunto y además se logró que un grupo de reporteros "amigos", hicieran una publicación de apoyo al régimen. En ocasiones la orientación que me da nos da la guía para la noticia de ocho columnas.

Alarcón le notifica a GDO su agradecimiento al procurador de la República y no se diga al regente Corona del Rosal ("Al igual que los funcionarios antes señalados, nos ha orientado sobre la forma en que nuestras informaciones resultan negativas a los agitadores, destacando hechos como la agresión a las fuerzas del orden y la profanación a nuestra Bandera Nacional. Cabe aclarar que nosotros proporcionamos a otros diarios la foto del trapo que izaron en el astabandera los estudiantes."), y al secretario de la Presidencia, Emilio Martínez Manatou ("El jueves pasado me llamó a primera hora para felicitarnos por la forma en que se destacaba en primera plana la foto del Che y las aulas universitarias con nombres de líderes comunistas, así como nuestra otra información gráfica"). El secretario de la Defensa es más parco, y el licenciado Agustín Salvat estuvo de acuerdo en que no encontraba nada que pudiese (en *El Heraldo*) interpretarse como negativo al gobierno.

Algo ha pasado, Alarcón no ve la hora de reiterar su incondicionalidad: "Sinceramente creo que mi lealtad y la de mis hijos está a prueba de cualquier duda [...]. Sin embargo mucho le agradeceremos que si usted personalmente cree que nos hemos equivocado, por favor nos lo haga saber. Señor Presidente, nos sentimos en un cuarto oscuro y solamente usted nos puede dar la luz que necesitamos y señalarnos el camino a seguir."

Más objetivo y veraz, ni la Oficialía de Partes.

A partir de 1972, se modifica el tratamiento periodístico del tema. Los del 68 dejan de ser "provocadores conscientes e inconscientes", y se les concede el halo romántico. Paulatinamente, mientras cunde el desprestigio del PRI, ocupan zonas de poder los antiguos estudiantes de 1968, ya enamorados a pesar suyo del instante que marcó su juventud. La Guerra Fría se extingue, y los medios informativos, casi sin excepción, reconocen en el 68 un capítulo excéntrico y primordial de la gran historia de México.

El paredón verbal de la Guerra Fría

Si el Movimiento del 68 es una novedad histórica por las actitudes, las influencias y las decisiones cívicas (el discurso es bastante más tradicional), sus enemigos nunca trascienden la histeria de la Guerra Fría. El cálculo propagandístico tiene muy en cuenta el arraigo popular del anticomunismo: "Si los acusamos de comunistas, automáticamente quedarán aislados". Lo malo para el gobierno es el número de participantes, el impacto de las brigadas y la ausencia de fraseología "bolchevique". Sólo en una minoría muy conservadora cala la acusación de "rojillos". Tanto se habló del "puñado en la sombra", que las muchedumbres a plena luz del día parecen todo menos subversivas, a juicio de la opinión pública que emerge.

El fracaso de la operación "antisoviética" está muy en deuda con el delirio calumnioso de artículos, manifiestos y declaraciones. Véanse, por ejemplo, los siguientes pronunciamientos. Don Vicente Lombardo Toledano, dirigente del Partido Popular, tan stalinista que en agosto de 1968 vitorea la invasión soviética de Checoeslovaquia, vierte su devoción sistémica: "Lo ocurrido no tiene nada que ver con una lucha ideológica. No se dirimen cuestiones filosóficas o políticas. Pero los agentes de la CIA y de la reacción tradicional, que tienen nuevos organismos para combatir a la Revolución Mexicana, con careta de izquierdistas, tratan de crear una confusión que elementos ambiciosos pretenden capitalizar para sus fines personales o de clase social" (en *Siempre!*, septiembre de 1968). No muy claro, pero así suele ser la lealtad al Sistema, confusa pero constante.

La Unión Nacional Sinarquista, en manifiesto publicado el 29 de agosto, no se tienta el corazón: "Lo que parecía un movimiento reivindicador ha caído en la violencia subversiva, alcanzando tintes de traición a la patria, ya intolerables." Carlos Denegri se prestigia ante sus patrocinadores: "Ahora son algunos de los jóvenes mexicanos los que han sido contaminados. Son ellos los que, apresados por esta fiebre, por esta enervación de los sentidos, se lanzan a las calles, con falsas banderas, y con las consignas de alterar el orden, atacar a todo lo que implique paz, tranquilidad, progreso" (reproducido a plana entera por la Asociación Nacional de Periodistas, A.C. *Excélsior*, 29 de agosto). Y el expresidente Miguel Alemán Valdés, entrevistado por Agustín Barrios Gómez, es diáfano en la nostalgia por su sexenio: "Si quienes deseamos prevalezca la paz social en México no damos la batalla de frente al virus rojillo incrustado en nuestra sociedad, después habremos de lamentar las consecuencias [...]. Las asociaciones civiles, los grupos de derecha, los sectores militantes del campo patronal deben integrar sus filas para desbaratar la gran conjura de la izquierda recalcitrante" (en *El Heraldo*, 6 de septiembre). La CTM, en su "Manifiesto a la Nación" (2 de septiembre), le pone puentes de todo tipo al abismo generacional:

> No existe un problema estudiantil real [...]. Lo que no se puede aceptar es que la juventud esté divorciada de las generaciones mayores [...] La CTM expresa su determinación de participar en el tono, grado y con las consecuencias que sean requeridas, para dar fin al clima antijurídico y de anarquía en que se quiere sumir al país y para desenmascarar y destruir a los agitadores que desquician los valores de la juventud y ponen en peligro la sólida consolidación de la patria.

En la represión al movimiento ferrocarrilero en 1959, el anticomunismo es un arma muy eficaz. ¿Quién querría defender o siquiera interesarse por los subversivos? En 1968, una generación decepcionada del nacionalismo y prevenida ante las manipulaciones, no le hace caso a las advertencias tremendistas. El petate del muerto, es el calificativo más usual ante las alarmas de las (todavía así llamadas) Fuerzas Vivas. Aún no se consuma cabalmente la inmensa decepción por la sordidez del socialismo real, la fe en la URSS es dogma de una minoría decreciente, y la opinión pública está al tanto de la escasísima importancia política de la izquierda marxista, esa confederación de grupúsculos. Por eso nace muerta la campaña anticomunista ansiosa de aislar el Movimiento. Y los persuadidos se asilan en el humorismo involuntario:

> En acto de desagravio a nuestros símbolos nacionales en la Arena México [...] se gritaba "¡Vivan los granaderos! ¡Viva México! ¡Viva la Virgen de Guadalupe" [...] Numerosas pancartas con leyendas como éstas: "Cristo Rey, Tú Reinarás / San Baltazar contra los traidores / Dios, Patria, Familia, Libertad" [...] Alonso Aguerrebere (del MURO), desde el micrófono, estimulaba esas manifestaciones: "¡Queremos Ches muertos!", gritaba y, como un eco enorme, la multitud respondía: "¡Queremos Ches muertos! ¡Mueran todos los guerrilleros apátridas!", volvían a gritar y la multitud respondió exaltada: "¡Mueran!" (en *El Heraldo de México*, 9 de septiembre).

No se duda del odio genuino al bolchevismo de Díaz Ordaz, pero sí de la habilidad de sus informantes, entre ellos el secretario de Gobernación. La furia coaligada de políticos, empresarios, obispos y medios informativos no disuade a los huelguistas, ni el miedo de los padres de familia evita el vigor del Movimiento. Se da lugar a divisiones familiares, eso sí, pero nadie o casi nadie se molesta en leer las proclamas que incitan a la rendición. No que se sigan con avidez los manifiestos a favor del Movimiento, pero no hay quien profane la virginidad de bloques verbales como el del Grupo Ariel de la Generación 1929 (sin firmas):

> Ellos [los del Consejo Nacional de Huelga] se autoeligieron. Eso indica su falta de personalidad y de solvencia para llamar a cuentas al gobierno. Tanto así que no sólo por cobardía sino también por táctica se cubren la cara con capuchas y ocultan su nombre al conglomerado nacional (en *Excélsior*, 14 de agosto).

La tan desigual guerra de los manifiestos carece de espectadores. Y la desesperación es pésima asesora de los funcionarios que relegan intimidaciones y elogios de la cordura. Así, el 12 de agosto, en la celebración del aniversario de la Sección de Limpia y Transporte del Departamento Central, el regente Corona del Rosal argumenta: "¿A quién favorece el desorden de nuestra patria? ¿A ustedes? ¡A nadie! Es la respuesta. A nadie favorece el desorden en nuestra patria y a los que más perjudica es a los pobres." ¿A qué corazones, cabe preguntar con ingenuidad retrospectiva, estrujó el mensaje del regente? Muy probablemente, a los mismos soliviantados por la elocuencia del líder obviamente histórico de la CNC, Augusto Gómez Villanueva, que el 29 de agosto en el Palacio de Bellas Artes, en un aniversario de la lucha agraria, le informa al Presidente Díaz Ordaz: "Si alguna vez se hiciera necesario recobrar sus armas [las de Emiliano Zapata] y volver a la lucha ante una amenaza que intentara destruir todo aquello que hombres como él otorgaron a México, en cada campesino Zapata habría de multiplicarse para integrar la defensa de esta nación tantas veces heroica".

San Baltazar, el Panteón Nacional y la prosa muerta de la burocracia contra "los traidores".

El Movimiento en su clímax

Entre el 5 de agosto y el 13 de septiembre se produce el auge del Movimiento estudiantil. El vuelo del anti-autoritarismo se impone más allá de los ámbitos estudiantiles, donde se discuten o se quieren compartir los motivos de los seis puntos del pliego petitorio. México en seis o tres lecciones: enterarse de la existencia de presos políticos es acercarse al Poder Judicial; demandar el castigo a los represores es pedir la supresión de los sótanos reales y alegóricos desde donde se protege o se dice proteger al Poder Ejecutivo. Casi de golpe, cientos de miles de jóvenes parecen obtener lo prohibido: la voz y el punto de vista sobre la realidad que habitan. Los gritos reservados para estadios deportivos y festivales, se vierten en el voceo de consignas que los aproximan a la sensibilidad contestaria. Con frecuencia, el impulso es superficial y sin embargo marca a quienes lo experimentan. En los días anteriores a la tragedia —es decir, antes del salto conceptual en su apreciación del Movimiento—, los estudiantes certifican su carácter ya distinto: su herencia ideológica y cultural (el "pensamiento" de sus padres y abuelos) no disimula sus resquebrajaduras a la luz implacable de la cultura, la contracultura, y la política. Lo que empieza como rito generacional , acaba como experiencia comunitaria.

En unas cuantas semanas, las prácticas del Movimiento revelan lo ocultado con prodigalidad en el "rollo" (vocablo nuevo que se populariza en 1968 para indicar el discurso que nace para el tedio). En el vértigo, se aprende algo primordial, "no la substancia eterna de México", a la disposición de cualquier Agencia del Ministerio Público, sino la posibilidad de no sujetarse al destino marcado inexorablemente por el pensamiento único. Esto inicia en 1968 la comprensión gozosa de la diversidad. Y emerge el concepto de ciudadanía, entonces muy probablemente confuso y belicoso en extremo, pero ya constituido en el gran legado del Movimiento. Lo otro, lo que entonces capta la atención —las prédicas radicales, el manejo paternalista de la conciencia revolucionaria, la teatralización de la intransigencia— se ha desprendido de la "memoria histórica", y su conjunto selectivo de influencias y recuerdos, y por eso, por encima de proclamas y documentos, errores y sectarismos de la arrogancia juvenil, se devela lo esencial del 68: el goce de la rebeldía justa, preámbulo del sentimiento democrático. Si en el discurso del CNH la democracia es valor de segundo o tercer orden, en la toma de la calle es el recurso primordial. El poder al que se aspira visiblemente, no es el del gobierno, sino el de las decisiones compartidas. Es intrincado el rumbo de las inercias ideológicas: las causas fundadoras del Movimiento son la defensa de los derechos humanos y la racionalidad política, pero en su discurso público, subrayado en demasía, parecen un desprendimiento de la revolución mundial.

A la par del auge del Movimiento, se da la apoteosis de la Teoría de la Conjura. Los que ordenan la publicación de truculencias sobre "la subversión" y de manifiestos de plana entera denunciando el próximo asesinato de la Patria, son los mismos que se estremecen de furia genuina al leer los productos de su inspiración. Y la convicción genera un estado de alerta precursor de batallas. Así, en el Parte del 8 de agosto se previene:

> I. INFORMACIÓN.
>
> Elementos estudiantiles no afines a la Doctrina del Gobierno de la República, pretenden efectuar actos de rebeldía y terrorismo demostrando con ello su inconformidad.

II. MISIÓN.

Nuestro Batallón ha recibido la misión de permanecer en situación de ALERTA a efecto de contrarrestar todos los actos de violencia que se pueden suceder en la Capital de la República, para el efecto nuestro dispositivo será: TRES Grupos en PRIMER escalón y UNO en SEGUNDO el cual se operará a órdenes directas del Mando.

Para el 8 de agosto, y las pruebas son amplísimas, no se ha dado acto alguno de terrorismo. De rebeldía sí, no afín "a la doctrina del Gobierno de la República", y con instantes de violencia, pero sin armas de fuego. ¿De dónde se nutre entonces la Teoría de la Conjura? De suspicacias convertidas en certezas, de la irritación sin precedentes de la mentalidad autoritaria.

"No dejen que sonsaquen a los provincianos"

Díaz Ordaz y Echeverría le encomiendan a los encargados de Seguridad Nacional y a los gobernadores aislar el mal. Que la provincia idílica se libre del contagio educativo. En un telegrama urgente del 8 de agosto dado a conocer hace poco (*Nexos*, junio de 1998), se instruye a los gobernadores:

C.
Gobernador
Palacio de Gobierno.

S.G. Núm. 4384. Circular. Jóvenes estudiantes o falsos estudiantes han sido comisionados por agitadores Partido Comunista y su expresión juvenil llamada Centro Nacional de Estudiantes Democráticos, para promover agitación con pretextos diversos pero netamente subversiva en ambientes juveniles punto Han salido comisiones a todas entidades federativas punto Permítome sugerirle particular búsqueda estas comisiones fin expulsarlas esa entidad y especial atención a cualquier síntoma, inquietud fin contrarrestarlo punto Atentamente punto.

Secretario de Gobernación

Luis Echeverría

El control nunca opera del todo, pero es eficaz en el conjunto. En Jalisco, la Federación de Estudiantes de Guadalajara (FEG), especializada en feudalizar a la Universidad de Guadalajara y en la obtención violenta y servil de prebendas, exhibe su repertorio. Intimidaciones, golpes, prohibición de mítines, declaraciones de lealtad al Presidente. La policía vigila aeropuertos y estaciones de autobuses para prohibirle el paso a los rojillos. Los enviados del CNH se dan por bien librados si regresan a México intactos. En demasiados lugares de provincia sucede lo mismo. La vigilancia policiaca es inmisericorde y eficaz. Con escasas excepciones, el 68 es asunto de la capital, porque sólo allí la policía resulta inferior al poderío demográfico del estudiantado.

Pero sí hay solidaridad y las brigadas estudiantiles recorren gran parte del país y consiguen adhesiones, mítines y marchas en más de diez estados. En Oaxaca, el ejército ya no permite manifestaciones estudiantiles y detiene al líder. En Monterrey, la Universidad de Nuevo León y la Normal Superior apoyan con paros e información. En Mérida el rector de la Universidad de Yucatán, Francisco Repetti Milán, encabeza una manifestación silenciosa contra la represión policiaca y la ocupación militar en la UNAM. En Cuernavaca, Tijuana, Chihuahua, Ciudad Victoria, se van a la huelga.

Septiembre de 1968
San Miguel Canoa: "Vienen a violar a nuestras hijas"

En los días más álgidos sucede la tragedia de San Miguel Canoa, un poblado indígena de Puebla. El relato es macabro: en la tarde del 14 de septiembre un grupo de excursionistas, empleados de la Universidad Autónoma de Puebla, llega a Canoa en busca de hospedaje, ya que al día siguiente escalarán la montaña de La Malinche. Un campesino los aloja. Alertado, el cura (y capitalista principal) del pueblo, Enrique Meza Pérez, un convencido de la maldad intrínseca de los estudiantes, delibera su teoría de la conjura. Manda colocar en el pueblo altoparlantes que difunden su obsesión: "Tenemos que estar alertas, porque un día de éstos llegará el diablo para implantar el comunismo". Cerca de la medianoche, el cura Meza Pérez ordena o autoriza el llamado a la acción:

Han venido a matar al sacerdote, a robarse nuestros santos. No creen en Dios. Son comunistas. Tenemos que defendernos, antes de que degüellen a nuestros hijos.

La turba se precipita en pos de los jóvenes, y al linchamiento acude la mayoría de los seis mil habitantes del pueblo, con todo y viejos, mujeres y niños. Con hachas, machetes, palos, pistolas y escopetas ejecutan a tres excursionistas y al campesino que los hospedó. Los que se salvan le deben la vida a la llegada del ejército y la policía (en 1983 uno de ellos se suicida).

Se detiene a cinco campesinos, y sólo se condena a dos, no señalados por las víctimas. El cura Meza Pérez ni se molesta en declarar, tiene la protección del Episcopado. Sigue un año más en Canoa y luego, por el escándalo, se le translada a otra parroquia donde es de suponer que no llegan excursionistas.

En 1998, en la reconstrucción del 68, se le concede atención especial a la tragedia de Canoa, entre otros motivos porque la multiplicación de linchamientos en la zona rural (y no sólo allí) ha modificado la idea de las comunidades "nobles y sencillas". *Canoa* (1975), la excelente película de Felipe Cazals, con guión de Tomás Pérez Turrent, es decisiva en la importancia conferida a un crimen del fanatismo religioso. Pero en 1968 lo de San Miguel Canoa pasa casi inadvertido, apenas unas notas en la sección de provincia, y artículos del periodista ultramontano René Capistrán Garza, antiguo dirigente de la Liga para la Defensa Religiosa, que defiende la conducta de los linchadores.

21 de agosto: El único programa televisivo sobre el Movimiento

En 1968, la televisión privada se niega a difundir las posiciones del Movimiento. Se prodigan las calumnias y las llamadas al linchamiento moral, los noticieros delatan la insignificancia numérica de las marchas. Las excepciones se localizan con rapidez: el noticiario *Excélsior*, que cubre adecuadamente las movilizaciones, y un programa especial conducido por Jorge Saldaña, más bien tibio de acuerdo con los estándares de hoy y estrepitoso en 1968, sobre todo por las intervenciones de Heberto Castillo, Ifigenia Martínez y Víctor Flores Olea, que defienden a los estudiantes, que no son delincuentes y están dispuestos al diálogo. No se trata, insisten, de una conspiración contra la autoridad.

El único programa sobre el Movimiento consolida, acto seguido, la censura en televisión.

Las asambleas: "¡Desorden y nos amanecemos!"

—Tiene la palabra el compañero...

—Se le suplica a la asamblea abstenerse de comentarios sin valor dialéctico.

—Compañero de la Mesa, he solicitado la palabra nueve veces y nada más me la han concedido cuatro. ¿Es censura o qué?

—Miren, compañeros, no es posible votar mientras no aclaremos el punto. Pero también, hay que reconocerlo, si no se vota no se puede aclarar el punto. Así que propongo que votemos con voto secreto, y que se guarden los resultados hasta terminar con la discusión.

—Compañeros, protesto. La Mesa está maniobrando a favor de la síntesis, y esto compromete la profundidad del análisis.

—Miren, llevamos tres días discutiendo el mismo punto y en tan poco tiempo no podemos llegar a conclusiones.

La piedra de tropiezo del Movimiento: las asambleas. Si los mítines y las marchas son altamente eficaces, al democratizar la información y permitirle a cientos de miles vislumbrar la experiencia militante, las asambleas impulsan la "privatización" del Movimiento, y por "privatización" entiendo al vasto forcejeo verbal que deposita en unos cuantos la interpretación correcta de lo que se vive, y que elimina cualquier comprensión directa de los acontecimientos a favor de reyertas ideológicas y teorías vagamente marxistas. Con estoicismo, los activistas soportan la pulverización del idioma y de la lógica, con tal de enterarse a las dos o tres de la mañana de qué posición ganó en el debate sobre puntos programáticos.

Lo óptimo, lo en verdad memorable de las asambleas, lo que en el recuerdo de los asistentes les presta su perfil de lo "real maravilloso", son las propuestas delirantes. Alguien se levanta y propone lo excepcional: las tomas de Radio Universidad para transmitir música que concientice a todos los mexicanos / la toma de las estaciones comerciales para que ya no transmitan música enajenante / la creación de un sistema nacional de acciones revolucionarias / un concurso para darle a las principales avenidas de la ciudad nombres más acordes con los tiempos; por ejemplo: Avenida Circunvalación se llamará Avenida Mick Jagger / la redacción de libros de texto donde se le dé al rock y al cine de autor el lugar que merecen / la venta de boinas "del Che Guevara" para allegarse fondos... Sin esas aportaciones del radicalismo o la simple excentricidad, la burocratización habría dominado las asambleas.

A escasas ocho o nueve horas de iniciada la asamblea, sólo permanecen los-hombres-de-hierro, de habilidad consistente en asimilar (o proceso parecido) la oleada de pronunciamientos y réplicas, de mociones y gritos desdeñosos, de interrupciones en serie, de acusadores que exigen se les recuerde en qué consistieron sus acusaciones. ¿Cómo se llega a esto? Tal vez en la semana siguiente a la de la Creación, se decidió por consenso; después ya no, y lo que sigue es la fragmentación, modo operativo que le conviene a las asambleas, negadas a la integración, y por lo mismo partidarias de la forja a como dé lugar del espíritu militante, y su lento y exasperado transcurrir que diversifica el entendimiento. Las demoras, las repeticiones, las agresiones a moderados, reformistas, entreguistas y acelerados, la energía demoniaca del orador que capta el tema apenas cuarenta minutos después de iniciado su alegato, todo en las asambleas educa a quienes se proponen dedicarle la vida a la militancia. A los demás los instruye en el arte nada difícil de la ausencia.

La generación del 68

A lo largo de las semanas del activismo febril, ¿qué tanto modifican su idea del país y de ellos mismos los estudiantes involucrados? Es imposible saberlo, y conviene, a partir de tal certidumbre, entregarse a la especulación provechosamente inútil. En el 68, la despolitización es la norma, y por eso una porción considerable de los jóvenes ve la oportunidad de rechazar lo que detesta, le oprime y le parece incomprensible. Si luego, como es la tendencia a lo largo del siglo, la inexistencia de alternativas obliga a los estudiantes del 68 a incorporarse a lo que consideran deleznable, lo harán ya desde la perspectiva (viva y punzante) de la necesidad del cambio democrático. Antes no se toma en serio la posibilidad de ser oportunistas, porque no hay otros comportamientos y el oportunismo no es cargo de conciencia para nadie. A partir del 68, la noción del oportunismo, propio de las condenas en el ámbito de la declamación de los ideales, se vuelve una zona de reflexión punzante. "Si no me queda más remedio que volverme oportunista, y en la práctica combatir o criticar mis causas fundamentales, por lo menos le aportaré al Sistema mi vocación autodestructiva."

La generación del 68 no es en modo alguno una generación formada en la filosofía, la literatura y la cultura como la del Ateneo de la Juventud o la del grupo Contemporáneos. Para empezar, está integrada ideal o pretenciosamente por cientos de miles, y su punto de unidad no es la complementación de obras personales, sino la esperanza de las transformaciones democráticas o radicales. De allí que un buen número lea *La democracia en México*, de Pablo González Casanova, *Los condenados de la tierra*, de Frantz Fanon, *Escucha yanqui*, de C. Wright Mills, *La muerte de Artemio Cruz*, de Carlos Fuentes, los ensayos de Sartre, la narrativa de Mario Vargas Llosa y Julio Cortázar. Si sólo una minoría lee de modo constante, un conjunto de libros le resulta indispensable a sectores más amplios. Si algo permite hablar de la existencia de la Generación del 68 es la abiertísima gana de internacionalizarse y nacionalizarse a la luz de la protesta.

A propósito de la generación del 68, me resultan oportunas las palabras de William Morris, utopista inglés del siglo XIX, que cita Todd Gittlin: "Los hombres luchan y pierden la batalla, y aquello por lo que combatieron se realiza a pesar de su derrota, y cuando toma forma es algo distinto a aquello por lo que pelearon. Otros hombres, dándole otro nombre, continúan la lucha por la meta primera."

"Si Hidalgo regresara, chance que con nosotros volanteara"

Una de las críticas que se desprenden del IV Informe Presidencial sí repercute en el Consejo Nacional de Huelga. Díaz Ordaz y sus voceros atacan a los adoradores de "héroes ajenos a nuestras esencias", manipulados por "filósofos de la destrucción". Por decisión del CNH, el 13 de septiembre, en la Manifestación del Silencio, se arrinconan las efigies del Che Guevara, y se alzan las pancartas y mantas que glorifican a Hidalgo, Morelos, Zapata, Juárez, Villa. Por vez primera en mucho tiempo la oposición le disputa al régimen la propiedad de los héroes. "También son nuestros", quiere decir; "Nunca han sido de ustedes". A la fuerza, como táctica de convencimiento interno y externo, el Movimiento se acerca a lo nacional, y la táctica propagandística deviene realidad emotiva: de la creencia en el Abismo Generacional entre padres e hijos se pasa a la querella por el sentido de la historia patria.

¿Qué tan sincera es la vuelta al patriotismo? Imposible certificarlo, porque en el 68 tal vez lo único radicalmente sincero es la mezcla de indignación política y alegría comunitaria. Lo demás es cuestión del aprendizaje de la autenticidad, para saber cómo se responde a la trayectoria y las demandas de la izquierda, al orden posible en la conflagración de voces y acciones y exigencias. Hay aprendizaje en las marchas porque se cree que cada una de ellas —con o sin estas palabras— es una cita textual con la historia, y lo hay en el afán de pertenecer y en la militancia como estado de ánimo y en el aplauso a la vehemencia retórica que si se piensa bien no convence. Sinceridad y aprendizaje. Dos expresiones básicas del Movimiento.

El centro del aprendizaje son las multitudes, gérmenes y vestigios de la sociedad civil (la anticipación y la memoria), graves, festivas, rencorosas, combativas, juvenilistas y capaces de organizarse a sí mismas. Surgen casi de repente, lo que no necesariamente indica una larga espera congelada, y son muy distintas de las antes conducidas por la sociedad política (partidos, sindicatos, gremios, movimientos estudiantiles dirigidos por partidos), sin ser nunca independientes del todo. (La actitud trasciende las consignas; las consignas ocultan parcialmente la actitud.) De hecho, en nuestra historia contemporánea, las manifestaciones del 68 son las primeras donde no son los partidos de oposición quienes encabezan la resistencia a las fulminaciones verbales, granaderiles y policiacas del gobierno.

Si en su parte doctrinaria el Consejo Nacional de Huelga suele corresponder a los círculos encantatorios de la militancia filoleninista ("No cedas ahora. Ya falta poco para la revolución"), a los contingentes estudiantiles los activa su propia intensidad, y allí la ideología (marxismo esquemático sobre fondo de impaciencia) no es el factor determinante. Intervienen motivaciones éticas, la ira ante injusticias obvias, la ansiedad de participación cívica, el hambre de modernidad política, el hartazgo ante el "nacionalismo" impuesto. Más sensibles a los debates del abismo generacional que a los argumentos de la lucha de clases, a las incitaciones del rock que a los círculos de estudio marxistas, las multitudes del 68 se diversifican en casi todo, menos en el fastidio ante la sociedad cerrada.

El Consejo Nacional de Huelga: el aprendizaje de la revolución y la democracia

En la más noble tradición de la izquierda latinoamericana, las reuniones del CNH son interminables, se invierten siglos en arribar al capítulo de "Asuntos Generales", y cuando la meta está a la vista un cronófago intrépido insiste en revisar lo tratado en el tercer punto del orden del día. La premisa de las sesiones es inobjetable: nada más quienes permanezcan hasta el final llegarán a tiempo a la revolución. Se integra con rapidez el idioma común, hecho de trozos de manuales marxistas, de argumentos de moda en la ciencia política, de estallidos del sentido común. "¡Moción, moción!". (Los chistosos gritan en los momentos climáticos: "¡Loción! ¡Loción!".) Este "gobierno alterno" equilibra el desgaste y la vitalidad, el pesimismo de la voluntad y el optimismo de la mente. Toda huelga inventa una República a la medida, y ésta no es la excepción, compensando la ausencia del Presidente con el sobrecupo de Secretarías de Estado.

A propósito de un organismo tan notable como el CNH, es inevitable evocar su adopción del psicodrama, necesario para quienes soportan el asedio, la difamación, las amenazas múltiples... y la sensación de importancia. Se experimenta con el poder a mano, la facultad de elegir las fechas de las marchas, la índole de los documentos, los ritmos del diálogo tan pospuesto por Díaz Ordaz. Se viven con solemnidad las responsabilidades; se le da a los Comités de Lucha la dimensión de países confederables; se denuncian con pormenores de oficina de contraespionaje las estratagemas oficiales.

Lo sepan o no los miembros del CNH, son clásicos sus modelos del comportamiento colegiado: la Asamblea de la Revolución Francesa (nada más que aquí sin guillotina, porque tanta furia verbal no integra un filo), los constituyentes mexicanos de Querétaro en 1917, los bolcheviques en la Perspectiva Nievski. ¿Qué más paradigmas se requieren? Y lo ya no ajustable al modelo clásico es el lenguaje, que combina símiles heroicos con referencias truncas al universo donde se juntan el pueblo y el fin de la Revolución Mexicana y la aurora guevarista y las experiencias militantes sacudidas por el viento de la Historia y el santoral laico. Un ejemplo es el manifiesto de los estudiantes del IPN convocando a la marcha del 5 de agosto:

> Queremos subrayar que somos conscientes que la razón y la cultura siempre se imponen a la barbarie y la opresión; Galileo

se impuso a la Inquisición y el oscurantismo; Joliot Curie se enfrentó valientemente al régimen fascista; Belisario Domínguez combatió la usurpación y la opresión y nos dio un ejemplo de firmeza y valor civil. Nos consideramos sucesores dignos de la mejor tradición de defensa y desarrollo de la cultura y justicia social y exigimos garantías suficientes para todos los participantes en este movimiento.

Lo contradictorio y lo complementario. Esta retórica se apoya en los comportamientos hazañosos, en la generosidad tradicional del pueblo y en la constitucionalidad de las acciones a que convoca. Y también, una porción de los poseídos por la impaciencia histórica, marcan con gis las horas de vida que le quedan al Sistema, sustentando el optimismo revolucionario en la brillantez del Movimiento. En el ámbito académico la movilización de la Coalición de Maestros es y quiere ser semejante a la estudiantil, en las escuelas y las facultades se integran comités, y es amplia, más allá de lo imaginado, la zona de quienes abandonan el miedo al castigo (la pérdida del empleo, la inclusión en "listas negras") como su vínculo esencial con el gobierno. Refundar la Historia se convierte, no de modo explícito, jamás de manera implícita, en la misión de los amurallados en su condición insobornable. Y de las firmas en los manifiestos y las actitudes y presencias en actos públicos, se desprende una conclusión tajante: "Si no me pueden comprar o silenciar, no tengo derecho a modificarme".

Si de algo están convencidos el gobierno y el CNH es de la alta significación del CNH. Los participantes se sienten, con palabras diversas pero coincidentes, tatuados en el cuerpo del Logro Histórico: gracias a ellos la nación nunca más será la misma. Sin usar este término, propio de una formación cultural distinta, los del CNH se piensan modernos, y esto sí señala la diferencia del 68 con otros momentos clave del estudiantado. La generación del 29, que apoya la candidatura presidencial de José Vasconcelos, se considera mensajera de la civilización frente a la barbarie; los estudiantes contestatarios de los cuarenta o los cincuenta se sienten condenados a habitar el tiempo insensato donde ya pasó o donde no puede transcurrir la revolución; los del 68, pese a las fracturas del dogmatismo, asimilan la modernidad, descrita por ellos como revolución, cultura libre, rock, fin de los prejuicios sexuales, habla unisex, y, muy especialmente, rebelión ante el destino opaco y sumiso de sus antecesores. Si el lema que con más frecuencia rescatan del mayo parisino es "Mientras más hago la revolución, más ganas tengo de hacer el amor. Mientras más hago el amor, más ganas tengo de hacer el amor", el que le atribuyen a los priístas es una sentencia despreciativa: "Mientras más hago el amor, más ganas tengo de corromper a la revolución".

En el CNH no hay una verdadera ansiedad guerrillera, sino —en acatamiento a la sensación prevaleciente— la creencia en el Movimiento como el instrumento de toma pacífica y consecuente del poder o, más precisamente, de esa toma del poder que es la demolición de las fortalezas ideológicas y culturales del régimen. Se asalta el cielo de cartón y piedra. Por eso, el liderazgo en el CNH es función de la energía personal que constituye un principio de autoridad, de las habilidades persuasivas y de las iniciativas que culminan en grandes actos simbólicos. Quien explica lo que ocurre y lo que va a ocurrir como si leyese un edicto se adueña de las decisiones; los confusos o los torpes o los carentes de "aura del poder" que es el monólogo recurrente, se eliminan en las jerarquías del voto y la atención. Si el grupo más nutrido o más cohesionado proviene de la izquierda política, en especial del Partido Comunista, en rigor la política del CNH es apartidista. Con una salvedad. A semejanza del Presidente López Mateos, la gran mayoría del CNH, lo acepte o no, dirá siempre, aun en la mayor euforia levantisca: "Mi gobierno (mi proyecto) es de extrema izquierda dentro de la Constitución". Disputarle a Díaz Ordaz la supremacía de la ley: ésa es la meta conspicua que la histeria macarthista no admite, o ni siquiera concibe. ¿Cómo es posible que los "agitadores" crean en la protección concedida por la Carta Magna de la República? Los sectores oficiales y oficiosos oyen lo que han decidido oír y se graban el mensaje que nadie pronuncia, y esto explica por qué nace muerto el diálogo entre los representantes del CNH y los enviados del gobierno Andrés Caso y Jorge de la Vega Domínguez. Los del CNH exigen la respuesta a un pliego; a Caso y a De la Vega se les instruyó para exigir la rendición incondicional a los alzados. "Sumisión o aplastamiento. ¡Venceremos!". Por eso, el gobernador de Aguascalientes, profesor Enrique Olivares Santana, lanza al vuelo su patriotismo:

> Los gobernadores de los estados compartimos con usted, Señor Presidente, sin reservas, la responsabilidad y las consecuencias que invocó, con el más acendrado de los sentidos de solidaridad, conscientes de que la cuestión básica en este momento en que el

> mundo se agita y nos arrastra a la intranquilidad, es saber si somos los mexicanos capaces de actuar sin mezquindades, sin egoísmos, si somos capaces de comprender el alcance histórico de nuestro destino y actuar sin limitaciones que nos cieguen, para que invocando al Señor Juárez esperemos serenos el juicio tremendo de la historia (*Excélsior*, 2 de septiembre).

Palabras de nadie a nadie, en una ronda carnavalesca que pasa por las antesalas y los sótanos del poder. El "extraño enemigo" no es sino el gran contingente enterado por vez primera del uso entrañable de la Constitución de la República. Pero a la maquinaria de la satanización no se le detiene con realidades. Así, el manifiesto del Partido Popular Socialista del 6 de agosto, redactado por Vicente Lombardo Toledano, denuncia a las "fuerzas en la sombra" detrás de la agitación, en particular el ultraderechista MURO, la CIA y el FBI. Y pregunta:

> ¿Qué papel desempeñaron en los disturbios, minúsculos grupos de "ultras" de la seudoizquierda que hablaron de "lucha de barricadas" y de "guerrillas urbanas", y pandillas de maleantes que se valen de cualquier escándalo para cometer tropelías y vejar al transeúnte y al pasajero indefenso? Los primeros, inconscientemente y de un modo irresponsable, y muchos de los segundos de manera seguramente calculada, sirvieron a las mil maravillas a la acción provocadora puesta en movimiento por los enemigos de México.

El gobierno y sus aliados no rehusan uno, sino dos diálogos, el propuesto por el pliego petitorio, y el otro, aun más vehemente, desplegado en las actitudes y las marchas y las brigadas y el amanecer difuso y perplejo del lenguaje democrático. Quieren ganarle a Díaz Ordaz porque es de justicia; quieren verter en el Movimiento las condiciones del cambio; le atribuyen a su toma de las calles la calidad de un contagio patriótico. Y en todo este lapso, Díaz Ordaz sólo ve alienígenas.

Los líderes del CNH

El liderazgo del CNH se establece sin dificultades. Más que por las maniobras de camarillas, según la información disponible desde entonces, la concentración de las decisiones viene del manejo didáctico que convierte a las asambleas en foros del pueblo. Y los estrategas más evidentes del CNH son, hasta donde mi información alcanza, Raúl Álvarez Garín y Gilberto Guevara Niebla. Álvarez Garín, exalumno de Ciencias de la UNAM y estudiante de Matemáticas en el IPN, es activista desde la adolescencia, "todo un cuadro" en la lógica geométrica del PCM, al que ha pertenecido. Formal, responsable, infatigable. Álvarez Garín es tímido y hosco, pero su experiencia le da acceso antes que a nadie a las perspectivas de conjunto. Guevara Niebla, de la Facultad de Ciencias, también con vivencias del PCM, se entrega entonces a la pasión teórica (es uno de los grandes conocedores de la naturaleza del 68), y a sus intervenciones las singulariza la sensatez ("la irracionalidad", según el gobierno; "el reformismo", según la ultra izquierda), o eso me parece porque las entiendo, algo inusual en la turbamulta de acusaciones, contrademandas, informaciones colaterales ofrecidas como fin del tercer acto. Álvarez Garín y Guevara, entre otros pero señaladamente, captan lo esencial desde el principio: el vigor del Movimiento le viene de la autoridad moral que le conceden su unidad y su resistencia a la barbarie desde arriba, y también de la gran crítica actuada a los regímenes del PRI.

Asamblea permanente, incesante, la del CNH singulariza a varios dirigentes. Uno, el vocero más constante, es Marcelino Perelló de la Facultad de Ciencias y del PCM. Perelló requiere de la silla de ruedas, tiene un halo romántico, se expresa con claridad, no rehuye el perfil del protagonismo, y es muy hábil en el diálogo de asambleas. A su papel central lo ayuda sobremanera la prensa, que lo vuelve emblemático y lo entrevista con frecuencia, al grado de que algunos advierten, tras la insistencia una maniobra gubernamental. Esto no es muy creíble, a partir de una certidumbre: no se localiza una sola astucia en el campo diazordacista. Su forma de maquiavelismo es el Cuerpo de Granaderos.

El representante por excelencia de los estudiantes de agronomía de Chapingo, Luis Tomás Cervantes Cabeza de Vaca, es durante el Movimiento la leyenda que un rumor admirativo consagra. Robusto, verboso, básicamente optimista, Cabeza de Vaca es valiente en grado superlativo y activista de tiempo completo. Lo ciñen las anécdotas: enfrentamientos verbales con porros y policías, intrepidez, abnegación. Y se van conociendo otros representantes en el CNH: Gustavo Gordillo y Eduardo Valle "El Búho", de Economía; Gerardo Estrada, de Ciencias Políticas; Salvador Martínez Dellaroca

El Pino, de Ciencias; Psicología; Roberto Escudero, de Filosofía; Félix Hernández Gamundi y los hermanos González Guardado, del Poli. Y dos mujeres, a las que distinguirá su valor civil y la saña persecutoria en su contra: Tita Avendaño y Nacha.

La Asamblea de Intelectuales y Artistas

A principios de agosto, se reúnen en la Facultad de Filosofía artistas, escritores, intelectuales, que simpatizan con el Movimiento estudiantil y extreman su apoyo luego de cada nueva represión y de cada expresión de vigor comunitario. Algunos son marxistas, y provienen de las diversas frustraciones del Partido Comunista; otros, la mayoría, carecen de pasado militante y responden a causas de izquierda nacionalista o de búsqueda confusa de la democracia. La falta de experiencia repercute en el tono de las reuniones: incierto, plagado de noticias que se comentan extensamente para evitar la tentación de interpretar, muy dependiente del lugar común. Pero el esfuerzo es genuino, las adhesiones son numerosas, se junta algo de dinero para la publicación de desplegados (quinientas personas entregan su firma para que se use en caso de emergencia), y no se falta a las manifestaciones.

Se integra la mesa directiva de —el nombre es breve— la Asamblea de Intelectuales, Escritores y Artistas en apoyo del Movimiento Estudiantil. Los elegidos son Juan Rulfo, José Revueltas, Jaime Augusto Shelley, Manuel Felguérez, Jorge Mondragón y Carlos Monsiváis. Rulfo asiste (sin hablar) a reuniones y marchas. Revueltas solicita de inmediato ser el representante de la Asamblea en el CNH, y a los demás, al lado de un grupo de activistas generosos, entre lo que destacan Nancy Cárdenas y René Villanueva, nos toca organizar los manifiestos, convocar a reuniones amplias (se efectúa una sola), organizar los domingos lecturas de poemas y recitales de canciones. A la distancia la Asamblea de Intelectuales y Artistas no parece muy significativa pero en el mundo cultural enfrenta el apoyo al gobierno de las figuras destacadas.

La manifestación del 27 de agosto

La marcha del 5 de agosto, la primera de los estudiantes por su cuenta, consolida la unidad de politécnicos y universitarios y demuestra algo fundamental: con celeridad, la protesta se ha vuelto causa, la mezcla orgánica de voluntad política y compromiso emocional que decepciona las expectativas del gobierno, seguro de lo efímero de las pasiones estudiantiles ("Si no podemos evitar que griten, déjenlos, ya mañana se les olvidó por qué lo hacían"). En las manifestaciones del 5 y del 13 de agosto se afirman las razones de la actitud distinta, el comienzo de la generación del 68. Desfilar, llevar mantas y pancartas, vocear consignas, es hacer partícipe al pueblo (todavía no la sociedad) del compromiso que legitima la disidencia. Nos golpean, nos insultan, nos calumnian, nos matan, y todavía pretenden que los aplaudamos. Y por eso tomamos la calle, nos lanzamos a la huelga, y te pedimos tu solidaridad, porque somos iguales a tus hijos, los amigos de tus hijos, a tus vecinos, en todo caso somos tus semejantes.

¿Qué es la memoria política sino la continuidad de las insistencias, las reiteraciones, las certezas fulgurantes de logro o derrota, el amor a las vivencias que al evocarse suscitan ideas de nobleza propia y monstruosidad ajena? En el caso del 68, la memoria política de una generación le adjudica un valor altísimo a la marcha del 27 de agosto: aguerrida (sin precisiones bélicas), regocijada y regocijante, y triunfalista a partir de la comprobación visual del poder de convocatoria. Si todavía no se dice "Somos un chingo y seremos más", sí la manifestación, entra en éxtasis al contemplar sus alcances demográficos, y se ríe de la estrategia de su adversario (todavía no su enemigo). Han fracasado las intimidaciones, las alertas a los padres de familia, las acusaciones de "traición a la patria" y sus derivados, la retórica anticomunista tan útil contra los movimientos sindicales y la izquierda política, el regaño de las Más Altas Autoridades, para empezar el Presidente de la República, la "guerra de baja intensidad", el repudio de los Hombres de Pro, entre ellos los dirigentes empresariales, los articulistas afamados y el *Establishment* cultural. Y tan han fallado que vean nomás este gentío que no se acaba nunca.

El 27 de agosto, a lo largo de la ruta, del Museo de Antropología al Zócalo, los contingentes, encabezados por la Coalición de Padres de Familia y Maestros, extreman su afán competitivo. Las escuelas del Politécnico, las vocacionales, las preparatorias, la Escuela de Agricultura de Chapingo, la Normal de Maestros, la Escuela de Arte Dramático del INBA, el Colegio de México... Al número elevado de vallas de protección, lo explica la preocupación punzante: evitar provocadores. Las consignas más oídas, si me fío en mi registro acústico, son "¡Únete pueblo!" y "¡Muera Cueto!". En el Zócalo se ha izado una bandera roja y negra, el símbolo internacional de las huelgas. La Catedral se ilumina y repican las campanas.

Se reparten copias de una "Carta a los estudiantes" del periodista Víctor Rico Galán, preso por "intentona guerrillera": "No pueden los oprimidos defender un legalismo que los deja inermes ante los atropellos feroces de la oligarquía. Entender que el ala derecha de ustedes está presionando ya por el lado de la legalidad paralizante es una necesidad imperiosa." Paralizante o no, y con la salvedad de unos cuantos enfrentamientos que no le preocupan al gobierno, el apego a la legalidad fija la autoridad moral del Movimiento y es, además, la única vía concebible, porque —fanfarronerías y provocaciones aparte— el Movimiento es, y esencialmente, pacífico y constitucional. Si no, ¿por qué acudir inerme a la Plaza de las Tres Culturas? Si no, ¿por qué la abrumadora mayoría no dispone de arma alguna?

La manifestación transmite un mensaje directo, el optimismo de la causa que crece y se extiende. Desdibujado para entonces el origen dramático del Movimiento, se impone el ánimo victorioso. Nada inusual aunque sí leña-al-fuego, porque Díaz Ordaz contabiliza la algarabía como algarada sediciosa. Pero eso no se percibe en un Zócalo traspasado por las sensaciones de avasallamiento justiciero, tan indetenible que le grita al Presidente de la República: "¡Sal al balcón, hocicón!" No es cualquier cosa sacudir la sacralidad de Díaz Ordaz, tutearlo y aplicarle un mote. El *Noli me tangere* de la figura presidencial se derrumba con alborozo que recuerda los ritos del futbol llanero. Pero de eso se trata, de fijar el aviso al autoritarismo: el diálogo más verdadero consiste en la mera continuidad de las multitudes en la calle. "¡Sal al balcón, hocicón!"

Se lee la lista de 86 detenidos, se aprueba que el 27 de agosto se llame de ahora en adelante Día de la Coalición Revolucionaria (bautizo y despedida), se lee un mensaje del líder ferrocarrilero Demetrio Vallejo, desde la Penitenciaría:

> Después de tenerme por más de 21 días con la torturante sonda gástrica en la vía nasal para obligarme a tomar alimentos líquidos, hoy me la quitaron cuando posiblemente quedaron convencidos de que a pesar de los crueles dolores que me causaba, mi actitud seguía invariable...
>
> Pero debido al tiempo en que me tuvieron con la sonda, es probable que esa demora me llegue a causar graves lesiones

en mi organismo, por lo que una vez más hago público que el único responsable es el Presidente de la República por las ulteriores consecuencias que llegue a sufrir por el brutal y torturante procedimiento a que fui sometido o se me llegue a someter en el futuro, ya que a partir de hoy he continuado mi huelga de hambre hasta que la palabra presidencial sea cumplida y se haga plena justicia.

Una característica fundamental del Movimiento es el equilibrio entre el dramatismo de los reprimidos y el júbilo que genera la resistencia. A diario abundan las constancias de la represión; a diario tonifica el espectáculo de tantos empeñados en contenerla. Las cartas de Rico Galán y Vallejo, la cantidad de presos recientes, el aire lúgubre que emana de la ciudad patrullada, las difamaciones a ocho columnas, la alegría del activismo, los pleitos internos por una descripción del Estado burgués, todo alimenta la sensación de estreno de sensaciones. ¿Cómo hacerle justicia descriptiva a la energía anterior al 2 de octubre?

La multitud se constituye en asamblea. Luego de varios oradores, interviene a nombre del CNH Sócrates Amado Campos Lemus. Sus habilidades, tal vez eficaces en auditorios donde sólo caben los convencidos, no se perciben en la asamblea ampliada, pero es colérico y conminatorio. Que se fije el día, fecha y hora del debate público. El Presidente tiene que dialogar, porque éste no es cualquier movimiento. Le pregunta didácticamente al solo activista enardecido repartido en doscientas o trescientas mil personas: "¿Dónde quieren que sea el diálogo?" La respuesta es tajante: "¡En el Zócalo! ¡Aquí!" No se miden las consecuencias porque la gran asamblea le fía a la cantidad de asistentes el salvarse de las represalias. Queda citado Díaz Ordaz el primero de septiembre a las diez de la mañana en la Plaza Mayor. Él se considera injuriado a fondo, y ve en la cita la trampa para obligarlo a renunciar. Afirma en sus memorias: "Y en este ambiente de desaforados, el Presidente de la República sentado en el banquillo de los acusados, contestando preguntas y aguantando injurias y burlas. Después vendría la presión física para que firmara algún documento."

Se entona el Himno Nacional. (A lo largo del siglo el patriotismo más vehemente y sincero se localiza en los sectores contestarios, de los maderistas a los indígenas.) Se prenden decenas de miles de antorchas de papel, y el paisaje ígneo es francamente hermoso y melancólico. Se disuelve el mitin que para un buen número de asistentes cayó en la locura, en la provocación que tanto se ha querido evitar. Unos defienden lo ocurrido: "Pero lo decidió la asamblea". Otros responden: "Sí, pero inducida". Ya es tarde para el arrepentimiento.

En el Zócalo la escena es única. Los grupos encargados de la guardia se entretienen. Se prenden fogatas. Algunos preparatorianos emprenden los juegos infantiles. Mira que tomar el Zócalo para jugar "Doña Blanca". A la una de la madrugada, fuerzas del ejército, la policía y los bomberos se disponen al desalojo. El repertorio sí que conmina al nomadismo apresurado: un batallón de paracaidistas, los batallones 43 y 44 de infantería, doce carros blindados de guardias presidenciales, cuatro carros de bomberos, doscientas patrullas azules y cuatro batallones de tránsito, más contingentes del cuerpo de tránsito. En lo tocante a la recuperación del territorio nacional, el gobierno no corre riesgos. Por los magnavoces, se invita al éxodo: "Están ustedes violando el Artículo Noveno Constitucional. Tienen ustedes cinco minutos para abandonar la plaza. Se les dejó hacer su mitin y realizar su manifestación. Han estado demasiado tiempo y no se puede permitir que la plaza para usos comunes sea dedicada a otros menesteres. Dentro de cinco minutos intervendrá la fuerza pública." Los estudiantes gritan: "¡Orden, orden! ¡Calma, compañeros!", se sientan y aplauden. Los detentadores de la Violencia Legítima no entienden de gandhismo, y empujan a los jóvenes. Las unidades blindadas arrasan con mantas y pancartas. Enloquece el sonido de las sirenas. Los estudiantes, en su salida airosa, vitorean a México y entonan el coro sacramental: "¡México / Libertad / México / Libertad!" De nuevo el Himno Nacional.

28 de agosto: La ceremonia del desagravio

En el Zócalo tiene lugar la ceremonia de desagravio a la Bandera Nacional, organizada por el Departamento Central. En el astabandera resplandece, nuevecita, la bandera rojinegra arriada la noche anterior. Los empleados de Limpia y Transportes del D.F. integran vallas amenazantes. El maestro de ceremonias presenta a un "joven humilde", Gonzalo Cruz Paredes, que es elocuente: "Venimos a realizar un acto de reafirmación de nuestra calidad de mexicanos, al izar la bandera de México que es la única enseña y el más preciado emblema de nuestra historia." (Luego resulta que Gonzalo Cruz ni se llama así, ni es obrero.)

Lo que sigue a la elocuencia es inesperado. Llegan por un costado del Zócalo grupos incitados por la espontaneidad del acarreo. Son burócratas de la Secretaría de Hacienda y de la SEP, y hacen uso de sus facultades corales: "¡Somos borregos! ¡Nos llevan! ¡Bee-bee! ¡Somos borregos!". Los encargados de la adhesión intentan callar en vano a los burócratas. Los estudiantes, infiltrados entre las huestes oficiales al amparo de su aspecto nativo, reinician el mitin. Por dificultades técnicas la Bandera Nacional ha quedado a media asta, y los estudiantes exigen dejarla así, en señal de duelo por la intervención del ejército. Con macanas y escudos, los granaderos embisten aislando el astabandera.

En el Zócalo los estudiantes se dividen en pequeños grupos y atraen gente para sus alegatos en seis o siete lugares, reiterando sus razones. Los encargados del orden consideran oportuno castigar al trapo rojinegro y le prenden fuego. Un grupo salva los restos del naufragio de la bandera, y los defiende de la extinción con sus camisas. Y se organiza otra manifestación en ese velódromo de consignas y apaciguamientos violentos en que se ha convertido el Zócalo. Los marchistas pasan frente a Palacio cantando el Himno Nacional, y castigan y aprecian verbalmente a los granaderos, en un instante "¡Asesinos!", y en otro "¡Hermanos!" Los burócratas gritan: "¡Para eso nos traen, somos sus borregos!".

Cerca de las dos de la tarde, desde los magnavoces se da por concluida la Ceremonia del Desagravio y se les recuerda a los asistentes, con otras palabras, cuánto urge su presencia en otras partes. Minutos después, un ballet de la represión y sus toreros raudos. Los carros tanque se lanzan contra la muchedumbre. Hay ganas de burlar las maquinarias, y hay juegos de velocidad, gente en el suelo que se levanta con presteza de *science-fiction*, y solemne inconsciencia ante el peligro. El juego se extingue en un segundo. Como en película medieval, la feria se termina al abrirse la puerta de Palacio y aparecer columnas de soldados a bayoneta calada. Desde ventanas y azoteas se precipitan botellas, macetas y objetos varios contra los soldados. Los estudiantes se niegan a partir, y parece repetirse la terquedad de la noche del 26 de julio. Aquí se localiza la constante del Movimiento, inverosímil y eléctrica, la combustión del instante traducida al idioma del vértigo y la fijeza, no nos vamos a dejar porque nuestra causa es justa, nuestra causa es justa porque no nos vamos a dejar.

En el Zócalo los soldados disparan a la parte alta de los edificios y las balas rebotan al Hotel Majestic. Hay miedo, alaridos, alarmas, los estudiantes se repliegan, otro tiroteo fugaz. Al fin, a las tres y media de la tarde, el Zócalo queda a la disposición de la calma a cómo dé lugar. Se informa de docenas de lesionados. En *1968: Los archivos de la violencia*, Sergio Aguayo cita otros reportes de ese día de la Dirección de Investigaciones Políticas y Sociales (IPS):

> 18:30. En las esquinas de Correo Mayor y Corregidora, un grupo de 2,000 estudiantes y gente del pueblo está atacando a los soldados con piedras, botellas, jitomates y cualquier cosa que encuentran a su mano y a la vez gritan: "Muera el ejército", "¡muera el mal gobierno!", "¡no te escondas perro rabioso!"
> 20:50. Los estudiantes que se encuentran por la Merced, apoyados por los vagos de la misma, lanzaron proyectiles a la policía haciéndose que se replegara hasta Corregidora y Roldán. Al pasar la policía frente al edificio que está junto al centro nocturno "Clave Azul", de las azoteas le lanzaron piedras, tabiques, cascos de refresco y botellas con ácido, por lo que la policía tuvo que correr en distintas direcciones, presentándose posteriormente el coronel Frías, quien ordenó que fueran lanzadas dos bombas lacrimógenas.

El 28 de agosto es una fecha de enorme significación.

El IV Informe Presidencial

El Presidente Díaz Ordaz lee su informe: banalidades, superficialidades teóricas, mística de entrega al mayoreo, crítica levísima a la intervención soviética en Checoslovaquia... Y luego el objetivo central, la obsesión: los Juegos Olímpicos. ¡Qué arduo compromiso para México!, confiesa. La magnitud del gasto podía desquiciar nuestra economía, la organización requerida es enorme y complicada. Él habló con distintos sectores, se estaba a tiempo, se podía declinar sin deshonor. Pero se debía aceptar el compromiso. De no hacerlo, afirma el psicoanalista del alma nacional, "podía perjudicarse gravemente nuestro crédito en los medios bancarios internacionales y deteriorarse nuestra economía interna, porque el pueblo en general, hasta los más apartados rincones del país, se había hecho ya a la idea de que la capital de la República fuera la sede de los Juegos Olímpicos. El impacto psicológico del desencanto podía provocar imprevisibles y peligrosas consecuencias". A lo mejor en esos minutos alguien supuso que perder la sede de las Olimpiadas era como perder la virginidad y la orgía simultáneamente.

Conforme avanza la lectura, se afirma la creencia maníatica de Díaz Ordaz: las Olimpiadas son su consagración y las manos oscuras ansían despojarlo del reino. El éxito de su vida, las humillaciones padecidas, los rituales de la sumisión, todo lo que eleva a un abogadete menospreciado, alumbra sus capacidades y lo vuelve Presidente, se volatilizará a causa del complot:

> Cuando hace años se solicitó y obtuvo la sede no hubo manifestaciones de repudio ni tampoco durante los años siguientes y no fue sino hace unos meses, cuando obtuvimos informaciones de que se pretendía estorbar los Juegos.
>
> Durante los recientes conflictos que ha habido en la ciudad de México se advirtieron, en medio de la confusión, varias tendencias principales: la de quienes deseaban presionar al Gobierno para que se atendieran determinadas peticiones, la de quienes intentaron aprovecharlo con fines ideológicos y políticos y la de quienes se propusieron sembrar el desorden, la confusión y el encono, para impedir la atención y la solución de los problemas, con el fin de desprestigiar a México, aprovechando la enorme difusión que habrán de tener los encuentros atléticos y deportivos, e impedir acaso la celebración de los Juegos Olímpicos.

Díaz Ordaz cree en la patraña y la convierte en dogma: la conjura pretende ridiculizarlo y agraviarlo porque, entre otros de sus atributos, él es literalmente la Nación, y quien lo insulte desprestigia a la patria, la exhibe como un conjunto de anarquías malamente gobernadas por un hombre débil. Se transparenta cuánto han calado en el ánimo presidencial los lemas más bien ingenuos de las marchas, el "A la mano tendida la prueba de parafina" o el "¡GDO asesino!". El júbilo contestatario alcanza el grado de blasfemia y, por lo mismo, de sublevación. No son concebibles los estudiantes organizados por su propia cuenta, ni las protestas por actos de gobierno, así los ejecuten granaderos. Díaz Ordaz se exaspera y en una Cámara de Diputados nerviosa, encrespada, que repta del mutismo al estruendo, toca el cielo de la histeria: no le tendrá miedo a su propia respuesta, "cualesquiera que lleguen a ser las consecuencias. Por mucha importancia internacional que revistan los Juegos Olímpicos, el compromiso que México contrajo para celebrarlos en su suelo no mediatiza su soberanía."

Díaz Ordaz describe la conjura internacional contra los gobiernos, el siniestro plan anarco-terrorista, y lo que todavía en 1968 se llama "imitación extra-lógica", el pecado apátrida de la copia:

> De algún tiempo a la fecha, en nuestros principales centros de estudio se empezó a reiterar insistentemente la calca de los lemas usados en otros países, las mismas pancartas, idénticas leyendas, unas veces en simple traducción literal, otras en burda parodia. El ansia de imitación se apoderaba de centenas de jóvenes de manera servil y arrastraba a algunos adultos.

El documento es de seguro la pieza más desgarrada, la autobiografía concentrada y dolida de un provinciano educado en la obediencia y el mando, al que desencaja la rebeldía mal educada y respondona. Los Juegos son el éxtasis que compensa el sacrificio de México, son la puerta abierta a la (hasta ahora inexistente) admiración del exterior. Y el texto del Ejecutivo, de seguro escrito con arrebato por el propio Díaz Ordaz, alcanza las intensidades de la confesión ante el cura, de la jactancia ante el psicoanalista, del arrojo ante el agente del Ministerio Público. Si al parecer los Juegos resultan desproporcionados a la estatura y las fuerzas del país, también constituyen "la oportunidad que no se podrá volver a presentar en muchos años". Yo pecador, yo culpable, yo subdesarrollado:

> No pretendemos engañar, aparentando lo que no tenemos. Nos vamos a presentar ante el mundo, sin complejos, tal como somos: hombres con defectos y virtudes, que no tienen un gran vigor físico, pero sí espiritual; país que posee algunas cosas y carece de otras; que ha logrado iniciar su desarrollo, pero tiene conciencia de que le falta gran parte del camino por recorrer...

El último momento eléctrico de la sinceridad del autoritarismo. Con euforia protagónica, un hombre, el Presidente de la República, reclama la paternidad de México, se desespera ante la incomprensión, y se duele del fin del aislacionismo que es pureza:

> Habíamos estado provincianamente orgullosos y candorosamente satisfechos de que, en un mundo de disturbios juveniles,

México fuera un islote intocado. Los brotes violentos, aparentemente aislados entre sí, se iban reproduciendo, sin embargo, en distintos rumbos de la capital y muchas entidades federativas, cada vez con mayor frecuencia. De pronto, se agravan y multiplican, en afrenta soez a una ciudad consagrada al diario laborar y que clamó en demanda de las más elementales garantías. Mis previas advertencias y expresiones de preocupación habían caído en el vacío.

El Presidente se abisma en su versión autocrática del diálogo, hondamente conmovido por sus palabras, público atentísimo de su propia voz. Con exasperación, Díaz Ordaz se precipita en lo más personal, lo más colérico, autocompasivo y rencoroso del Informe:

> Algunos, que no advirtieron que nada pedía para mí y que tomaron el gesto amistoso hacia ellos como signo de debilidad, respondieron con calumnias, no con hechos; con insultos, no con razones; con mezquindades, no con pasión generosa.
>
> La injuria no me ofende; la calumnia no me llega, el odio no ha nacido en mí...

El Presidente iracundo exhibe sus vestiduras de concordia. A la intimidad del mando la desnuda un espíritu vulnerado en extremo. A partir de ese día, ya no habrá cuartel. Al exhibir sus entrañas, Díaz Ordaz se siente liberado de toda responsabilidad moral. Al confesarse ante el Congreso, el Presidente cancela todo perdón.

Lo que sigue es extenso pero no posee la carga psíquica de la primera parte. Se ofrecen el respeto a la autonomía universitaria, la iniciativa de ley que le otorgará la autonomía al Instituto Politécnico Nacional, la ratificación ("Lógicamente debo aceptar, y acepto sin reservas") del segundo punto de la declaración del Consejo Universitario (17 de agosto): "La no intervención del ejército y de otras fuerzas del orden público para la resolución de problemas que son de la exclusiva competencia de la Universidad y demás centros de educación superior." Luego, le responde al pliego petitorio del Consejo Nacional de Huelga: no admite la existencia de presos políticos pero le solicita a las Procuradurías la revisión concienzuda de los casos pendientes; se dará libertad a los ya sentenciados, por el tiempo que llevan compurgando su condena, "siempre y cuando cesara la serie de actos de pretendida presión que se han venido realizando para obtener su libertad"; en cuanto a los artículos 145 y 145 bis del Código Penal, sobre los delitos llamados "de disolución social", se convoca a una serie de audiencias públicas para que los juristas expongan argumentos en pro y en contra.

"Rindo emocionado homenaje a esas manos"

Díaz Ordaz ha ido al límite en la exhibición de sus adentros y en sus concesiones a la disidencia. Ahora viene el cobro de cuentas, la descripción del apocalipsis que se filtró en la paz de la República: posesión violenta de escuelas, intimidación a las autoridades educativas, secuestros, bloqueo de calles, destrucción, violencia. México en llamas, en síntesis. Con apremio, Díaz Ordaz dibuja el imperio del caos y magnifica al extremo la responsabilidad estudiantil, olvidándose de la verdad. Crédulo, acepta como dogmas los informes de sus cuerpos de seguridad. Así, evoca a los damnificados a causa del Movimiento:

> Los propietarios de grandes y pequeños comercios que han sido víctimas de destrucción o saqueo; los conductores de camiones repartidores de víveres o refrescos, a los que les han sido arrebatados tales efectos; las fábricas y los locales de organizaciones de obreros y campesinos, atacados con violencia; las casas pintarrajeadas y rotos los vidrios de sus ventanas; la rabia callada de tantos y tantos miles de automovilistas detenidos para pedirles dinero para la "causa" o destrozarles los cristales, las antenas, o las llantas; los miles de pasajeros obligados a descender de los vehículos de transportación popular, inclusive el transtorno económico de aquéllos para quienes cincuenta centavos significan mucho en el presupuesto semanal; el obrero o el burócrata que sufren descuentos por retraso en la entrada al trabajo, el abogado, el médico, el ingeniero, el ama de casa que llegan tarde a los tribunales, al hospital, a la obra, al comercio o al hogar porque se congestionan en una gran área, el ya de por sí difícil tránsito de la ciudad; las penalidades de las personas totalmente ajenas, que fueron tomadas como rehenes; tantos pacíficos transeúntes injuriados, humillados o lesionados, que han tenido que resignarse, ante la fuerza del número o la conveniencia de no comprometer su personal futuro en una riña absurda y vulgar; tantas mujeres soezmente vejadas que, además de sufrir la propia vergüenza, han llenado de indignación a un padre, a una madre, a un espo-

so, a un hijo y que pudieron haber sido la esposa, la madre la hermana o la hija de quienquiera de los mexicanos. Agreguemos los más recientes y graves desmanes, la calumnia en grande, los rumores alarmantes para provocar compras de pánico y desquiciar la economía de la ciudad.

El alegato, producto de los informes de la mitomanía gubernamental, es asumido con pasión genuina. Al ser Díaz Ordaz el Presidente, no tiene por qué saber que no se ha producido tal ciudad apocalíptica, ni han existido los secuestros, ni se han destruido por sistema automóviles, ni el Movimiento enfrenta protestas masivas (por lo contrario), ni se han vejado mujeres, y los rumores, que sí han existido, son obra de fuerzas gubernamentales. Sí se han dado y están por darse confrontaciones violentas, pero siempre en respuesta a las vejaciones policiacas. Este es el drama infalsificable de Díaz Ordaz. Sometido al suministro de falsedades y exageraciones, se siente literalmente el salvador de México.

Díaz Ordaz lanza el ultimátum, da lecciones de civismo, explica su plan de gobierno ("La meta es formar hombres, verdaderos hombres", y las mujeres, es de suponerse, vendrán después), previene a los jóvenes: "deben tener ilusiones, pero no dejarse alucinar"; sentencia: "¡Qué grave daño hacen los modernos filósofos de la destrucción que están en contra de todo y a favor de nada!", y se estremece hasta la empuñadura del llanto sin lágrimas, al pensar en las manos que empuñan el azadón, el pico, la pala, la mancera y el volante del tractor. Ya al galope de las emociones, en pleno desahogo anti-intelectual, nada lo detiene en su loa a los seres que, en su lógica, no han pervertido el conocimiento:

> Rindo emocionado homenaje a esas manos que no saben manjar billetes de banco, que muy rara vez sienten el halago de una caricia.
>
> Esas mismas manos rudas y sufridas que fueron las que izaron un garrote o una lanza al llamamiento de Hidalgo y de Morelos; las que no midieron la inmensidad del desierto cuando arrastraban los carromatos de la gloriosa hueste de Benito Juárez; las mismas manos que apretaron el rifle o el machete bajo la bandera de Madero, de Carranza o de Zapata.

Oratoria municipal, cursilería a cántaros, historia que crece en las macetas de las primarias rurales, visión un tanto lúgubre de las posibilidades amatorias de los campesinos, "que muy rara vez sienten el halago de una caricia". En 1968 insistimos en acompañar el Informe con risas sarcásticas, y nos perdemos su motivo fundacional: el elogio a la revancha legítima.

Figuras del 68: El secretario de Gobernación Luis Echeverría

En 1968, Luis Echeverría es, luego del Presidente, el funcionario más inflexible y cortante. No otro comportamiento se espera de un aspirante a la Presidencia, deseoso de no distanciarse en lo mínimo de las fobias y los resentimientos de su jefe. En el empeño mimético lo ayuda su trayectoria, estrictamente burocrática y sin relieve. Nace en 1922, es licenciado en derecho por la UNAM. Ingresa al PRI en 1944, y allí es secretario particular del presidente del partido, Rodolfo Sánchez Taboada. Poco después, secretario de prensa y oficial mayor del Comité Ejecutivo Nacional. Es, para que nada le falte, director de Administración de la Secretaría de Marina, oficial mayor de la Secretaría de Educación Pública (1952-1958), subsecretario (1958-1963) y secretario de Gobernación (1963-1969), candidato del PRI a la Presidencia (1970), y Presidente de la República (1970-1976).

Como secretario de Estado, Echeverría no es particularmente brillante. Discursos opacos y más que ortodoxos, ceño duro, intransigencia, red de amistades y favorecidos, nula disposición al diálogo. Si de Díaz Ordaz en el 68 se tiene la imagen de la descomposición colérica, de Echeverría no hay imagen, sino impresiones gélidas. Al nombrarlo Díaz Ordaz candidato a la Presidencia, Echeverría se ve obligado a inventarse sobre la marcha una personalidad y un estilo oratorio. El resultado no es, para ponerlo en términos comedidos, muy sobresaliente, pero todo sea por la obtención de la singularidad. Así, en Morelia, durante la campaña presidencial, Echeverría obligado por los estudiantes, guarda un minuto de silencio por todos los caídos en Tlatelolco, y esto casi le cuesta la Presidencia (Díaz Ordaz no entendía de cortesías funerarias).

A Echeverría no le cuesta demasiado recuperar el beneplácito de fuerzas que impugnaron a su antecesor, una parte considerable de las clases medias y del sector intelectual. La Presidencia desvanece cualquier pasado, y si pudiesen, los cortesanos de Echeverría jurarían que jamás fue secretario de Gobernación, ni participó en las incontables represiones del sexenio. Y el olvido protege a Echeverría, disolviendo los métodos usados para conquistar la Presidencia, entre ellos su adhesión a la Guerra Fría y su intolerancia. De no ser Echeverría un cruzado de la línea dura, ni conserva el puesto, ni es designado sucesor. Reprimir es moverse en línea ascendente, y es adquirir voz y voto en la perspectiva presidencial.

Mientras hace falta, el talante de Echeverría es abiertamente belicoso. Ya Presidente, en algo se suaviza, sin concederle nada a la democracia y sin jamás aclarar, entre otros hechos, la "guerra sucia". Tiene a su favor lo innegable: en 1968 las decisiones las asume Díaz Ordaz, y gracias a eso él y todos los involucrados en la represión se amparan en la bravata díazordaciana de su Quinto Informe Presidencial (1969): "Asumo íntegramente la responsabilidad...". Desde 1971, Echeverría está convencido: el 68 cambió el clima de la opinión pública. Al ocurrir la matanza del 10 de junio y la emergencia de los Halcones, grupo paramilitar creado por el Departamento Central, da marcha atrás y sacrifica al regente Alfonso Martínez Domínguez.

Ya en la Presidencia, se beneficia de la muy lenta asimilación del 68 y de las conmociones que trajo consigo en tan distintos niveles. La sociedad comprende poco a poco lo que pasó (una revolución cultural parcialmente exitosa es más difícil de aprehender que una rebelión aplastada), y Echeverría usa el compás de espera para experimentar una conversión ideológica y psicológica (no política, allí su autoritarismo es ortodoxo). Le ayudan al nuevo consenso la inercia de quienes no conciben alternativa al Sistema, el oportunismo rampante, la idea de que Echeverría es sincero. A principio de los setenta, aún no cristaliza, por la pobreza del medio, la voluntad de amplios sectores de distanciarse de la creencia semirreligiosa en el gobierno.

13 de septiembre: La Manifestación del Silencio

Si por consenso la marcha del 27 de agosto es la más alegre y combativa, también el recuerdo unánime ve en la Manifestación del Silencio al acto más elocuente del Movimiento. No hay relajo en el voceo de consignas, y cunde la solemnidad súbita. Un proyecto de nación se prueba a sí mismo con el esparadrapo en las bocas, los rostros "de *presidium*", el murmullo interminable que aquieta la vocación de estrépito. Doscientos o trescientos mil manifestantes (¿quién podrá determinar con exactitud el monto de una marcha?) disminuyen el volumen, y se atienen al murmullo, los comentarios en voz baja, el canje de risas por sonrisas; en suma, se ciñen a dos propósitos: no aceptar las provocaciones ("sin ánimo alguno de enfrentar a los manifestantes con el gobierno"), y acercarse a la poesía de las situaciones: "Ha llegado el día en que nuestro silencio será más elocuente que las palabras que ayer acallaron las bayonetas" (del manifiesto del CNH).

En la Manifestación del Silencio se expresa como nunca el proceso de "nacionalización" teórica y emotiva del Movimiento, en respuesta al Informe de Díaz Ordaz, tan patriotero, y a los miles de artículos y declaraciones contra los apátridas. En lo escénico, la "nacionalización" se despliega con pósters y mantas con imágenes de Hidalgo, Juárez, Zapata. (Hay dificultad para conseguir a quien enarbole la efigie de Venustiano Carranza.) Pero lo relevante no es la escenografía nacionalista, sino la convicción profunda, anunciada de diversas maneras: el Movimiento es parte de la historia nacional. Tómenlo o déjenlo. Eso creen y eso, cuando se rehusan al trato infamante, le permite a los activistas integrarse —con la parcialidad y la intensidad del caso— a la nación oprimida y sus tradiciones de resistencia, la primera de ellas la fe en la Constitución de la República.

Una movilización con sustrato poético. La pretensión es desmesurada, pero ni inconvincente ni fallida. Hay —dones de la vivencia refrendados por la memoria— un brío lírico en los manifestantes, o como se le quiera decir a la sensación de vivir con gozo controlado la disidencia. ¿Cómo caminar por horas atenidos a susurros y comentarios discretos? ¿Quién habría imaginado una gran multitud que sin coerciones se disciplina a sí misma? La Manifestación del Silencio es el clímax político y emocional del Movimiento. A las cinco de la tarde se sale del Museo de Antropología y el último contingente llega al Zócalo a las nueve de la noche. En el camino, la respuesta es admirable y allí está el 13 de septiembre si se requieren pruebas de la existencia de un Movimiento Estudiantil-Popular (denominación no muy convincente impuesta por la izquierda política). Se organiza la "manifestación de las aceras", que aplaude, incita al orgullo, arroja flores y confeti. Acuden madres de familia, casi todo el pueblo de Topilejo (ese día, quien tiene aspecto de campesino parece de Topilejo), obreros, burócratas, lo que le resta a la ciudad de la vieja izquierda.

Exigido por el maestro de ceremonias, el silencio en el Zócalo al comenzar el mitin es sobrecogedor, por el esfuerzo de contención que supone y porque el murmullo que necesariamente se eleva es también un homenaje al silencio. Un estudiante de Chihuahua le contesta candorosamente a GDO, casi con sus palabras:

> No nos afectan los ataques, ni las injurias, ni la represión. La historia nos pondrá en su sitio a cada cual. Se nos acusa de intransigentes y lo cierto es que el gobierno ha escamoteado la verdad al pueblo. El intransigente es el gobierno que pretende discutir los problemas del pueblo a espaldas del pueblo. Sabemos que tenemos responsabilidad como estudiantes, que esa responsabilidad consiste en estudiar, pero no queremos anteponer el interés mezquino de llegar a ser médico o abogado para enriquecernos con una profesión. Nuestra primera responsabilidad es saber ser mexicanos y cumplir con la obligación de luchar al lado del pueblo. Estamos dispuestos a volver a la normalidad, sí; pero no sin democracia y sin libertad.

Este texto podría esencializar la actitud promedio del Movimiento. Hay amor a los juicios de la Historia, hay un regaño moral al gobierno, hay una ingenuidad desarmante, hay civismo, hay esperanzas en la Constitución de la República.

18 de septiembre: La toma de la Ciudad Universitaria

A las diez de la noche el ejército invade Ciudad Universitaria, con carros de asalto blindado, camiones colmados de soldados. Se desaloja de los edificios a estudiantes, padres de familia (convocados a una reunión), funcionarios, empleados. No hay resistencia. Deja de transmitir Radio Universidad. Lo último que se escucha es el disco de Voz Viva de México con León Felipe leyendo sus poemas.

A los detenidos, cerca de trescientos, se les obliga a colocar las manos detrás de su cabeza, tendidos en el suelo. Los soldados aguardan con el fusil con la bayoneta calada. Algunos soldados van arriando la Bandera Nacional, todavía a media asta. En ese instante, los trescientos capturados se levantan y cantan el Himno Nacional. Ya arriada la Bandera los soldados conminan: "¡Al suelo, al suelo!" Todavía allí siguen cantando el Himno. (Si el Movimiento no fue patriótico, ignoro en qué consistió.) La diferencia de recursos es por lo menos abrumadora. Trescientos seres desarmados contra diez mil soldados con jeeps, tanques ligeros, carros de asalto. Se les empieza a subir a los camiones. De nuevo, entonan el Himno.

La Secretaría de Gobernación, en la etapa pre-tercermundista de su funcionario responsable, lanza el edicto explicativo:

> Es del dominio general que varios locales escolares —que son edificios públicos, por ser propiedad de la nación y estar destinados a un servicio público—, habían sido ocupados y usados ilegalmente, desde fines de julio último, por distintas personas, estudiantes o no, para actividades ajenas a los fines académicos.
>
> Estas mismas personas han ejercido el derecho de plantear demandas públicas; pero también, casi desde el anonimato, han planeado y ejecutado actos francamente antisociales y posiblemente delictuosos.

Desencuentro de perspectivas: mientras los estudiantes y sus aliados creen hallarse en medio de una lucha civil muy áspera, pero a fin de cuentas dentro de espacios protegidos por la Constitución de la República, los sostenedores de la Teoría de la Conjura se sienten inmersos en los anticipos de la gran batalla. Lo que no se reiterará lo suficiente es el doble engaño. Díaz Ordaz se convence (y lo convencen) del ejército emboscado tras las fachadas de la enseñanza superior, y el Movimiento se considera a punto de alcanzar la revolución de un modo a fin de cuentas pacífico o no violento en lo fundamental. Pero lo más notable en su desmesura son los preparativos militares. Véase las instrucciones a las unidades del 8 de septiembre:

> 1. Obrar con cordura e inteligencia para evitar estudiantes muertos.
> 2. Si es necesario, usar el combate CUERPO A CUERPO, SIN EMPLEAR LA BAYONETA.
> 3. Emplear el fuego del armamento, sólo contra francotiradores, perfectamente localizados y bajo ÓRDENES EXPRESAS DEL COMANDANTE DEL AGRUPAMIENTO, debiendo emplear para el efecto tiradores selectos.
> 4. Registrar a todo elemento capturado, recogiendo (ARMAS DE FUEGO, BLANCAS, CADENAS, VARILLAS, ETC.), cerillos y encendedores.
> 5. Terminantemente prohibido a todos los elementos de este agrupamiento tomar cualquier clase de material didáctico.

En Ciudad Universitaria no hay la mínima resistencia, ni armas de fuego. Pero parte substancial de la Teoría de la Conjura es su desdén por los testimonios de los sentidos.

18 de septiembre. Medianoche. La protesta angustiosa

Con la invasión de Ciudad Universitaria se liquida la fase jubilosa del Movimiento. Aunque no se diga así, *The dream is over.* La noticia sacude y remite a la pesadilla de la suspensión de garantías constitucionales, de la nación ocupada militarmente.

A las doce de la noche, en casa de Selma Beraud, Nancy Cárdenas, Juan García Ponce, Héctor Valdés, Luis Prieto Reyes y yo, asistidos por un abogado deslumbrante (¡Leyó la Constitución y la recuerda!), redactamos la protesta de la Asamblea de Intelectuales y Artistas. Por un solo instante en mi vida, me siento gallardamente constitucionalista:

> Ante el hecho vergonzoso, anticonstitucional, de la invasión y ocupación militares de la Ciudad Universitaria, denunciamos:
>
> El uso anticonstitucional del ejército apoyando actos también anticonstitucionales (artículos 29 y 129);
>
> La suspensión de hecho de las garantías individuales (artículos Primero, 9 y 29);
>
> La cesación de la autonomía universitaria;
>
> El ejercicio de medidas represivas en sustitución del diálogo democrático (artículo 8);
>
> La clausura oficial de todo proceso democrático en el país;
>
> La detención ilegal, arbitraria y totalmente anticonstitucional de funcionarios, investigadores, profesores, intelectuales, empleados, estudiantes y padres de familia, cuyo único delito era encontrarse en el centro de estudios en el momento en que fue ocupado por el ejército (artículos Primero y 29).
>
> Demandamos por lo tanto de usted, como Presidente de México y jefe natural del ejército, el acatamiento irrestricto de la Constitución Política de los Estados Unidos Mexicanos.

Detrás del veloz y más que regular aprendizaje de barnices jurídicos, se halla el dogma: si la represión se desencadena, la única "embajada" que nos asila es la Constitución. El gesto es fetichista. Pero no hay otro a mano.

El 18 de septiembre (Conversación del 30 de noviembre de 1968)

—Una cosa es no sentirse el gran activista y otra ser indiferente. Por eso fui a la Ciudad Universitaria esa tarde. Me había ido una semana a mi tierra dizque para descansar, pero el caso es que me la pasé leyendo y subrayando los periódicos, discutiendo con la familia y los amigos, indignándome ante la manipulación de los locutores de Televicentro.

Esa tarde yo quería informarme, hablar con alguien del CNH, ver cómo andaba la bronca. Me había jodido perderme la Manifestación del Silencio. En las escasas fotos publicadas se veía a toda madre. Al llegar a C.U. percibí un ánimo muy tenso, muy duro, no sé cómo explicarlo y eso que han pasado dos meses en que no pienso en otra cosa. Había una mesa redonda en mi facultad y todos decían puros lugares comunes, la tensión era el mensaje real de las intervenciones. Salí a pasear por los corredores, me encontré a dos de mi brigada y me platicaron con detalle lo de la manifestación. No fue efectivamente silenciosa, me dijeron, para nada, pero era un rumor muy alegre, muy solidario, más efectivo que todos los gritos. Agarras la onda, ¿no? Fuimos a cenar algo y volvimos para la guardia, todo muy simbólico, porque nomás con barricadas y cadenitas valíamos madre, pero nos levantaba el ánimo saber que estábamos defendiendo el Alma Mater o alguna chingadera por el estilo. De pronto, ruidos, gritos, la voz de alarma. ¡¡El ejército en C.U.!! ¿Qué hacíamos? Por lo pronto y por después, nada. Desarmados, aterrados, rodeados, indignadísimos, sólo nos quedaba permanecer hechos unos pendejos a la expectativa, fuera de los edificios. Otros se quisieron esconder pero ni en dónde. Con magnavoces nos fueron concentrando en la explanada. Ahorita todavía me es difícil transmitirte mis sensaciones, y eso que ya he tratado de ponerlas por escrito. Lo principal era la impotencia, la rabia que iba de los pensamiento mortíferos a un deseo de llorar. ¿Qué podíamos hacer? La pura impotencia, me cae... Ya en la explanada nos ordenaron tirarnos pecho a tierra. La humillación. Así estábamos cuando a un cuate se le ocurrió cantar el Himno Nacional. Hasta entonces yo del Himno

Nacional sólo tenía dos imágenes reales: uno, de una película con la esposa del poeta Bocanegra encerrándolo, lo que siempre me ha hecho mucha gracia porque el poeta era Pedro Infante, y porque si no hay llave no hay Himno Nacional; otro, cuando el gobernador de mi estado fue a mi escuela primaria y el director, para adornarse, nos hizo aprender las diez estrofas del Himno y el gobernador, que iba de prisa, pidió que mejor le hicieran un resumen. Eso era toda mi experiencia cívica, me cae. Pero cuando empezamos a cantar el Himno me emocioné mucho, no por la letra o la vivencia histórica o lo que fuera sino porque no podían callarnos y porque nosotros, así de jodidos y de pecho a tierra como estábamos, éramos finalmente mexicanos. Por ahí va la onda. Ahora ya contado como que se le va la fuerza, pero en ese momento, ante las armas y las amenazas, a nosotros, en el suelo y haciéndole la V a los soldados, hazme favor, nos parecía que cantar el Himno Nacional tenía todo el sentido del mundo. Nomás nos sabíamos las clásicas dos estrofas y la voz nos fallaba y se quebraba o subía destempladamente y los soldado no se atrevían a sisear el Himno y así estuvimos un rato, muy corto seguramente, pero eterno. Luego nos subieron a los camiones.

19 de septiembre. La respuesta

Cerca de mil quinientos detenidos en Ciudad Universitaria. Se sabe de algunos arrestos (no todos en C.U.): los filósofos Eli de Gortari y César Nicolás Molina Flores, el periodista Manuel Marcué Pardiñas, la pintora Rina Lazo, los abogados Armando Castillejos y Adela Salazar, el general Francisco Valero Recio. El procedimiento, típico de la Guerra Fría, decide que el pasado disidente equivale al presente subversivo. Eli de Gortari, marxista connotado, fue rector de la Universidad Nicolaíta y protestó en 1966 por la invasión militar de los recintos en Morelia. Molina Flores, profesor de la Preparatoria, es un intelectual trotskista sin participación relevante en el Movimiento; Rina Lazo es una artista de izquierda; Castillejos y Salazar han defendido (y seguirán defendiendo) presos políticos; el general Valero asistía en C.U. a una reunión de padres de familia; Marcué Pardiñas, detenido en la Avenida Juárez, dirigió *Política*, una revista insólita, y no interviene en lo mínimo en el Movimiento. Ante las acusaciones de ser "autor intelectual" publica el 3 de septiembre una carta abierta:

Mi conducta cívica, nacida de mis convicciones, me permite denunciar las afirmaciones calumniosas y malévolas de algunos altos funcionarios del gobierno, cuando afirman que he asesorado y señalado líneas políticas a los estudiantes y líderes del citado conflicto estudiantil. No lo hice porque no me lo solicitaron nunca, ni la necesitan. Los estudiantes tienen madurez política suficiente para discernir acerca del alcance de sus problemas y defenderlos.

Díaz Ordaz es de memoria larga y cumplidora. Si a Eli de Gortari lo detesta porque en Morelia desafió su poder, a Marcué lo condena por una razón personalísima: *Política* se opuso con tal vehemencia a su candidatura que le dedicó una portada con un aviso categórico: "¡No será presidente!" Como sí lo fue, siente suya la venganza. Entre los dones del poder está el de la represalia con efectos retroactivos, y esto explica la caprichosa selección de los presos no estudiantiles. Fuera de Eli de Gortari y Marcué, los demás son resultado del sorteo de chivos expiatorios.

El auto de formal prisión (Reconstrucción de hechos de septiembre de 1968)

—Le agradezco atentamente, señor agente del Ministerio Público Federal, la oportunidad que se me concede de hacerme de un punto de vista inmejorable sobre el tercer poder de la nación y su sentido de la justicia. Se me acusa de incitar a la rebelión, asociación delictuosa sedición, daño en propiedad ajena, despojo y ataques a las vías generales de comunicación. ¿No se le hace que son pocos delitos para tamaña afrenta? Lo que recuerdo, y todavía me honra, es algo distinto, o a lo mejor es lo mismo desde su muy jurídico punto de vista. El día en que el ejército decidió ilustrarse en Ciudad Universitaria, di una conferencia en Comercio sobre el movimiento estudiantil. Allí sostuve lo que ahora le repito: la posición del gobierno es negligente, autoritaria, falta de comprensión para resolver un problema estudiantil. Decir esto me convirtió en terrorista, y al ver sus pruebas, o el montón de mentiras y necedades que allí tiene, no me queda sino felicitarlo, señor agente del Ministerio Público Federal, usted irá lejos en su carrera, a lo mejor algún día lo dejan colgar personalmente a los acusados. ¡Imagínese! Usted decide si le concede o no a los ahorcados el derecho al pataleo.

En cuanto al auto de formal prisión, cuya copia se nos entrega, permítame licenciado que la rompa ahora mismo y la vuelva lo que es, un pinche confeti, confeti del poder burgués y de sus ilusiones de dominio sobre la libertad del hombre. Mire cómo transformo sus decisiones inapelables en confeti, en el confeti de mierda con que se visten. No se moleste en recogerlo. Gracias, licenciado.

En los roperos acechan las conjuras

En el Parte firmado por el general José Hernández Toledo, del 27 de septiembre, para guarnecer la Ciudad Universitaria, se ratifica la voluntad de precavarse de las amenazas inventadas:

A) Buscar el ocultamiento para ver sin ser visto.
B) Estar siempre alerta para evitar el fuego de los francotiradores.

Septiembre: La conjura de los necios

En los periódicos y revistas, centenas de opiniones de las Fuerzas Vivas y membretes que les acompañan contra los estudiantes y el rector. En las conversaciones, indignación y miedo. Los ataques se enconan.

En 1968, el Poder Legislativo, con la tímida excepción del PAN, es un chiste a la disposición del humor presidencial. Por eso, el diputado Luis M. Farías, que será gobernador de Nuevo León, se explaya al justificar la operación castrense: "La medida fue necesaria [...]. Durante casi dos meses la Ciudad Universitaria había venido siendo utilizada como cuartel de agitación [...]. Ahora sólo resta que el señor rector, en vista de que no le fue posible por sus propios medios restablecer el orden, agradezca la medida adoptada por el Gobierno Federal". El verdugo extiende la mano para que se la besen, y De las Fuentes Rodríguez, que será gobernador de Coahuila, se embriaga con su fantasía servil:

> ¡Señor rector Barros Sierra, qué afortunado es usted, qué feliz momento le ha tocado vivir! Debe de estar usted orgulloso del auxilio que se le ha dado para el rescate de las propiedades universitarias de la institución descentralizada del Estado, para

> el efecto de que ahora sí le dé usted el destino para el que fueron construidos.
>
> Tome usted mis palabras como una felicitación de un exrector de una universidad tan querida y respetable como la que usted dirige, la Universidad de Coahuila...

No se trata de casos límite de cinismo, ni de simple tontería revistada de sorna, sino de limitaciones expresivas profundas, que nada más permiten el idioma del agradecimiento. La carrera de Farías y Rodríguez, y la del resto de los diputados priístas, sólo depende de los "favores del cielo". Al carecer de sustentación propia, el agradecimiento sin condiciones es su técnica para sentirse plenamente vivos, y son a la vez muy astutos y auténticos cuando le abren a Barros Sierra el camino del alborozo de rodillas.

Se renuevan las tradiciones de la abyección. Si las Fuerzas Vivas se desbordan es por sentir en riesgo el gran fundamento de su lealtad: el carácter sacro del régimen (en el sentido literal). Por eso el licenciado Jorge Rubén Huerta Pérez se exaspera y solicita agregados al generoso artículo 145 del Código Penal Federal, sobre el delito de disolución social:

> Queda sin reprimirse el tipo de propaganda para desprestigiar, ridiculizar o destruir las instituciones fundamentales de nuestro país, pretendiendo su derogación por medios contrarios a los previstas en las disposiciones constitucionales.
>
> Quedan además impunes los hechos de injuriar o calumniar públicamente las autoridades del país, con el objeto de atraer sobre ellas el odio, el desprecio o el ridículo (*Excélsior*, 7 de septiembre).

La fragilidad de los profesionistas y los burócratas inermes y fascinados ante el paternalismo, acelera su indignidad. Los "adultos" le tienen miedo a lo desconocido, el mundo sin jerarquías públicas y jerarquías interiorizadas. Y Díaz Ordaz obtiene un apoyo vigoroso de las formaciones del temor.

Un Estado fuerte sin contrapesos ni soporta ni concibe objeciones o críticas. Díaz Ordaz cree en los reportes de sus cortesanos, y éstos procuran no defraudar en lo mínimo sus expectativas. La unanimidad es la razón de ser de la clase política (y en el 68, por "clase política" sólo se entiende al PRI), y un episodio lo ilustra a la perfección. En la Cámara de Diputados, Guillermo Morfín, de Michoacán, un tanto a tropezones, llega a la tribuna a disentir:

> Quiero dejar asentada mi opinión de que es preciso que salga el ejército Nacional de Ciudad Universitaria. No lo exijo, lo pido respetuosamente; lo pide un joven diputado federal universitario, que probablemente se equivoca, pero que se negaría a sí mismo si no lo hiciera como lo está haciendo.
>
> No concuerdo con el diputado Octavio Hernández respecto de su dicho del rector de la Universidad. Estoy de acuerdo con la conducta observada por el rector, a quien sin conocer personalmente, le entrego mis respetos.

Aplausos y vítores para el héroe por un día. Pero las presiones moldean los espíritus, el Aparato interviene y veinticuatro horas más tarde Morfín matiza o se rinde, como se quiera: "Las expresiones de admiración y respeto para el rector sólo pueden ser válidas si muestra capacidad y aptitud para resolver los problemas de su jurisdicción y controlar la situación".

20 de septiembre: La respuesta liberal

Se publica un pronunciamiento del doctor Mario de la Cueva, exrector de la UNAM, exdirector de la Facultad de Derecho:

> Como universitario y como profesor de la Facultad de Derecho, formulo la más enérgica protesta por este acto que no tiene precedente en nuestra vida institucional. Solicito a fin de regresar a un régimen de legalidad, la inmediata desocupación de los edificios y su entrega a las autoridades legítimas de la Universidad, así como la libertad de los profesores y estudiantes que han sido detenidos por el ejército y la policía.
>
> La inquietud de la juventud, que no es un fenómeno exclusivo de nuestro país, tiene su origen en las desigualdades sociales que existen, lo mismo en México que en América y el Viejo Continente, y en la miseria de grandes núcleos de población.
>
> El camino para la solución de los problemas no puede ser la violencia, sino la reforma de las estructuras sociales y econó-

> micas, que asegure a todos los hombres una vida mejor (*Excélsior*, 20 de septiembre).

El tono del escrito es parco, alejado de todo afán protagónico. Entonces, los roles de los personajes públicos están severamente delimitados, y Mario de la Cueva rehuye el que se le adjudica: callar o "apoyar a las instituciones". En vez de eso, elige la defensa de la UNAM, para él bastión del conocimiento en un medio anti-intelectual. Pero las posturas admirables sólo se le facilitan a unos cuantos académicos, resguardados por su prestigio o independizados de la burocracia y sus vínculos. Al resto lo inmoviliza el pánico laboral.

El comunicado del rector es escueto. Para Barros Sierra la ocupación militar de Ciudad Universitaria es un acto de fuerza que la UNAM no merecía, y la atención y solución de los problemas de los jóvenes requieren comprensión antes que violencia.

El 20 de septiembre, en la Cámara de Diputados, el PAN solicita el retiro inmediato del ejército de la Ciudad Universitaria. El diputado priísta Octavio A. Hernández ataca a Barros Sierra:

> Empezó en ese momento el fincar la responsabilidad de los órganos conductores de la Universidad, concretamente de su órgano ejecutivo el señor rector. El señor rector inició una política —tal vez no le deba llamar yo así para no dar confusión a los conceptos y a los términos—, sino una conducta que, por lo que hace a su pasividad, tiene a mi modo de ver, mucho de criminal, y por lo que hace a sus actos, muchos matices de delirio.

El 21 de septiembre, la diputación priísta se solidariza con la agresión del diputado Luis Farías a Barros Sierra, al que juzga "impotente para resolver problemas internos de la Casa de Estudios".

El aparato político: La incredulidad

En las respuestas al Movimiento Estudiantil se marca una insistencia: ¿cómo es posible retar, criticar al Sistema desde posiciones miméticas y extranjerizantes? Se repiten, afirman la prensa y el sector oficial, los esquemas de la Revolución parisina de Mayo o se aceptan las consignas de Moscú y La Habana. No son originales, delito blasfemo en el país que posee la Revolución más original del mundo y, además, son contrabandistas de ideas y consignas, atentan contra nuestra economía de autoconsumo cultural. Y, según sus detractores, la extrapolación malinchista de consignas de países altamente industrializados y las acciones casi insurreccionales vuelven a los del 68 simples traidores a la Patria. El sentido de la argumentación es inequívoco: a la Patria sólo se le defiende desde arriba y previa licencia de la autoridad.

En 1968, el PRI es, según dice, no partido de clase sino de clases. Todos —empresarios o labriegos— pueden pertenecer a él, si creen en México. Esto es un tanto amplio, y en la práctica el único requisito para pertenecer al PRI es aceptar que así nunca se vaya a una casilla electoral, siempre se vota por él. Que nadie se escape de lazo tan indisoluble, de esta segunda acta de nacimiento. Eso explica —además de la prontitud en la lealtad y los dispositivos para el linchamiento moral— la reacción de los políticos ante la renuncia a la mexicanidad (en su versión de la Unidad Nacional) del Movimiento. La izquierda oficial mana dicterios: "Lo ocurrido no tiene nada que ver con una lucha ideológica. No se dirimen cuestiones filosóficas o políticas" (Vicente Lombardo Toledano). Artífices de la intimidación que nadie oye o lee, los políticos se extenúan en sus ensoñaciones apocalípticas. El que le falta el respeto a las Altas Investiduras, los desprecia simbólica y personalmente a ellos, a su estolidez y buen humor en antesalas y puestos menores y magnas concentraciones y manos ávidas que se le ofrecen a manos desdeñosas y rostros de adhesión lanzadas al encuentro de quien nunca los contempla. El político priísta, habituado a que sus grandes ideas lleven extrañamente el nombre del Presidente en turno, ve en el Movimiento no sólo al emisario del caos sino al signo ominoso que le augura ruina a sus dos formaciones totémicas: la Historia y el Poder.

En el apogeo del Sistema, los priístas no entienden cómo los estudiantes —sin demasiada teoría de por medio— se atreven a señalar la postración política del país. Y los priístas no captan cómo su estrategia deja de serle atractiva precisamente al sector de donde salen los relevos. Si el Sistema ya no atrae a todos, comenzará su fin. No se admiten excepciones.

23 de septiembre: La renuncia del rector

El ingeniero Javier Barros Sierra presenta su renuncia a la Junta de Gobierno de la UNAM: "Sin necesidad de profundizar en la ciencia jurídica, es obvio que la autonomía ha sido violada, por habérsenos impedido realizar, al menos en parte, las funciones esenciales de la Universidad [...]. Me parece importante añadir que, de las ocupaciones militares de nuestros edificios y terrenos, no recibí notificación alguna, ni antes ni después de que se efectuaron [...]. Los problemas de los jóvenes sólo pueden resolverse por la vía de la educación, jamás por la fuerza, la violencia o la corrupción [...]. Estoy siendo objeto de toda una campaña de ataques personales, de calumnias, de injurias y de difamación. Es bien cierto que hasta hoy procede de gentes menores, sin autoridad moral; pero en México todos sabemos a qué dictados obedecen. La conclusión inescapable es que, quienes no entienden el conflicto ni han logrado solucionarlo, decidieron a toda costa señalar supuestos culpables de lo que pasa, y entre ellos me han escogido a mí."

Hoy es imposible reconstruir el impacto de este texto, la forma en que la sociedad cerrada descubre un respiradero en el ejercicio de un concepto arrinconado: la autoridad moral. ¿Quién la tiene en esos meses? Los que se oponen, de la forma que sea, a la represión y sus riesgos: golpizas, cárceles, calumnias, ceses fulminantes, hostigamientos laborales, riesgos mortales, fin de la carrera política o administrativa. En 1968 se sabe, de modo a la vez difuso y agudo, que casi ningún integrante del gobierno (desde luego, ningún miembro del PRI o del Poder Judicial), dispone de autoridad moral, es decir de la credibilidad pública que identifica a las palabras con la acción consecuente. Y Barros Sierra es, en 1968, el mexicano al que se le concede mayor autoridad moral.

25 de septiembre: La comunidad universitaria

Del inagotable Oscar Wilde : "Uno puede vivir por años sin vivir verdaderamente, y de pronto toda la vida se agolpa multitudinariamente en una sola hora." ...Si tarda tanto en asimilarse la intensidad del 68, es porque concentra en unas cuantas semanas la vida pospuesta de las personas y las colectividades. Y nunca es tan nítida la condición de comunidades imaginarias de los centros de educación superior. Antes del 68, la comunidad universitaria, o la politécnica, o la normalista, se materializan en momentos de turbulencia y luego se apagan o disuelven, pero en 1968 son fuerzas muy visibles en asambleas, manifiestos, marchas, discusiones. En la UNAM, la oposición a la renuncia del rector es unánime, y en todo el país hay actos y documentos de apoyo a Barros Sierra.

Sólo los priístas y las organizaciones empresariales, fieles a sus respectivas tradiciones, nunca caracterizadas por su generosidad, se obstinan en el improperio. El líder priísta en la Cámara de Diputados, José de las Fuentes Rodríguez, se excede en su astucia: "Estudiaré más detenidamente el texto de la renuncia, pero al enemigo que huye, puente de plata; hay que dejarlo ir." Si esto es cierto, toda la burguesía mexicana, antes de serlo, se ha enemistado a fondo con el PRI. Y el tremolante y trigarante diputado Octavio A. Hernández, va a fondo: "Aunque no conozco completamente el texto de la renuncia del rector, sigo considerando que es, aunque tardío, un gesto de dignidad. Lamento, sin embargo, que siga insistiendo en un concepto erróneo: el de que se violó la autonomía universitaria, lo cual es totalmente falso, como se ha demostrado jurídicamente." El exlocutor y diputado Luis M. Farías se supera a sí mismo, hazaña homérica si alguna: "Es una pena que el señor ingeniero Barros Sierra haya presentado su renuncia sin hacer un intento serio por resolver el problema creado en la Universidad." Y Fidel Velázquez, líder histórico de la CTM, es conciso: "El desalojo de los estudiantes de la Ciudad Universitaria, fue una medida saludable, ya que el máximo centro de estudios recobró con esa medida su carácter de centro de enseñanza y dejó de ser un centro de agitación." ...Honor a quien honor merece. Los panistas, en tono tranquilo, son muy dignos. El jefe de la minoría panista en la Cámara, Manuel González Hinojosa, ve a la renuncia lamentable e inevitable, porque han presionado para ello "la intromisión de las fuerzas políticas gubernamentales contra la autonomía universitaria".

Lo temible de las declaraciones de exterminio verbal es su complemento: las acciones directas del gangsterismo gubernamental (busco una expresión menos categórica, pero las que consigo son bastante menos descriptivas). Se ametrallan escuelas, los granaderos provocan con absoluta deliberación, a los mítines relámpago se contesta con despliegue policiaco. Y el ubicuo juez Primero de Distrito en Materia Penal, Eduardo Ferrer MacGregor, resulta de nuevo la disolución ética del Poder Judicial. Evoco la primera (y única) vez que lo vi: en 1959, en la comparecencia de los presos ferrocarrileros, observando con inquina y desprecio a Demetrio Vallejo, que declara. Fue también el juez que sentenció a Siqueiros y Filomeno Mata, y será la figura en 1968 y 1969. Álvarez Garín lo recuerda en estos procesos, inhibido, atemorizado. Físicamente tal vez, en lo tocante a la severidad de las sentencias Ferrer MacGregor será el titán diazordacista que escucha con frialdad a Manuel Marcué ("Mi aprehensión se debe a una represalia, por dirigir la revista *Política*, en la que ataqué al gobierno"); a Eli de Gortari ("Exijo que se cumpla la fracción III del artículo 20 constitucional, que impone la obligación de decir los nombres de quienes acusan, los cargos concretos y el texto de las acusaciones. De no hacerse lo que pido, me niego a declarar"), y al licenciado Armando Castillejos ("Ustedes que están aquí para ver a sus parientes o a sus amigos, deben informar a todo el pueblo, que aquí nos encontramos decenas de víctimas que hemos sido vejadas, acusadas de pandillerismo y de otros delitos bochornosos e indignantes. Llevamos siete días de sufrir esas vejaciones y golpes...").

Es una lástima no haber visto a don Eduardo Ferrer MacGregor en 1983, cuando se entera de la acusación de un juez de Mazatlán, que lo señala como el emisario de un narcotraficante decidido a comprar su libertad.

25 de septiembre: "¿Qué les hizo, señor?, dígamelo"

En la colonia Lindavista, el velorio de Lorenzo Ríos Ojeda, de 20 años de edad, alumno del primer año de Biología en el IPN, asesinado por un policía en la madrugada de antier, mientras hacía una pinta a favor del Movimiento. Hay un gentío en la calle, compañeros del muerto, familiares, vecinos. La madre, aturdida, le habla a sus vecinos mientras los dos o tres periodistas presentes escriben y graban (nada sale en los periódicos al día siguiente):

> —Yo ya no entiendo nada, se los juro. Este muchacho no le hacía daño a nadie, era buen hijo, buen estudiante, muy callado, pacífico. Sí, sí creía en el movimiento estudiantil como todos sus amigos del Poli, y eso desde que empezó la huelga. Había que oírlo, nos contaba por horas de sus asambleas y sus brigadas y las pintas. Así lo recuerdo, entusiasmado. Fíjense, es la única imagen de él que retengo, como que las otras ahorita las tengo borradas. [...] El domingo nos avisó que no cenaría con nosotros, que llegaría tarde. No era la primera vez que se iba a hacer pintas, ya hace unas semanas utilizó todas las bardas li-

bres de la colonia para invitar a la manifestación. Y el domingo se fue muy confiado, alegre.

Un amigo suyo me contó todo; Lencho pintaba en la pared una frase, "Únete pueblo", y un policía le gritó que se detuviera, y sin decir más, sin aguardar respuesta le disparó. Cuando llegó la ambulancia, mi hijo ya estaba muerto. Fui a reconocer el cuerpo y allí unos agentes me regañaron, fíjense nomás, me salieron esos señores que a Lorenzo le había sucedido esta desgracia por andar de agitador, que yo debí imponerme para no dejarlo salir de la casa. Me ofendieron tanto que les menté la madre. Y además, ¿qué iba yo a hacer? Ni modo de tenerlo encerrado. Y su causa era justa.

Sale el cortejo rumbo al Panteón Civil de Dolores. A la cabeza la madre levanta el brazo con la V de la Victoria. Una escena clásica, sin duda. Hay llanto y aplausos.

Posdata del *Diario de Lecumberri* de José Revueltas (*Las evocaciones requeridas*, tomo III, Ediciones Era, 1987):

> El patrullero Martínez. Asesino del estudiante que pintaba letreros en las paredes, por la colonia del Valle. Trabajó en el Anfiteatro del Centro Médico (donde su esposa es enfermera). Le encargaron el trabajo de "abrir" cadáveres ya autopsiados, a los que debió rellenar de papel periódico para que no perdieran la forma. Por las noches —me cuenta—, palpaba el vientre de su mujer atónito, incrédulo.

El IPN y sus reservas de energía

El Instituto Politécnico Nacional es fruto de un proyecto del Presidente Lázaro Cárdenas, de un centro de enseñanza superior para hijos de trabajadores. Pocos años más tarde, el IPN es el sitio idóneo para los alejados de los beneficios verdaderos de la Revolución Mexicana, un espacio del relegamiento educativo donde, pese a todo, se forman profesionistas de valía. Esto, muy a pesar del gobierno que, en 1942 —señala David Vega en *Pensar el 68* de Raúl Álvarez Garín y Gilberto Guevara (Cal y Arena, 1988)—, hace estallar "un gran movimiento precisamente porque se negaba al IPN la calidad de institución [...]. Eso dio lugar a una acción de defensa: el 6 de marzo, a las 18:30 horas, una manifestación de estudiantes que demandaban la legalización del Politécnico fue agredida por granaderos y bomberos en la esquina de Palma y Madero. Hubo muertos y heridos. Cabe aclarar que ya en esa época el núcleo de la organización estudiantil se encontraba en el Internado" (un servicio asistencial para estudiantes de provincia, en lo fundamental).

En los años cincuenta, el gran escollo de las administraciones del IPN es la fama izquierdista y "populista" del alumnado. Y en 1956, el director general del Poli, ingeniero Alejo Peralta, obtiene del Presidente Adolfo Ruiz Cortines el permiso para su "operación quirúrgica", que extirpará al grupo de izquierda (los "iguanos"), so pretexto de expulsar a los "gaviotas", jóvenes errabundos que, con tal de no ser *homeless*, se refugian en el Internado. El 23 de septiembre el ejército ocupa el Internado, la Escuela Nacional de Ciencias Biológicas y otros edificios. Hay heridos, intentos de cantar el Himno Nacional (ese preámbulo de las golpizas en la Era del PRI), y es enviado a la cárcel por varios años el líder estudiantil Nicandro Mendoza. El Internado se clausura.

¿Quién protesta y cuántos se asombran? En la UNAM se pegan volantes con las fotos de los detenidos, algunos se enteran, y de ellos un porcentaje menor se preocupa. Pero el ingeniero Peralta es un empresario conocido, y don Adolfo Ruiz Cortines es un clásico de la política escurridiza. El Estado es omnipotente, y ante su majestad trituradora conviene refugiarse en la indiferencia o en la despolitización, que para el caso dan lo mismo. Y además, en una sociedad clasista (término preglobalizado), la limitación más seria del Poli es la abundancia de hijos de campesinos, de obreros, de artesanos y de burócratas menores. ¿Así como quiere una institución asomarse al prestigio académico, monopolizado por la UNAM? Y los lectores de periódicos —en ese momento el todo de la opinión pública— se enteran por las fotos de ese acontecimiento tan "pintoresco", el desalojo.

1968: El ingreso de los politécnicos al protagonismo

De 1956 a 1968, apenas se perciben desde fuera las luchas estudiantiles en el IPN, los intentos de eliminar la mediatización y el control férreo de los caciques y sus porros. Algo, con todo, se le permite a los politécnicos: los tumultos al final de los juegos de futbol americano entre los equipos de la UNAM y el IPN, esas "noches libres" del saqueo modesto de comida y refrescos, los vidrios rotos, los autobuses secuestrados y las pedrizas con la policía. Eso, entre unas cuantas detenciones, se minimiza: son alborotadores sin contexto político. Pero el desarrollo académico quebranta los esquemas feudales de control, y en 1967, en el Congreso de Escuelas Tecnológicas en León, la FNET (Federación Nacional de Estudiantes Técnicos), un membrete al servicio de las autoridades, se debilita al extremo. (El membrete sí, pero el control no, porque hasta hoy persiste.)

"A la cachi, cachiporra, porra"

En las asambleas del Politécnico, las atmósferas difieren considerablemente de las universitarias en cuanto a exhibición de pasiones, aprendizaje más severo del habla asambleísta, dureza en los pronunciamientos, resistencia sobrehumana a las horas-asamblea. No se percibe en el Poli el vaho de las modas culturales, ni la ironía de los lectores de novelas seguros de ser en esas semanas autores y lectores de un relato portentoso. Tampoco abundan las jóvenes intensas que en Ciencias, Filosofía y Ciencias Políticas marcan el cambio de actitudes de las mujeres. Los distingos son tan obvios que no hace falta decirlos, como se hubiese comentado en el 68. En la UNAM se estudia para triunfar; en el Politécnico para salvar a la familia y salvarse uno mismo de la probada vocación de fracaso. (Y la excepción tardía de un estudiante de Vocacional en 1968, Ernesto Zedillo, no hace verano.)

Escuelas tomadas, escuelas ametralladas, vendetas, sacudimientos craneanos, encarcelamientos... Y a eso añádanse las debilidades patentes de sus funcionarios. El doctor Massieu se apresta para encabezar la marcha de protesta del 5 de agosto y luego se hace a un lado, no sin exigencias: "Será necesario evitar todas aquellas expresiones que no tengan relación directa con las peticiones del estudiantado politécnico y todas aquellas intervenciones que sean ajenas o perjudiciales a los intereses del Instituto y, por supuesto, de la nación. El programa detallado del acto tendría que ser conocido y discutido de antemano con las autoridades del Instituto."

En su "canto del cisne", Cebreros, regente del membrete de la FNET, da el 6 de agosto una conferencia de prensa donde denuncia al Comité Coordinador de Huelga del IPN, que "incita a los estudiantes a quemar autobuses y causar daños a particulares, pues está infiltrado por agentes de la CIA y del comunismo internacional". La FNET agota sus bríos, e igual le sucede al melodramático director. El 9 de agosto, Massieu le pide a los estudiantes que adopten el lema "Manos fuera del Politécnico", y se despacha con su postrer intimidación: "Todavía es tiempo de que ustedes reaccionen; si no quieren ver al Instituto dentro de un estado de caos que no favorezca ni al Instituto ni a la nación, deben alinearse con el politecnicismo [...] La institución está por encima, inclusive, de los hombres que la dirigen". Pues sí que está muy alta la institución.

El politecnicismo no responde, tal vez por ahogarse en su complejidad onomástica, y se adueñan del escenario los radicales, de formación vagamente marxista, valientes, sectarios, imaginativos, aferrados a la disciplina autoimpuesta. Se integran al CNH, y son consecuentes y combativos (para usar adjetivos de la época). Sin embargo, es mínimo su papel en las evocaciones, pese a ser sin duda alguna los más reprimidos. Una hipótesis al respecto: la Historia también la escriben los vencidos con hábito de escritura, y esto explica el registro tan menor de un espíritu épico tan demostrable. Otras causas complementarias: el mayor protagonismo de los universitarios; la presencia del rector Barros Sierra; el interés compulsivo de los medios informativos en la UNAM; la falta de "relevancia social" del Politécnico. Pero sin la intrepidez de los del Poli, el tono confrontacional del 68 hubiese sido distinto, menos vibrante sin duda.

"Varios compañeros estaban dispuestos a quedarse ahí"

Con los activistas del Politécnico, igual que con muchísimos de los brigadistas, la mentalidad militante alcanza su clímax. Muchos usan la causa para redefinir a fondo la conducta (y en los grandes retrocesos de la causa, parecen suspendidos en el vacío); hay episodios de tozudez y arrojo. Véase el testimonio elocuente de Jaime García Reyes:

> Cuando el bazucazo y la toma de la Prepa Uno, nosotros estábamos en la Vocacional 7. Sabíamos que habían tomado la Vocacional 5 y que venía un camión del ejército. Se discutió mucho si ofreceríamos resistencia al ejército, incluso nos intentamos parapetar, amarramos cadenas, pusimos mesabancos y varios compañeros estaban dispuestos a quedarse ahí agarrados de la

mano para impedir que el ejército tomara la escuela. Sin embargo, al oír las noticias de lo que estaba sucediendo, y ver llegar las tanquetas decidimos correr.

Hay un 68 por descubrir, lejos de los manifiestos y de las posiciones críticas, un 68 de estricta resistencia política, del "Ya basta" organizado por nadie y por todos al mismo tiempo. ¿Qué juicio merece en retrospectiva este conjunto de acciones? Son sin duda medidas de la desesperación y conducen al límite el proceso, pero los estudiantes no asesinan a nadie. También gran parte de los estímulos de la resistencia politécnica provienen de la ciudad tensa y frenética, de la energía de generaciones aplazada o extirpada que, como puede, se acerca al espíritu de justicia. Al respecto, aún me intriga por qué el gobierno no destacó ni en rigor advirtió el impulso de la insurgencia popular. ¿Y por qué la prensa disminuyó la gravedad de los incidentes? ¿Cuál fue la estrategia gubernamental? Lo más probable, aunque jamás nos acercaremos a lo seguro, depende del miedo gubernamental a que, afuera y adentro, se divulgara la idea de una rebelión urbana incontrolable.

García Reyes, un narrador muy convincente, traza el vértigo de esos días:

> Así, al llegar el sábado 21 de septiembre supimos que otra vez venían los granaderos. Nos preparamos desde la mañana para enfrentarlos. Considerábamos que la represión no tenía posibilidades si era a través del enfrentamiento. Ese sábado nos dedicamos a preparar un enfrentamiento con los granaderos, a provocarlos para que se acercaran. En la Vocacional 7 confeccionamos bombas molotovs y las fuimos subiendo a los techos de Tlatelolco. Un espectáculo padrísimo fue ver a los niños de Tlatelolco, con cucharas, escarbando y sacando piedras, porque Tlatelolco estaba empedrado, y subían enormes cantidades de piedras a los edificios. Quemamos trolebuses, quemamos patrullas, quemamos un jeep de Tránsito, interrumpimos el tráfico por San Juan de Letrán; eso fue durante todo el día, mientras los granaderos en ese momento estaban muy ocupados enfrentado a los estudiantes en Zacatenco. Concurrieron a Tlatelolco estudiantes de prácticamente todas las escuelas. Decíamos: "en Zacatenco nos están golpeando, vamos a provocar situaciones para que vengan por nosotros que sí estamos preparados para enfrentarlos". Como no venían nos fuimos al Pa-

seo de la Reforma, en el cruce de Insurgentes; rompimos los semáforos para interrumpir el tráfico. Cerca de las cinco de la tarde pensábamos ya que no iban a llegar y los de otras escuelas se empezaron a retirar, pero como a las seis y media llegaron los granaderos y se inició ahí una de las batallas más temibles que hayamos tenido contra ellos, y con un saldo positivo para nosotros. Los granaderos concentraron su ataque sobre la Vocacional 7, cuando nosotros ya habíamos salido a los alrededores o a los edificios. En la Vocacional se habían quedado aproximadamente dos personas, pero esa noche los granaderos no entraron a la Vocacional, porque nos habíamos parapetado en los edificios y cuando llegaron los atacamos por todos lados. La gente de Tlatelolco descubrió que los boilers automáticos, que en aquella época eran una novedad, permitían tener agua muy caliente. Cuando se acercaban los granaderos, les echábamos baldes de agua caliente. Nosotros utilizábamos las piedras y las bombas molotov, y mientras ellos agotaban sus gases lacrimógenos contra la Vocacional, algunos muchachos les tiraban piedras con hondas. Los granaderos contestaron también con piedras. Los teníamos acorralados.

La lucha se extendió hacia Peralvillo, la Exhipódromo y Tepito. En la Exhipódromo de Peralvillo les aventaban llantas encendidas. La lucha, más o menos con ese grado de intensidad, se mantuvo de las siete a las doce de la noche. [...] Los granaderos se vieron imposibilitados totalmente y se suscitó un incidente grave. Un militar que andaba de civil, de apellido Urquiza, intentó llegar a su casa en Tlatelolco, y vio que unos granaderos golpeaban a su madre. El tipo sacó su pistola y mató a dos granaderos.

A las doce de la noche no había un solo detenido, los granaderos habían agotado sus provisiones de armas, habían muerto dos de ellos, y se pusieron a disparar, a mí me consta. Vi granaderos disparando con pistola. Cuando ya estaban totalmente derrotados, llegó el ejército y nosotros, como si no hubiera pasado nada, nos bajamos a dialogar con un general que encabezaba el batallón ese.

Tradición y modernidad en las marchas

El Movimiento —la hipótesis es sustentable— es muy superior a sus proclamas y a su discurso, y el eje de su modernidad son las brigadas que al encender a la ciudad políticamente muerta, le dan forma original a lo que hubiese sido la protesta estratificada en asambleas y marchas. Recuérdense las consignas: "Obrero, tu causa es la nuestra. / Las soluciones no se improvisan, se piensan. / Ninguna autoridad se justifica imponiendo el orden si provoca el desorden. / Ya es tiempo de que estudiantes y pueblo marchen juntos hasta la victoria. / Los profesores reprobamos al gobierno por su política de terror. / Pueblo, si amas la verdad no esperes encontrarla en la prensa. / Basta ya de líderes charros. / Los verdaderos agitadores son: el hambre, la ignorancia y la injusticia." El candor es inocultable, y es lento el aprendizaje del habla política que exprese la singularidad del Movimiento. Sólo algunas pancartas le conceden espacio a la actitud nueva: "Respeto a la Constitución. / ¿Dónde estás, Miguel Hidalgo, ya deja el curato y acompáñanos. / Granadero: no reprimas. Piensa en la vergüenza de tus familiares."

En las parodias de corridos o canciones célebres, también se dejan ver los cambios. El humor masificado rompe con la leve tradición de sarcasmo de la izquierda, sin que los resultados sean muy notables:

> Año del 68, muy presente tengo yo,
> En un cuarto de Los Pinos,
> Díaz Ordaz se desbieló,
> Díaz Ordaz se desbieló.
> (Con la música del "Corrido de Rosita Alvírez")

La mayor ventaja de los discursos es, históricamente, el hecho de que muy pocos los escuchan. (Siempre he creído intencional lo defectuoso de los sistemas de sonido. Es la coartada perfecta para lo inaudible de las intervenciones burocráticas o incendiarias.) Sólo en parte el Movimiento es una excepción. Es tal la ansiedad de politizarse que muchísimos oyen en su integridad los alegatos, y éste es el mejor, más impracticable homenaje a la práctica discursiva. Las de entonces son por lo común parrafadas extraídas del repertorio de otras épocas, cuando se adoctrinaba a ese pueblo que por algún motivo incomprensible rehuía la oportunidad de politizarse. En los mítines no se reproduce el habla de asamblea (directa, repetitiva, airada, urgente), sino, más bien, se le da salida al poeta, el educador, el teórico instantáneo, el dirigente histórico, el profeta apocalíptico que cada orador lleva adentro. ¡Oh dioses! Se eligen, Ramón Ramírez mediante, algunas muestras:

—La vieja Preparatoria Nacional, cuyos respetables y sólidos muros y puertas habían resistido todas las convulsiones sociales de nuestra vida independiente, tuvieron esta vez que ceder ante la violencia de las fuerzas de choque del ejército.

—México es algo más que los discursos de los demagogos. ¡México es un país con 20 de hambrientos y 10 millones de analfabetas, un país en el que sólo una camarilla que está en el poder impone su verdad y su ley! Y a esto es a lo que las autoridades llaman Revolución Mexicana.

—Nos fortalecemos día a día, porque el problema estudiantil lo hemos sabido enmarcar en el pueblo, por lo que es ahora de lucha social.

No se objeta el sentido de tales pronunciamientos. Se reitera lo obvio: la modernidad del Movimiento radica en la actitud, no en el discurso, así por el impulso adquirido haya momentos memorables extraídos del palabrerío.

Algunas imágenes acumuladas

23 de agosto. En la Plaza del Estudiante, frente al Reclusorio del Carmen, estudiantes muy jóvenes reclaman la libertad de Guillermo Domínguez Viveros, el policía detenido ayer cuando, rodeado de su esposa y sus hijos, demandaba la moralización de la policía. Oigo a una joven, estudiante de Ciencias Políticas, que elogia a Domínguez Viveros, y le pone de ejemplo: "Estos son los policías que necesitamos, no los verdugos del pueblo." Luego, un estudiante de Leyes recita parte de algún curso, explica el pliego petitorio y exclama: "No queremos más cárceles sino más escuelas." Se ha organizado un relevo de brigadistas para prolongar el mitin. Los curiosos se intrigan: Estudiantes que demandan la libertad de un policía, ¿adónde iremos a parar?

* * *

Frente a la delegación de policía de Bretaña, un estudiante de Filosofía, de capa española y aspecto calificable de "bohemio", se planta y lanza lo que llama "ponencia didáctica". Los uniformados lo miran. "Amigo azul. Envaina tu furia y concédele el ocio a tu macana. Oye mis palabras y reflexiona. ¿Qué te han hecho los estudiantes, criaturas del saber preocupados por el destino de México? México no es el cuerno de la abundancia que tus jefes te pintan. Es tierra de sangre y lágrimas, es..." (hasta aquí mis notas). Los policías trocan su indiferencia o su recelo en franca admiración y lo aplauden. El joven los exhorta a la "lectura como oficio sagrado" y grita: "¡Viva la amistad entre el estudiantado y la policía digna!" Y algunos de sus escuchas lo corresponden con un "¡Viva!", que entrevera sorna y adhesión.

* * *

Los domingos en la explanada de Rectoría, la Asamblea de Intelectuales organiza lecturas de poesía que se combinan con piezas de guitarra y canciones. Un grupo pequeño y decidido los escucha, interesado en el experimento. No se lee poesía "comprometida", sino lo que cada uno decide. Hoy recién ha terminado Gabriel Zaid y se dispone a leer Óscar Oliva. La atmósfera es tranquila, al filo de lo apacible. Alguien, previsiblemente, comenta: "Es el ojo de la tormenta".

* * *

No se recuerda en los sectores de clase media un frenesí organizativo comparable al de 68. La comunidad universitaria existe o resucita, y se reúnen y se manifiestan médicos, ingenieros, odontólogos, químicos, científicos, economistas, arquitectos, veterinarios, contadores. En el Politécnico sucede lo mismo. Apoyar al Movimiento certifica, a los ojos de quienes lo hacen, su calidad moral, su libertad de conciencia. Es desbordante la felicidad cívica (¿cómo describirla de otro modo?) prevaleciente en las semanas anteriores al 2 de octubre. Se entreveran el relajo y el compromiso político, la libertad personal y la disciplina de contingente y brigada asumida voluntaria y voluntariosamente. Como suele suceder, no hay crónica o nostalgia que le haga justicia al Movimiento en su auge. Es el preestreno de la ciudadanía y el debut —casi formal— de los espacios liberados de la tutela del gobierno. Esto es, *stricto sensu*, el 68: las sensaciones de libertad multitudinaria, la mirada que no alcanza a ver el final de la marcha, el desmadre politizable, el sectarismo acrecentado por la represión, la experiencia generacional que se disfruta con plenitud y se asimila a lo largo de los años. El 2 de octubre es el asesinato del 68, no su expresión simbólica.

* * *

Septiembre. Ceremonia de los Juegos Deportivos de las universidades latinoamericanas en el estadio de C.U. Asisten autoridades de Educación Pública y del gobierno de la ciudad. Es el turno de la delegación de la UNAM. Los funcionarios se aburren satisfechos. La delegación pasa y la inmensa mayoría de sus integrantes levanta la mano con la V de la Victoria, la seña adoptada del Movimiento. Grandes aplausos, desconciertos, promesas de ceses, retirada furiosa de las autoridades.

* * *

11 de septiembre. A Topilejo, pueblo del D.F., lo afama tristemente la matanza de partidarios de José Vasconcelos en 1930. Desde hace días, a Topilejo se le considera el gran ejemplo del despertar popular. En la plaza se reúnen topilejeños y campesinos de poblados cercanos. Lo que ha pasado todavía los estremece. Por la irresponsabilidad de un chofer y las pésimas condiciones de los autobuses, el 8 de septiembre se estrella un camión de la línea México-Xochimilco. Diez muertos y treinta lesionados. El mismo día, las mujeres de Topilejo organizan el secuestro de autobuses para obligar al pago de indemnizaciones.

Del luto se va en Topilejo a la rebelión. Se desconoce al comisario ejidal, se apoya a los estudiantes, se reciben de ellos apoyo jurídico y víveres. ¡Larga vida a la amistad eterna entre Topilejo y Ciudad Universitaria! Los vítores, sospechosamente parecidos a los de actos de amistad búlgaro-mexicana, o rumano-nayarita, no dan idea de la efervescencia y el júbilo. "Hasta que se nos hizo conocer al pueblo, sin turismo de por medio", comenta un activista. La emoción es real y la ingenuidad también.

* * *

El 12 de septiembre, a un enjambre de helicópteros se le encomienda la lluvia de volantes el día entero:

> Padre de Familia. Madre de Familia
> Fuerzas oscuras tratan de dividirnos y llevarnos a una lucha fratricida. No permitas que tus hijos vayan a la manifestación de mañana. Se les quiere enfrentar con el ejército. ¡Salva sus vidas! ¡Que no salgan de casa!

15 de septiembre: El Grito en Ciudad Universitaria

En lo político, el Movimiento nunca se consolida como realidad alternativa, ni podría hacerlo. En lo social sí, y todo lo ampliamente que se puede en tan breve tiempo. Durante más de dos meses, la inmersión en asambleas, pintas, brigadas, pegas, debates, marchas, mítines, genera la atmósfera estimulante que distingue a la súbita creación de alternativas. Si un festival de rock de dos días le da vida durante un tiempo a la sombra de la Nación de Avándaro, el Movimiento, sin ese término, crea el sueño de la Nación Alternativa, a la que se pertenece con sólo darle un perfil militante al estado de ánimo, y deslindarse psicológica y políticamente del Sistema. Y en la euforia de la Nación Alternativa, es indispensable inventar rituales.

Un rito cívico muy principal que disputarle a la Nación Oficial es la ceremonia del Grito de Independencia. La noche del 15 de septiembre, Ciudad Universitaria le da rienda suelta a su inexplorada vocación de kermesse, hay confeti y serpentinas y huevos de harina y mascaritas y una vivacidad alumbrada por el choteo y la gana de ver en cualquier pareja la reedición de la Corregidora Josefa Ortiz de Domínguez y el patriota Ignacio Allende. A la hora señalada, el ingeniero Heberto Castillo, de la Coalición de Maestros, toma la Bandera Nacional, pronuncia las frases tremolantes y lanza el "¡Viva México!" que a todos nos parece extremadamente real, en contraste con el cartón piedra de las ceremonias habituales A Heberto lo afaman la cercanía con el general Lázaro Cárdenas, su prestigio gremial, su carácter intrépido. De quienes forman la Coalición de Maestros en apoyo del Movimiento, Heberto es el más conocido, el líder natural, para usar un término muy de su gusto. Es carismático, elogio entonces en desuso, porque llama la atención y obliga a oírlo y a saber de sus acciones. Si otros maestros tienen intervenciones connotadas (Eli de Gortari, Fausto Trejo), Heberto, desde la Noche del Grito, es un protagonista fundamental del 68, el radical ajeno a la izquierda marxista, profundamente nacionalista, de expresión sencilla, de crítica que no excluye a sus compañeros. Díaz Ordaz le dedica un odio insondable. Y la noche del 15 de septiembre el gobierno confirma la teoría del complot: "¡Mírenlos, quieren competir y dar el Grito en la misma ciudad del Presidente de la República. Quieren el poder pero jamás lo tendrán!" En las oficinas de la Presidencia, de la Secretaría de Gobernación, de la PGR y de la Defensa, se traza el mapa de la conjura siniestra, y en Ciudad Universitaria se tramita el sueño de la democracia.

El IPN y la desinformación

En el 68 es de por sí escasa la información disponible, lo que se agrava tratándose de los acontecimientos del Politécnico, variados y dramáticos. Casi nada se sabe en el resto de la ciudad de lo que sucede en el norte, las brigadas que atienden a los golpeados en la Unidad Zacatenco, los gases lacrimógenos, los enfrentamientos con los granaderos, la radicalización de los adolescentes, el apoyo que los politécnicos reciben de los vecinos de Tlatelolco, las renuncias de policías preventivos y granaderos hartos de su trabajo, el papel de las escuelas. Cuenta Jaime García Reyes: "Para el 23 de septiembre, las escuelas se habían convertido para muchos de nosotros en nuestras casas, sobre todo para los que veníamos de provincia. Comíamos y dormíamos. Todo giraba en torno a las escuelas. Llegaban estudiantes a las cafeterías, convertidas en comedores; no sólo los de guardia, todos, y el lumpen y gente que llegaba. Además, provisiones de todos lados. Siempre teníamos comida en abundancia" (en *Pensar el 68*).

Sin la descripción puntual de los hechos en las zonas politécnicas, la historia del 68 resulta inacabada, porque allí la resistencia es efectivamente popular (se involucran vecinos, comerciantes, transeúntes), y diferente en algunos puntos a la de los universitarios. Para empezar, la victimización, el sólo sentirse víctima, es noción menos aguda, y no afecta por ejemplo a los adolescentes enardecidos. Ni a los jóvenes radicalizados. En el Casco de Santo Tomás, en Zacatenco, en las Vocacionales 5 y 7, se toma nota puntual de los asaltos de paramilitares y policías a escuelas, vocacionales, prevocacionales. David Vega explica por qué las escuelas son, para los del Poli, entrañables: "Es el punto que me parece más significativo, la defensa de nuestra institución, nuestra casa, el lugar donde vamos a realizar la posibilidad de nuestra superación".

También la necesidad de no dejarse y la ira acumulada y colectivizada, asumen entre los politécnicos dimensiones antes no registradas entre los estudiantes de la ciudad de México. La desesperación heroica es el factor inesperado.

23 de septiembre: La toma del Casco de Santo Tomás

Entre las seis y las siete de la noche se inicia "la batalla del Casco". El reporte es impresionante. Según los testimonios y los periódicos, cerca de mil quinientos estudiantes en la escuela Wilfrido Massieu, doscientos más en Ciencias Biológicas y trescientos en Medicina. Contra ellos, unos dos mil granaderos. Los politécnicos abren zanjas, derriban postes, bloquean calles con autobuses (que incendian). Disponen de un arsenal de bombas molotov, algunas pistolas, piedras. Los granaderos se disponen a tomar el Casco y los estudiantes, en seguimiento de la nueva tradición levantisca, bloquean las calles con camiones. Se incendian autobuses. Se intensifica la balacera (con mala puntería de ambos lados). El duelo se produce entre gases lacrimógenos y bombas molotov. Con descargas de fusilería, cerca de las doce de la noche los granaderos se apoderan de las escuelas del Casco. Hay más de 350 detenidos, hombres y mujeres golpeados igualitariamente. Medio centenar de heridos, algunos muertos. Se consigna a 39 detenidos por los delitos de invitación a la rebelión, asociación delictuosa, sedición, daño en propiedad ajena, ataques a las vías generales de comunicación, robo y despojo (a casi todos se les libera poco después, sin anunciarlo).

En la madrugada del 24 de septiembre, el ejército ocupa el Casco con quince carros blindados, lanzagranadas y seiscientos efectivos. Un postrer enfrentamiento de máusers contra cohetones. En la Escuela de Medicina, en las planchas de operaciones y disección, hay muertos y heridos. Los testimonios —no reproducidos en la prensa, oídos en los pasillos y las asambleas— dan suficiente idea de la combinación de coraje suicida e irrefrenable miedo súbito. Un muerto se agiganta y se vuelve legión; la posibilidad del arresto se equipara con la muerte. En *Pensar el 68*, Fernando Hernández Zárate se explica:

> En la toma de cualquier plaza, alguien con un altavoz dice: "Ríndanse", o cualquier cosa. Pero en Santo Tomás no hay intento de negociación, el ejército, las fuerzas paramilitares y la policía actúan para el desalojo. No permitieron una rendición. Se trataba de matar, destruir. La resistencia era de vida o muerte. ¿Cómo decir: "Bueno, ahí muere, señores. Nos rendimos. Tomen la plaza." No se podía.

La Unidad Nonoalco-Tlatelolco

No es casual la elección de la Plaza de las Tres Culturas como escenario de los mítines. Se elige por la simpatía probada de los vecinos y, muy especialmente, las vecinas, hacia los estudiantes. El 29 de agosto, por ejemplo, como se detalla en los Partes del día siguiente, se envía a Tlatelolco a un general, dos jefes, 26 oficiales y 320 elementos de tropa en 13 vehículos. Al llegar, el general les ordena a los presentes que se disuelvan y no efectúen el mitin "y por toda respuesta las familias que habitan los edificios contiguos a dicha Plaza, así como estudiantes que se encontraban refugiados en esos edificios, lanzaron insultos y botellas de refresco vacíos sobre el personal de esta Unidad". Se arrojan también piedras.

El general García Barragán da su versión de esta animosidad:

> Los habitantes de Tlatelolco estaban predispuestos contra el Gobierno, en primer lugar por las repetidas veces que terroristas habían ametrallado la Vocacional 7, poniendo en peligro la vida de los habitantes de dicha unidad.
>
> Estos terroristas eran oficiales del Estado Mayor Presidencial, que recibieron entrenamiento para este tipo de actos, concebidos y ordenados por el entonces jefe del Estado Mayor Presidencial.

Díaz Ordaz se dispone a liquidar el enemigo. Le han hecho la guerra, serán arrasados. Al respecto, es curioso observar la indiferencia oficial a los enfrentamientos con los politécnicos, la única revuelta popular de consideración. Para explicar tal minimización, sólo dispongo de una hipótesis: al Presidente le importaban los universitarios muy especialmente porque eran la élite del relevo. Los demás eran *pueblo*, algo que se reprime sin concederle mayor importancia a sus intenciones.

2 de octubre: "No corran compañeros, es una provocación"

El mitin en la Unidad Habitacional Nonoalco-Tlatelolco ocurre al cabo de una etapa de reiteraciones y desgaste del Movimiento. Para los que acuden, parece un acto más: vendedores de la revista *¿Por qué?* y de libros marxistas, niños y señoras que pasean, curiosos, atención intermitente a los discursos, vendedores de dulces y refrescos. Todo entre ruinas prehispánicas, señales del virreinato y ruinas inminentes de la modernidad. Cinco o seis mil asistentes, con el ánimo suficiente para que no se note el desánimo.

El acto transcurre un tanto somnoliento aunque emotivo. Parte de la prensa, los oradores y la dirigencia del CNH están en el lugar que sustituye al templete, el tercer piso del edificio Chihuahua. Se reclama el diálogo, menospreciado por el gobierno que nada más admite la rendición. Se nota un ir y venir de personas "no identificadas" o identificadas como sospechosos, con un pañuelo o un guante blanco en la mano izquierda. Se concentran en escaleras, pasillos y entradas del Chihuahua. A las seis y diez de la tarde, se disparan desde un helicóptero dos luces verdes de bengala. Casi de inmediato, sin otro aviso que el ruiderío de las botas, sin prevenir o intentar un diálogo, entran miles de soldados.

El propósito de la incursión militar, que se desprende de la lógica del estado de sitio, es preciso: si la policía es impotente, que sea el ejército el que arreste a los integrantes del Consejo Nacional de Huelga y acabe con el "foco subversivo" diez días antes del inicio de los Juego Olímpicos. Pero un elemento inesperado radicaliza la operación. Desde el Chihuahua y otros edificios actúan los francotiradores, recibe un balazo en el glúteo el general Hernández Toledo (al día siguiente, declara desde el hospital: "Si querían sangre, con la que yo he derramado es bastante"), y se inicia el tiroteo. Alguien dice desde el micrófono: "No corran, compañeros. Es una provocación".

De acuerdo con el testimonio del general García Barragán, "surgieron francotiradores de la población civil que acribillaron al Ejército y los manifestantes. A éstos se sumaron oficiales del Estado Mayor Presidencial que una semana antes, como lo constatamos después, habían alquilado departamentos de los edificios que circundan a la Plaza de las Tres Culturas y que, de igual manera, dispararon al Ejército que a la Población en general". No hay testimonios de "los francotiradores de la población civil", salvo cinco o seis aventureros que nada significaron con sus pistolitas. Lo otro, lo de la provocación oficial, es avasallador. El fuego es incontenible, con la intervención de ametralladoras y armas de alto poder. Se cierra la Plaza, el Batallón Olimpia detiene a quienes están en el Chihuahua. La gente se tira al suelo, los que pueden huyen, los periodistas se identifican para salvarse, a un fotógrafo un soldado le traspasa la mano con una bayoneta, se llama a gritos a los amigos y los familiares, el llanto se generaliza, la histeria y la agonía se confunden.

Mueren niños, mujeres, jóvenes, ancianos. El grito coral que exhibe la provocación se multiplica: "¡Batallón Olimpia; no disparen!" Los policías y los soldados destruyen puertas y muebles de los departamentos mientras detienen a los jóvenes; a los detenidos en el tercer piso, se les desnuda, maniata y golpea; a dos mil personas se les translada de la Plaza de las Tres Culturas a las cárceles. Queda claro: la provocación no es ajena al plan de aplastamiento, está en su centro.

Disminuye el fuego, al fin cesa (una duración de treinta o cuarenta minutos), y los soldados registran a los detenidos en un costado de la iglesia. Los periodistas notifican de los cadáveres que colman los anfiteatros, y de la angustia de padres y madres de familia. Se otorgan como dádivas las primeras explicaciones. La del general García Barragán es escueta: "Como era sabido durante la tarde [los estudiantes...] realizarían un mitin y una manifestación a Santo Tomás en donde se pediría a las fuerzas del ejército desalojaran el Casco, por lo que se ordenó un dispositivo para evitar que del mitin fueran a este lugar." En beneficio de quienes encuentren absurda esta disculpa, el general agrega: "El ejército intervino en Tlatelolco, a petición de la policía para sofocar un tiroteo entre dos grupos de estudiantes". Y añade conminatorio:

> El comandante responsable soy yo. No se decretará el estado de sitio. México es un país donde la libertad impera y seguirá imperando.
>
> Hay militares y estudiantes muertos y heridos. Si aparecen más brotes de agitación actuaremos en la misma forma.
>
> Los estudiantes heridos están en calidad de detenidos y se les consignará.
>
> Hago un llamado a los padres de familia para que controlen a sus hijos, con el fin de evitarnos la pena de lamentar muertes de ambos lados; creo que los padres van a atender el llamado que les hacemos [...]. No se continuarán este tipo de problemas porque el ejército los va a evitar.

"O los paramos en seco, o friegan las Olimpiadas"

En México se ha vivido bajo el peso de la tradición católica y su medición del tiempo en mártires y santorales y, por lo mismo, el rito del velorio infinito es facilidad casi irresistible. Pero la matanza de Tlatelolco trasciende los rituales y es, en carácter gratuito, la descripción más ácida de la debilidad de un proceso civilizatorio. Tlatelolco no es un acontecimiento aislado, el día en que la barbarie, de improviso, afrentó a los estudiantes y sus aliados voluntarios o circunstanciales; Tlatelolco es, por el contrario, la respuesta lógica de un aparato político crecido y formado en la impunidad, que no ve nada de malo en su pedagogía: "La obediencia con sangre entra".

El activista sorprendido (10 de noviembre de 1968)

—De que sentí miedo, creo que desde ese primer minuto no he sentido otra cosa. ¿Pero qué sentido tenía pensar "Tengo miedo", allí, tirado en la plaza, casi sin atreverme a respirar, pensando en todas las pendejadas posibles, en las que te embarcas para sacarle la vuelta a lo único en lo que quieres pensar, las imágenes vacías que se entrometen para no dar paso a las otras, las muy reales que me llegaban como sonido, nomás como el desmenuzarse de un sonido, altísimo en ruidos y gritos y gemidos y llantos. El 2 de octubre supe lo que era pensar, lo que era pasársela sin traducción simultánea, algo así. Luego cesó el estrépito, y yo no sabía cómo hacer para que el miedo no me arrasara, aunque ya estaba muerto de miedo, y me acordé de reuniones familiares, tardeadas sexuales, lecturas pendientes, promesas incumplidas... y se acababa el repertorio, y de hecho nunca funcionó del todo, así tuviera la vista clavada en el mismo sitio, y volvía el miedo como miedo únicamente, el miedo de que se acabara el miedo y volviera algo peor, el miedo es también saber que no eres nada, tu insignificancia te estremece, una bala sencillita y al carajo, la Plaza de las Tres Culturas es una trampa, ya me lo habían dicho y yo necio, respondiendo con los derechos que otorga la Constitución, hazme favor, yo allí en el piso, agobiado, dándole vueltas al pavor que sentía, como ahogándome en el susto, sin otro civismo que el reconciliarme con la familia. De plano, el miedo no está hecho de palabras, qué va, es una presión física que te cambia el cuerpo, te lo enreda y desenreda, es tu segunda piel o tu segunda madre, tu cuerpo es otro, cabrón, es un crucigrama de sudores y temblores. ¡Puta madre! A esas horas, sólo me trataba a base de palabrotas, y cada una era un espasmo nervioso. Y en la tembladera pensaba en el sexo, y en que el sexo era una porquería, porque estaba convencido de no volverme a acostar con nadie... Y luego creía que el sexo era lo más glorioso, por el mismo terror de que eso ya nunca más.

Se acabaron los tiros, le subieron el volumen a murmullos y gemidos, y un grito nos conminó: "¡Pónganse de pie, hijos de la chingada!"

"¡¡MÉ-XI-CO!! ¡¡MÉ-XI-CO!!"

El 3 de octubre de 1968 el gobierno aclara su verdadero principio de autoridad: la garantía de la conducta impune. La censura avasalla a los medios informativos: hay intimidaciones, sobornos y amenazas; se insiste en lo adecuado del "correctivo para la violencia subversiva"; los agentes judiciales decomisan fotos en los periódicos y los films de que tienen noticia. En los círculos oficiales, el alivio es palpable. Se le ganó la partida a los guerrilleros. Las víctimas reaparecen, sin voz y casi sin imagen, como los culpables de todo; quienes han apoyado al Movimiento viven entre tensiones y sobresaltos.

A salto de mata, los voceros últimos del Consejo Nacional de Huelga carecen de tribunas y de poder de convocatoria. En esos días sólo unas cuantas denuncias se difunden, y en diversos diarios y revistas ni siquiera pagando se aceptan los manifiestos de protesta o las refutaciones de la versión oficial que, pese a todo, se envían. El pavor es el método a mano para asimilar lo ocurrido, y cualquier otra reacción parecería ilógica. El gobierno es invencible. Ha matado a sangre fría y le ha ocultado ventajosamente los hechos a la opinión pública, o esta opinión pública se ha doblegado por la persuasión de los tanques y los rumores de la mortandad. De nada vale el cúmulo de reporteros internacionales atraídos por los Juegos olímpicos. Al día siguiente de la matanza sólo se perciben semblantes pálidos.

* * *

La noche del 4 de octubre, Juan García Ponce, Nancy Cárdenas y Héctor Valdés llevan a *Excélsior* el manifiesto de protesta de la Asamblea de Intelectuales, Artistas y Escritores. Al salir se les detiene y envía a los separos, tal vez porque confunden a García Ponce (en silla de ruedas) con Marcelino Perelló; más probablemente por el afán de arrestar "sospechosos". En los separos, los judiciales los hostigan verbalmente y los maltratan, especialmente a García Ponce que, refieren luego Nancy y Héctor, se porta maravillosamente, exhibiendo el desprecio a sus raptores. Me lo imagino: "Verdaderamente, ¿no? Estos tipos ni siquiera saben hacer preguntas. Están jodidos. Y se molestaron porque les dije: 'Si quieren saber lo que pienso, lean mis libros. Les llevará tiempo y esfuerzo pero conocerán mi pensamiento'."

Se localiza a Julio Scherer, que le habla al procurador general. En unas horas los tres están libres. El manifiesto se publica al día siguiente. El texto, redactado básicamente por Nancy, es el primero que se publica sobre Tlatelolco:

> Con dolor, ante los sangrientos sucesos acaecidos el día 2 del mes en curso en la Plaza de las Tres Culturas, de Ciudad Tlatelolco, elevamos nuestra más enérgica protesta por tan injustificado e injustificable acto de represión.
>
> Es nuestro deber manifestar:
>
> El mitin, iniciado alrededor de las 17:30 horas, estaba desarrollándose en perfecto orden.
>
> El primer orador estableció que después del acto, los asistentes deberían retirarse de la Plaza, también ordenadamente.
>
> No se hizo ningún disparo anterior a la intervención de la fuerza pública.
>
> El ejército no previno a los asistentes en forma alguna antes de su agresión.
>
> La fuerza pública mantuvo un fuego intermitente.
>
> La fuerza pública hizo detenciones masivas en forma ilegal.
>
> Hasta el momento, hay un número indeterminado de personas desaparecidas que fueron capturadas en el lugar de los hechos por la fuerza pública, responsable de su seguridad.
>
> Se allanó un gran número de hogares con lujo de violencia.
>
> Ninguno de estos actos delictuosos puede ser justificado por las autoridades ni ha sido explicado legalmente.
>
> Todos estos hechos, que han obligado a abandonar sus hogares a los habitantes de Ciudad Tlatelolco, todavía ocupada por el ejército, no pueden ser silenciados ni desvirtuados.
>
> Asamblea de Intelectuales, Artistas y Escritores.

Lo que el documento no contiene es el relato de la provocación.

* * *

El 3 de octubre, Abel Quezada publica un cartón notable en *Excélsior*. Sobre un rectángulo negro, el título "¿Por qué?" El 12 de octubre, leo en *Siempre* quizá el mejor artículo del gran periodista José Alvarado:

> Había belleza y luz en las almas de los muchachos muertos. Querían hacer de México morada de justicia y verdad: la libertad, el pan y el alfabeto para los oprimidos y olvidados. Un país libre de la miseria y el engaño.
>
> Y ahora son fisiologías interrumpidas dentro de pieles ultrajadas.
>
> Algún día habrá una lámpara votiva en memoria de todos ellos.

En el lapso que va del 3 de octubre de 1968 al primero de diciembre de 1970, cuando Luis Echeverría toma el mando, se quiere reducir el 68 a la categoría de "incidente lamentable", y para ello se prosigue el linchamiento moral de las víctimas. Se dispara contra una muchedumbre indefensa, se fabrican "conspiraciones", se detiene a centenares de jóvenes por el "delito" de manifestarse, se oculta con impudicia el número de muertos, se festeja el cinismo y la rapacidad del poder judicial. Y la sociedad no responde, entre otras cosas porque la oposición carece de medios de difusión, la radio y la televisión están vedadas al mínimo comentario informativo o crítico, a Radio Universidad la acosa la censura de la Secretaría de Gobernación, y los sectores del PRI, los industriales, los jerarcas eclesiásticos, los Editorialistas Responsables, exaltan el sometimiento, esa condición fundadora de la República.

Pongo ejemplos. El Senado de la República, todo entero, se pone a la cabeza del macarthismo y culpa de los "actos graves de agresión en contra de la policía y del ejército mexicano", usando armas de alto poder, a "elementos nacionales y extranjeros que persiguen objetivos antimexicanos de extrema peligrosidad ante los que se justifica plenamente la intervención de la fuerza pública para proteger no solamente la vida y la tranquilidad de los ciudadanos, sino al mismo tiempo la integridad de las instituciones del país" (3 de octubre). La Cámara de Diputados, toda íntegra con la honrosa excepción del Partido Acción Nacional, se extasía: "Las medidas tomadas por el Poder Ejecutivo Federal, para garantizar la paz de México, corresponden a la magnitud de los acontecimientos y a la gravedad de las circunstancias" (3 de octubre). El diputado priísta Víctor Manzanilla Schaffer es patriota: "Y hay que hacer esta declaración como mexicanos: preferimos ver los tanques de nuestro ejército salvaguardando nuestras instituciones, que los tanques extranjeros cuidando sus intereses." Qué diferente y qué satisfactorio morir aplastado por un tanque tricolor.

* * *

El 12 de octubre se inauguran los Juegos Olímpicos, hay cohetes y júbilos y rostros encendidos por la importancia nacional y comentarios de la brillantez de la ceremonia. Por toda la ciudad, grupos de jóvenes tocan cláxones y se entregan a la práctica exorcista de repetir sin término el nombre del país: "¡¡MÉ-XI-CO!! ¡¡MÉ-XI-CO!! ¡¡MÉ-XI-CO!!

* * *

Desde el 3 de octubre da comienzo el baile de las cifras y las hipótesis funerarias. En conferencia de prensa en C.U., el CNH asegura que los estudiantes no provocaron ni dispararon. Los que dieron el pretexto para la represión militar fueron grupos de individuos que ametrallaron al ejército y al pueblo con armas como las de Vietnam, y que se identifican por el guante blanco en la mano izquierda. Este grupo "causó la muerte con su acción a 150 civiles y cuarenta militares". ¿Cómo se establece el número? ¿Por intuición, suma de los cadáveres vistos por un grupo, análisis de las fotos disponibles? Según la prensa extranjera, hay entre 50 y 300 muertos. Más tarde se habla de quinientos. ¿Cómo saberlo si no se hizo y no se podía hacer el esfuerzo contable en los días siguientes al 2 de octubre? En rigor, y ésta es mi conclusión científica, son muchos, incluidos soldados que tampoco tenían por qué morir. Pero el culpable directo de las hipótesis de defunción no es la imaginación estudiantil, sino la política de ocultamiento del gobierno, ansioso por demostrar que nunca pasa nada, nadie muere en los terremotos, ni en las inundaciones, ni en esa Plaza de Seres Inmortales que es Tlatelolco. No sólo se rebajan las cifras, también se desaparecen cadáveres, se amedrenta a los familiares de las víctimas, se minimiza la matanza hasta encajonarla en un "mero episodio de sangre". Si se toma en cuenta la ansiedad oficial, se evaluará mejor el mito de los muertos el 2 de octubre.

* * *

El 4 o el 5 de octubre Octavio Paz renuncia a la embajada de México en la India. La actitud dignísima de Paz es un antídoto contra los que se consideran expulsados de cualquier panorama inteligible.

En unas cuantas horas la noticia de la renuncia corre por la ciudad, o por lo menos se divulga en dos mil teléfonos. El gobierno filtra versiones de un cese. Pero lo innegable es la actitud de repudio de Paz.

El 7 de octubre, Paz envía desde Nueva Delhi su negativa a participar en el Encuentro Mundial de Poetas. Con la carta viene un poema:

MÉXICO: OLIMPIADA DE 1968
A Dore y Adja Yunkers

La limpidez
(Quizás valga la pena
Escribirlo sobre la limpieza
De esta hoja)
No es límpida:
Es una rabia
(Amarilla y negra
Acumulación de bilis en español)
Extendida sobre la página
¿Por qué?
La vergüenza es ira
Vuelta contra uno mismo:
Si
Una nación entera se avergüenza
Es león que se agazapa
Para saltar.
(Los empleados
Municipales lavan sangre
En la Plaza de los Sacrificios)
Mira ahora,
Manchada
Antes de haber dicho algo
Que valga la pena,
La limpidez.

Delhi, a 3 de octubre de 1968

El poema es complejo y sin vínculo alguno con la poesía de protesta, así sea poesía inscrita en la historia, de protesta y denuncia. Unas líneas se transformaron en el santo y seña de intelectuales y artistas: "Si una nación entera se avergüenza, es león que se agazapa para saltar." Se elogia a Paz, profeta en su tierra, y con razón, porque, ¿cómo es posible que en una burocracia gubernamental de cerca de tres millones de personas, sólo una persona renuncie? ¿Por qué tal aferramiento a posiciones las más de las veces mínimas?

Nadie renuncia. Nadie abandona por gusto el Sistema. Nadie se aleja del espacio redentor, del único y pronto auxilio en las tribulaciones, de la pertenencia al paraíso concebible. Nadie se distancia por gusto del gobierno. Mientras estos axiomas funcionan, el PRI es invencible. Y el elemento clave no es tanto el miedo como la inseguridad frenética. No me veo fuera del gobierno. ¿Qué hago yo en la oposición? Entiéndeme, no hay alternativas.

* * *

La represión desmoviliza, deprime, devasta en lo anímico y en lo político. Sin un trabajo de resistencia efectiva, las protestas tienden a disolverse en el ritual. Los golpes al Movimiento (a sus restos organizativos) vienen de todos lados. Hay que levantar la huelga, es forzoso aceptar la debilidad orgánica que se expresa en la casi mandable campaña a favor de los presos políticos. Marcelino Perelló afirma, sin pruebas, que el ejército entró a la Plaza de las Tres Culturas disparando balas de salva, y sus palabras se interpretan por doquier como disculpa de los militares. Con una parte fundamental de la dirección del CNH en la cárcel o en la clandestinidad, con el temor de los padres de familia que hasta ese momento apoyaban la politización de sus hijos, con la resaca de las imágenes escalofriantes, el Movimiento se extenúa.

No se admite en un principio que la provocación en Tlatelolco vino del gobierno. Incluso el general Lázaro Cárdenas, en un pronunciamiento de apoyo a la causa estudiantil, expresa su convicción: "todos los elementos de la colectividad nacional debemos percatarnos que, además de los lamentables enfrentamientos entre hermanos, elementos antinacionales y extranjeros que responden a intereses ajenos [...] emplean las armas y el terror con vista la desintegración nacional" (6 de octubre). Los presos políticos, a su vez, declaran en actitud pacífica y señalan al Batallón Olimpia. Más que nunca, el gobierno se opone al diálogo. Ya no necesita siquiera la apariencia de buena voluntad. Los manifiestos prosiguen, ya sin alcances persuasivos. Y el rector Barros Sierra llama al regreso a clases:

> Nadie, incluyéndome a mí mismo, se opone a que miembros de nuestra comunidad continúen su lucha cívica externa, siem-

pre que lo hagan independientemente de la institución y sin lesionarla. Y, por supuesto, no abandonaremos a maestros ni estudiantes que han perdido su libertad; pero seguramente tendremos una mayor fuerza moral en nuestras gestiones y en nuestra cooperación para que el conflicto se resuelva, sí nuestra casa, volviendo a trabajar en plenitud, cumple íntegramente sus obligaciones con el pueblo que la sostiene.

* * *

La clandestinidad de los miembros del CNH que intentan mantener la resistencia es una figura de la fantasía. Demasiados saben de su paradero y les llevan comida, los trasladan de un sitio a otro, les informan del rumbo del desastre. Y algunos salen del país. Los que se quedan, o se radicalizan hasta la histeria y las ilusiones de Sierra Maestra, o se concentran en la defensa de los presos políticos, o se pierdan en asambleas sin rumbo pero con exceso de jueces. Como sea, es admirable la red protectora en torno a unos cuantos, marcados para la cárcel.

Contra intelectuales, académicos y periodistas, el acoso es inmisericorde. Heberto Castillo peregrina durante unos meses de una "casa de seguridad" a otra, hasta su captura espectacular. (Él relata la experiencia en *Si te agarran te van a matar.*) Al gran historietista Eduardo del Río, Rius, crítico frontal de Díaz Ordaz, se le vigila obsesivamente, y en 1969 se le secuestra, escenificando "en su honor" un simulacro de fusilamiento. Y a José Revueltas se le atribuye la "autoría intelectual" del Movimiento. En la clandestinidad pública, Revueltas da una conferencia en el Che Guevara sobre la autogestión y la universidad crítica. A la salida lo detienen judiciales federales, y el 18 de octubre se le consigna al juez Primero de Distrito en materia penal. Se le acusa (módicamente) de incitación a la rebelión, asociación delictuosa, sedición, daño en propiedad ajena, ataques a la vías generales de comunicación, robo, despojo, acopio de armas, homicidio y lesiones contra agentes de las autoridades. Por lo que se ve, le perdonaron la mayoría de sus delitos.

Lo que se vive es la mezcla contundente de Guerra Fría y represión de gobierno militar de Sudamérica. Así sea sectorial, la destrucción de la lógica jurídica y el mínimo respeto a los derechos humanos avasalla y prodiga intolerancias. Así, en la noche del 16 de noviembre, el estudiante Luis González Sánchez, de 19 años de edad, alumno del primer año de Medicina, sale con una brigada a hacer pintas y el policía Julio Martínez Jiménez lo asesina por la espalda. El crimen prácticamente no se comenta.

* * *

La Secretaría de Relaciones Exteriores "cesa" a Paz, y se desbordan en injurias los entonces llamados "plumíferos" (periodistas de honestidad potenciada por la corrupción) y los Hombres de Pro, pertrechados con cargos de alta traición. Ante el acoso, *La cultura en México* publica un texto de protesta:

> ¿Cómo se enteró la Secretaría de Relaciones Exteriores de que el criterio de Octavio Paz se ha normado por versiones inexactas y extranjeras? ¿Considera a su mejor embajador, al más respetado y conocido en el mundo, tan endeble intelectualmente como para darle fe plena a una serie de informaciones que han falseado la verdad de los hechos ocurridos en Tlatelolco? Independientemente de que Octavio Paz haya tenido acceso a un tipo de noticias, ¿la Secretaría está en condiciones de asegurar que las informaciones de las agencias cablegráficas y de los corresponsales de prensa publicadas en la prensa mundial se caracterizan por sus inexactitudes? ¿Le faltó tiempo para hacerle llegar a los embajadores su propia versión de los acontecimientos? ¿Acaso la tiene a pesar de que su edificio se levanta en el teatro de la tragedia?
>
> Por lo demás, Octavio Paz siempre representó al país de un modo insuperable. Después de renunciar no sólo a su brillante carrera y a su cargo de embajador, sino a su seguridad futura —que no era precisamente un plato de lentejas—, asumió su progenitura de poeta y de mexicano, lo que significa asumir una responsabilidad total. Allí queda, por un lado, la prosa burocrática de los que no dimiten nunca, punto final a una honrosa trayectoria de veinticinco años, y por el otro, un breve poema donde la ira y el desprecio han sido expresados con una claridad deslumbradora. Su terrible peso ha inclinado la balanza a favor de la justicia y de la verdad sin equívocos y ya de una manera definitiva, pues tal es el privilegio de un gran poeta.
>
> *La Cultura en México*, que ha tenido la fortuna de contar a Octavio Paz entre sus más ilustres colaboradores, desea hacerle patente de un modo público su solidaridad, su reconocimiento y su afecto fraternal.

Fernando Benítez, José Emilio Pacheco, Carlos Monsiváis, Vicente Rojo

Testimonios:
El chavo ni se inmutó (enero de 1969)

—Estuvo terrible, el 23 de diciembre quisimos salir de Ciudad Universitaria en una manifestación nomás para dejar constancia de que no nos rendíamos. Ya lo sabes, los estertores del Movimiento coincidían con el pánico de los padres de familia y la desmoralización de los estudiantes. Nos reunimos los que quedábamos, y salimos con las consignas ya más bien del recuerdo. ¿O a quién le gritabas: "¡Únete pueblo!", si no había nadie?

Marchamos sobre Insurgentes, y lo que pasó me sigue alucinando. Allí estaba la tropa, y el militar trepado al tanque nos insultaba y nos decía que si éramos tan machitos que nos aventáramos a ver cómo nos iba, y el chavo ni se inmutó y se fue derechito hacia él. Era un chavito delgado, más bien anémico de aspecto y ni quien lo supusiera tan entrón. Sus amigos querían detenerlo pero él insistía en hablar y en informarle al pueblo de México que ya de la Constitución no quedaba ni madre, que nos habían masacrado en Tlatelolco y nadie decía nada, que éramos un pueblo de cobardes y cabrones, y el chavo gritaba y los demás retrocedíamos sin acompañarlo en sus gritos, porque ¿para qué? A más de dos meses de la matanza, ¿cuál movimiento estudiantil? Si ya la idea de salir de la Ciudad Universitaria era una locura, en Insurgentes nos esperaban los tanques y las patrullas y los camiones llenos de granaderos y ni con qué defenderse, las mentadas de madre ni a rumor alcanzan, y nos dimos cuenta que la impotencia de la izquierda no es una calumnia de la reacción y fuimos retrocediendo.

Si lo cuento es para que no se me olvide. Una señora increíble, de cuarenta y tantos años, de ropa pobretona y aspecto gastado, se acercó al tanque y le dijo al general que debería darle vergüenza matar jóvenes, y el tipo se quedó estupefacto, no respondió, la dejó ir. Y mientras el chavo no dejaba de hablar, se aproximó todavía más al general, furioso contra el pueblo de rajones y agachados. Y algo que no oímos que debió ser pesado. Y luego se regresó con nosotros y nos devolvimos a Ciudad Universitaria.

Los presos políticos

Durante casi tres años, de 1968 a 1971, docenas de presos políticos desmienten desde el penal de Lecumberri el intento de explicación oficial: "fue una conjura contra México de fuerzas extrañas". Los procesos son descabellados, jurídicamente aberrantes, basados en el testimonio de dos policías que vieron de lejos algunos mítines, en declaraciones arrancadas por la tortura. El primero de enero de 1970, la dirección del penal urde un motín contra una crujía de presos políticos. La resistencia es heroica. Y si la causa pública de los presos es débil, la solidaridad es constante: el rector Barros Sierra los ayuda a que prosigan sus estudios en la cárcel, y entre ellos la discusión política es álgida.

Ya con Luis Echeverría en la Presidencia de la República, el método para liberar a los del 68 es típico de la hipocresía del régimen. En vez de admitir la monstruosidad del proceso, se le da curso a una táctica marrullera: salen porque son inocentes, pero a la cárcel fueron por su culpabilidad.

Al mantener los presos políticos la decisión de resistencia del Movimiento, iluminan otros aspectos: la coherencia en la acción, la continuidad destruida a balazos, el ánimo regocijado ...y la ideología sumamente difusa. En la cárcel de Lecumberri, en la lucha por su libertad, estos presos políticos sintetizan el sentido último de su causa: el compromiso moral y la construcción de espacios alternativos ante el poder.

Con sus fallas, contradicciones, y sectarismos, el Movimiento Estudiantil de 1968 es una hazaña del México contemporáneo.

Post-scriptum
I. Tlatelolco entre cortinas de humo

Si mi tía tuviera ruedas, aseguraba el maravilloso Método Ollendorf, sería bicicleta. Del mismo modo, en la lógica del expresidente Luis Echeverría, si en la noche del 2 de octubre de 1968 ocurrió algo en la Plaza de las Tres Culturas, el neoliberalismo se empeña en disminuir los esfuerzos de la humanidad en su ruta ascendente a los insumos de la dignidad.

Durante su sexenio, Echeverría jamás aclara o siquiera menciona detenidamente su rol en el 68, y elogia sin reservas a Díaz Ordaz, el salvador de la Patria. Por eso es tan arduo creerle ahora en su entrevista con Irma Rosa Martínez (*El Universal*, 21 de septiembre de 1998): "Nada, nada tuve que ver en la forma en que se encaró en 1968 el problema estudiantil, pues Díaz Ordaz me marginó totalmente del asunto. Cuando se haga la biografía de don Gustavo, tendrá que llegarse a la conclusión de que uno de sus rasgos psicológicos era la firme convicción del uso de la fuerza para hacer valer la ley."

El expresidente rehace su biografía, y la acomoda en los ámbitos de la inocencia: "Mi trato con Díaz Ordaz fue muy formal. Quizá, curiosamente, nunca fui gente de confianza de él. [...] Nunca me tuvo confianza, ni siendo secretario de Gobernación, porque él se rodeó de la gente de la política que no me veían posibilidades a mí, de un ascenso o [...] y, bueno, fueron años para mí de mucho trabajo, de mucho encierro, de no hacer declaraciones nunca, apartado de las actividades políticas realmente." Un secretario de Gobernación alejado de la política. *Rara avis* si las hay. Y fue Presidente por su trabajo intenso, y porque el 68 "pues me favoreció a mí, porque yo no intervine en nada. Eso fue, lo manejó todo el Presidente, todo, lo político y lo militar, con el secretario de la Defensa. Yo hice una vez declaraciones para el diálogo público y hasta ahí. No me perjudicó en nada."

Y el Presidente Díaz Ordaz margina del 68 a su secretario Echeverría "por psicología, por la urgencia por los Juegos Olímpicos, por sus antecedentes en Gobernación como oficial mayor y secretario. Quizá por reconocer que no tenía yo la suficiente experiencia, porque él había estado muchos años en Gobernación. Y afortunadamente así fue."

En el contexto de esta falta de contextos, y en su inicio y muy probable despedida, la Comisión de la Cámara de Diputados encargada de adjudicar las responsabilidades exactas de la matanza de Tlatelolco eligió mal a su primer interlocutor, un político acostumbrado a ajustar la verdad al formato de sus necesidades declarativas. El 3 de febrero de 1998, en su residencia de San Jerónimo, Echeverría convierte el interrogatorio (que no tiene lugar), en *show* típico de su sexenio, con todo y equipales. El expresidente esquiva las imputaciones y echa a volar su imaginación, y su hábito de salir siempre bien librado con sólo contestar puntualmente a las preguntas que no se le formulan.

Algo se filtra, sin embargo, en la más evasiva de las confrontaciones. De la visión de lo real da cuenta la minimización de los hechos: "¡La matanza de Tlatelolco fue un exceso!" (en estas notas me baso en la grabación de Antonio Jáquez, reportero de *Proceso*). El término no es casual y es sincerísimo. Lo triste no es que mataran sino que se les pasara la mano. ¿Cuántos muertos están bien, y cuántos son ya un exceso? Queda la pregunta para el aniversario de los cincuenta años del crimen de Tlatelolco. Y en lo tocante a la matanza, el de antes paga, el antiguo jefe del declarante, don Gustavo, que por lo pronto lo dejará soltar verdades. Echeverría no coincide con la versión del 68 proporcionada por Díaz Ordaz, "salvo en dos o tres líneas":

—¿Quién ordenó [la matanza], el Presidente Díaz Ordaz?

—El Presidente es el comandante supremo. Así lo ordena la Constitución, así lo consigna la ley. Yo lo fui, pero hasta el 1 de diciembre. Pero la cosa no es tan simple. Se acumularon muchos problemas y se complicaron muchísimo. Y los problemas que economistas y políticos no pueden resolver, se tornan en violencia.

Todo lo que se dice cuando la táctica es decir nada. A la incriminación por vía de la evasión. Quien fue en 1968 el segundo político del país lo acepta: en 1968 la incompetencia de los políticos se torna violencia. Y el diálogo continúa:

—¿Acepta que el gobierno tuvo, entonces, responsabilidad en la matanza?
—Corresponsabilidad.
—¿Hay culpables de la matanza de estudiantes?
—¡Sí, los hay! Pero fue una confusión en muchos sentidos. Por ello lo importante es conocer las causas que dieron origen al conflicto. En Tlatelolco no está la respuesta. Deben tomarse en cuenta muchas otras cosas.

Que la Comisión averigüe quién ordenó los disparos. Un simple secretario de Gobernación nada sabía. Hasta donde entiendo, Echeverría asegura que en Tlatelolco no está la respuesta a lo que pasó en Tlatelolco. Con igual congruencia, los muertos, dice, fueron "muchos, muchos" y, por lo mismo, "su número es variable". Y si en Tlatelolco no está el retrato entero de los culpables de la matanza no está en lado alguno. Otra cosa es la dificultad o la imposibilidad de probar algo judicialmente.

* * *

El ex Primer Mandatario se desentiende del pasado donde no se le ocurrió jamás protestar por el "exceso" de la matanza. Los periodistas lo acosan:

— ¿Cómo es posible que usted no sepa quién dio la orden, si era el responsable de la política interior del país?
— El ejército no está sujeto al poder político.

¿En qué quedamos? Recién dijo: "El ejército cumple órdenes del Presidente de la República", que por lo visto no es poder político, y al secretario de Gobernación no le toca indagar en el comportamiento de las fuerzas armadas; *ergo* la orden vino del ejército. Si la lógica no es implacable, sí es como la serpiente que se muerde la cola hasta que se devora toda entera y de paso engulle la esperanza de explicaciones racionales.

La impresión que me queda es melancólica: el expresidente no quiere exculparse porque no se siente enjuiciado, ni busca deshacerse de pesos inexistentes en su conciencia. Se propone simplemente hablar, y déjenle a los demás establecer premisas, conclusiones o crucigramas. Afirma:

> Supongamos que existe la amenaza de una revolución. Si se disponen a atacar el Palacio Nacional, ¿qué se debe hacer? ¿Qué debe hacer el Comandante Supremo de las Fuerzas Armadas si hay otro Tlatelolco, que no es deseable pero sí posible, dada tanta injusticia, pobreza y el acaparamiento del dinero en tan pocas manos —o si hay otro Chiapas?— [...] Chiapas podría repetirse. No es deseable, pero es posible. ¿Y qué hará el Presidente con el ejército? ¿Mandarlo o retirarlo?

No está mal. En unas cuantas frases Echeverría afirma explícita o implícitamente: a) el movimiento estudiantil era sinónimo de la amenaza de una revolución; b) el mitin en Tlatelolco equivalió a un ataque al Palacio Nacional; c) Tlatelolco fue un alzamiento debido a la injusticia, la pobreza y el acaparamiento de tierras; d) Se debe recurrir al ejército para aplastar a los Tlatelolco y los Chiapas que surjan, movimientos de origen legítimo que por lo mismo requieren de un final trágico.

Ni igual ni semejante ni distinto. Pese a la voluntad del Señor Licenciado y de los priístas, las palabras cuentan y quien extrae la consecuencia lógica de las frases de Echeverría tropieza con la intimidación represiva de siempre. La intención desaparece y Echeverría fluctúa entre la vocación represiva y la alucinación libertaria, entre la protección y la demolición de los gobiernos a los que sirvió puntualmente:

> —¿Hubo injerencia extranjera en el movimiento del 68?
> —¡No! No la hubo. Ya les conté que ellos portaban imágenes de Fidel Castro y del Che Guevara porque los jóvenes necesitan héroes y en México les habían quitado a nuestros héroes, se los habían diluido o borrado por completo de la historia [...] pero no hubo injerencia, yo mismo investigué.

En 1968 el problema no es la escasez de héroes sino la sobreabundancia del autoritarismo. Echeverría simplifica al extremo una realidad muy compleja, no sé si para entenderla o para explicársela a su público cautivo. Y la sospecha crece: ¿de qué se acuerda en verdad el licenciado? Como todos, ha especializado su memoria y por lo visto sólo evoca lo vinculado a su prédica tercermundista y antineoliberal (todo en abstracto). Tlatelolco lo comunica con Chiapas, no por la similitud entre dos "exageraciones", sino porque el papel de la injusticia social es producir mártires, lo que consuela a los deudos y fortalece al Estado. Eso en última instancia, afirma el exsecretario de Gobernación, conste.

Se habla con insistencia del "cinismo" del licenciado Echeverría. Así podría leerse su comportamiento, pero ¿cuando ha procedido de otra manera? ¿Y en qué se distancia su comportamiento declarativo de las decenas de miles de Priístas Distinguidos de la historia, tan afamados en el autoelogio que al hablar de sí mismos parecen locutores presentando a estrellas juveniles? ¿Ha existido el priísta que responda a las acusaciones concretas sin aspavientos y sin brumosidades? En su monólogo anticonfesional de módicos cincuenta minutos, Echeverría elogia al general Lázaro Cárdenas y se solidariza con su política agraria, tributa loores a Manuel Gómez Morín y Vicente Lombardo Toledano, refiere detalles de su ida al Vaticano y su entrevista con Paulo VI, a quien lo presentó a su tocayo, Pablo Echeverría, estudiante de marxismo en Cuba y Yugoslavia. Y admite los crímenes de la "Presidencia Imperial". Todo esto enmarcado por los flashes y los aplausos ocasionales, y en medio del abrazo de las contradicciones. Si, de acuerdo con el proverbio surrealista, los elefantes son contagiosos, las entrevistas pueden ser aerostáticas:

—¿Fue entonces el jefe del ejército el que ordenó disparar?
—Fue una dirección del Comando Supremo de las Fuerzas Armadas, el Presidente de la República.
—¿Fue Díaz Ordaz entonces?
—Pues sí.
—Pero, ¿él ordenó disparar?
—No, él no ordenó disparar.

Al borde del desastre, encadenado en un cofre en el fondo del mar, con un bloque de cemento en los pies rumbo al abismo, Echeverría, Houdini a su manera, escapa siempre.

—¿Usted está limpio?
—Yo sí, absolutamente. Somos humanos.

Los humanos, aquellos que están absolutamente limpios. Llega la hora de la prueba áurea y el licenciado la extrae de su memoria diáfana: "¿Culpable yo? Me enteré por teléfono". Y se extiende y cuenta un episodio más bien lamentable de David Alfaro Siqueiros y Angélica Arenal, capaces en los minutos mismos de la matanza de instarlo en su despacho para una acción cuestionable: "Juntos [David y Angélica] me relataron que un argelino molestaba a una de sus hijas. Querían deshacerse de él. Estaban enterados de que el argelino estaba aquí de manera ilegal. Querían, en fin, que lo echase del país. En esto estábamos cuando sonó un timbre. Tenía una llamada telefónica. Entonces me enteré de que había una terrible balacera en Tlatelolco. Así fue."

Exhibición más categórica de inocencia no se conoce.

* * *

Casi ciento cincuenta personas, dos baños portátiles, edecanes, meseros, fotógrafos, curiosos, familiares del multitudeclarante, amigos y favorecidos, pan, atole, café, una pantalla de tamaño considerable, el jardín que se extiende como promesa al diputado que alcance la Presidencia, periodistas en pos del Santo Grial de la noticia, diputados con más de cincuenta preguntas que aclaren por fin lo ya conocido desde el 2 de octubre de 1968: el gran responsable de la represión fue y es Gustavo Díaz Ordaz. Y en este punto el presidencialismo se precipita sobre sus máximos beneficiarios: el más importante durante seis años, monopolizará las culpas acumuladas del periodo. Cobijados por esa certeza, los políticos de cada uno de los sexenios anteriores al de Salinas de Gortari, donde ya comienza a democratizarse la culpa, se limitaban a señalar al de Mero Arriba. Jehová dio, Jehová quitó, Jehová es el único responsable. Así de sencillo. Echeverría y sus compañeros de Gabinete se adecuaron al temperamento presidencial, endurecieron la expresión y la actitud, se opusieron al diálogo, calificaron al Movimiento de "subversivo". ¿Y de todo ello qué recuerda el exministro del Interior? Pequeñas injusticias de la vida:

> —Nunca comprenderemos lo que pasó en el 68 si no se conocen los antecedentes. Al final de la Segunda Guerra Mundial debió derogarse en México el delito de disolución social, implantado transitoriamente para combatir el terrorismo, el sabotaje y la rebelión. Terminó el conflicto bélico y lo que se creó

para defensa de México se utilizó como defensa política hasta 1970 que se derogó. Con base en esa figura delictiva, se cometieron muchas injusticias. Y a eso se agregó el equilibrio económico que impuso el Fondo Monetario Internacional y que no se basaba en la justicia sino en el capitalismo salvaje. En ese ambiente, los estudiantes iniciaron su movimiento de inconformidad. Y fue consecuencia del problema de injusticia social y económica, de una mayor concentración de la riqueza por un lado y de aumento a la pobreza por otro.

Ante esto, el libre de estupor que arroje la primera exégesis. El secretario de Gobernación que aplicó sin inmutarse el delito de disolución social es, apenas tres décadas más tarde, el estadista sereno que describe las injusticias cometidas con ese pretexto, y aprovecha la oportunidad para poner en su sitio al neoliberalismo. ¿Y quién requiere de la autocrítica existiendo la prédica?

Post-scriptum
II. Adioses, mitologías, símbolos a granel

El 2 de octubre de 1998, con una gigantesca, emotiva manifestación, culmina la fiesta que conmemoró el duelo. Agotan los líderes del 68 sus renovados quince minutos de fama, y Gustavo Díaz Ordaz refrenda su lugar indiscutible de villano de la Historia. Pero no es un "adiós al 68" sino más bien lo contrario. Cierto, el tema se agota periodísticamente, las entrevistas innúmeras va a dar a la mar que es la evocación confusa, el monto de los recuerdos individuales nos hacen saber que en 1968 la ciudad de México ya tenía 22 millones de habitantes, todos los declarantes fueron atlantes de la democracia en ciernes y demás anécdotas, pero el resultado es el opuesto a la despedida, y sería más bien: "Bienvenido el 68 al recinto de Grandes Instituciones del siglo XX".

Antes de este año, el 68 era la matanza del 2 de octubre, la memoria compartida de días agitados y tensos (divertidísimos y trágicos), el cinismo de los funcionarios, la vileza de los priístas que aplaudían los gestos de Díaz Ordaz, la demanda de la buena fe: "¡Que se abran los archivos!" (como si allí dentro estuvieran los cadáveres de los desaparecidos), la lectura en la adolescencia de *La noche de Tlatelolco*, la película *Rojo amanecer*, contemplada casi siempre sin contextos esclarecedores, y la pregunta inevitable de cada nueva oleada estudiantil: "Y bien a bien, ¿qué pasó en 68?" Ya en el 2 de octubre de 1998, el 68 es un orgullo generacional y nacional.

Hay certezas adyacentes o complementarias: la hazaña militar y popular de nuestro siglo XX es la Revolución Mexicana; la Expropiación Petrolera es la movilización afirmativa de la soberanía. Y ahora el Movimiento del 68 resulta la gesta civil y estudiantil de la segunda mitad de nuestro siglo. No se trata de comparaciones, y sin duda la Revolución Mexicana es, en cuanto a personajes, transformación nacional del país, inhumaciones y resonancias, el acontecimiento de la centuria, pero en las décadas últimas, ¿qué otro hecho se equipara en profundidad simbólica y producción de imágenes al Movimiento del 68?

¿Cuántos símbolos se requieren para eclipsar un monumento?

Durante tres meses, el Movimiento mantuvo en vilo a la ciudad de México (no a toda ella desde luego, pero sí a sus puntos neurálgicos y sacralizados). Treinta años más tarde, lo semisepultado resurge con vigor extraordinario, no político en primera instancia, sino cultural y simbólico.

En 1998 se libra una batalla muy desigual por definir los contenidos del 68. Cuauhtémoc Cárdenas, jefe del gobierno de la ciudad de México, declara el 2 de octubre "día de luto" y pone la bandera a media asta. Por su parte, el PRI rechaza la mínima autocrítica. En la Cámara de Diputados, el líder Arturo Núñez, junto a su bancada, se niega declarar el 2 de octubre día de luto. Y la argumentación priísta es la de siempre: "Nos oponemos a todo lo que divida a los mexicanos". El 2 de octubre, en la Asamblea de Representantes, en la ceremonia donde se develan las letras de oro dedicadas a los Mártires de Tlatelolco, el asambleísta del PRI Óscar Levín se sumerge en una alegoría transhistórica (pudo referirse a efemérides de 1568 ó 1868), y llama reiteradamente a "restañar heridas".

Levín fue representante de Economía de la UNAM en el Consejo Nacional de Huelga, y eso lo obligaba a ser un tanto más específico: ¿qué heridas se restañan de un lado y cuáles del otro? ¿Quiénes sostienen con mínima seriedad que no fueron los provocadores de un sector gubernamental, sino los estudiantes los que le dispararon el ejército? ¿Por qué, según Levín, son "bilaterales" las heridas a restañar, y por qué se refugia en la niebla del "país dividido"? ¿Y por qué los diputados priístas consideran que el 2 de octubre no es un día de luto nacional? ¿Tan sólo porque son priístas los responsables de la matanza?

Una vez más, de acuerdo con el PRI, se impone la sentencia anticlimática: los únicos culpables son las víctimas. Con una salvedad: en esta ocasión los priístas ya no defienden los crímenes de uno de sus regímenes limitándose a rechazar su condena. Si las acciones en 1968 de Díaz Ordaz, Echeverría, Corona del Rosal, *et al.*, son indefendibles, ¿por qué los priístas lanzan sus prestigios, los que tengan, como escudos resplandecientes que sostienen la versión díazordacista de los hechos? La respuesta es evidente: porque si conceden una vez, concederán en todas las demás.

Reflexión priísta: "Si nos maltratan los símbolos, nos enmiendan fatalmente los rasgos"

No hay heridas a restañar, sino batallas simbólicas y culturales, y éstas las ha ganado el vastísimo sector integrado en 1998 por la izquierda social, el PRD, los medios informativos, la UNAM, parcialmente el IPN, las universidades regionales, los comités estudiantiles, las ONGs, sectores de las iglesias... De la otra parte no hay nadie, a menos de considerar "alguien" a un puñado de articulistas resentidos y a los últimos protectores de la imagen priísta en 1968. Hay pleitos y diferencias por interpretaciones del Movimiento, pero no, en modo alguno, discrepancias severas en lo tocante a la generosidad e intrepidez estudiantil, al horror desatado el 2 de octubre.

Ya en la historia social, preámbulo de los libros de Texto Gratuito, son mayoría aplastante los que consideran un fenómeno muy positivo al Movimiento, no un festival en modo alguno, sino la toma de conciencia, muy alegre o muy triste a momentos, valerosa siempre, generada por la resistencia a la opresión y la decisión de no dejarse.

Ganada con creces la batalla simbólica y cultural, el 68 se incorpora a la historia reconocida de México, en la dimensión histórica y en la mítica, en el orgullo capitalino y nacional y en la decisión cívica. *2 de octubre no se olvida* es un lema de reverberaciones incesantes, que se inscribe en el desfile de consignas históricas, no con la profundidad devastadora pero sí con la resonancia de "Tierra y libertad", "Sufragio efectivo, no reelección", y no muchas más. Un movimiento crítico, de izquierda, de consecuencias democráticas, consigue treinta años después lo inesperado: la victoria moral sobre la impunidad y el autoritarismo.

En 1968, el Sistema (así llamado con énfasis pomposo y excluyente) califica a los estudiantes en huelga de "subversivos". El juicio es inapelable: desde el gobierno se controlan las vías de acceso a la Historia, y se decide qué temas ingresarán a la posteridad, y cuáles irán a la irrelevancia y el descrédito. Hasta ese momento, la historia ha sido posesión de los vencedores, que vigilan a la Revolución Mexicana, "propiedad exclusiva", y desdeñan cualquier marginalidad. De la misma manera, el Movimiento Estudiantil se consideraba, para usar la expresión compulsiva, un "parteaguas", pero de la Historia alternativa, de la visión de los vencidos. Y de golpe la unanimidad se precipita y no hay quien cuestione el valor y la calidad moral del Movimiento, y se habla del 68 como "propiedad de la nación", en el sentido de la hazaña colectiva, de la aportación única.

En la ampliación de la historia mexicana del siglo XX, el criterio oficial es hecho a un lado por el juicio social de la opinión pública y, tan imprecisa como resulte, de la sociedad civil. En el resumen forzoso de lo acontecido de 1910 a 1999 (la Centuria Mexicana, según el cánon), es irrefutable el 68. La historia la escriben también los vencidos, o los vencedores de hoy se enorgullecen también de las marchas, a las que tal vez no asistieron pero que añoran como si las hubiesen vivido para siempre. Y lo que se dice de las manifestaciones puede aplicarse a los mítines, las brigadas, las asambleas, las reuniones, esa apoteosis de lo gregario, ya parte substancial de la historia. Y no tardará mucho sin que se dé lo justamente reclamado por Gilberto Guevara Niebla: la incorporación del Movimiento a los libros de texto.

Todo apunta a la normalización del 68, y su inclusión definitiva entre los legados fundamentales en este siglo. Se apagan susceptibilidades, resentimientos y defensas pasionales. Es irreversible la penalización moral al gobierno diazordacista, al PRI del 68, a los diputados, senadores, jueces, periodistas venales, etcétera. Por eso mismo, la venganza carece de todo sentido, pero la sociedad reclama el esclarecimiento de lo sucedido en Tlatelolco, y el examen de cómo fue posible tanto abuso de poder, tanta represión, tanta impunidad.

Post-scriptum
III. La lecturas del 68

La consagración (por así decirle) del 68 es el corolario de una serie de lecturas de esos acontecimientos. Según creo, y muy a *grosso modo*, estas serían las etapas de interpretación del Movimiento:

La primera lectura se da en el tiempo siguiente al 2 de octubre, y se divide entre quienes ensalzan martirológicamente al Movimiento, quienes lo ven como la subversión aplastada por la fuerza del Estado, y los convencidos de que la democracia no se hizo para México. Es difícil mantener la memoria de lo acontecido en medio de la Guerra Fría, y el 2 de octubre de 1969, por ejemplo, hacen su debut los Halcones (tan protagónicos el 10 de junio de 1971), fuerzas de choque encargadas de dispersar a los asistentes al homenaje luctuoso en la Plaza de las Tres Culturas. Se publica poco sobre el tema, el Sistema todavía actúa unificadamente y, en el lado contrario, pesan demasiado las reverberaciones de la derrota. De allí la incomparable importancia de *La noche de Tlatelolco*, de Elelena Poniatowska, no el único libro sobre el 68, pero sí, y comprobadamente, el de más perdurable resonancia.

La noche registra el entusiasmo, el desmadejamiento anímico, la abnegación, el deseo de revancha, lo que sustituye al lenguaje conceptual que o se ignoraba o se vivía por unos cuantos como desfile de fórmulas rituales ("Lenin dice..."). Si en 1971 *La noche de Tlatelolco* es denuncia y testimonio, en los años siguientes divulga el método profundo del Movimiento, el arribo a la crítica a través de la indignación cívica, y la continuidad de la indignación gracias a la crítica. Hartazgo y esclarecimiento de las razones del hartazgo, en un *continuum*. Incorporado el 68 a toda explicación del proceso mexicano, *La noche* continúa narrando el procedimiento gracias al cual la historia se vuelve vida íntima y el conjunto de las experiencias individuales define la versión de un momento histórico.

De otros movimientos se han rescatado estrategias, querellas internas, documentos, aprovechamientos o desaprovechamientos de los instantes álgidos. Pero si se descuenta la crónica de Mauricio Magdaleno sobre el vasconcelismo (*Las palabras perdidas*), sólo del 68 se dispone del registro de la hondura emotiva (que es también conciencia política y vislumbre inaugural de otra cultura), que le permite al Movimiento sobrevivir al 2 de octubre.

La segunda lectura se produce a contracorriente de la demagogia gubernamental. El Presidente Echeverría no concede en materia de democratización, mientras el término gana terreno. Si en 1968 la democracia era palabra ritual y concepto un tanto lejano, unos cuantos años después resulta clave en su interpretción, por la situación internacional, y porque 68 se explica más adecuadamente si su retórica radical se traduce al idioma de la democracia.

La tercera lectura se da en medio de situaciones tensas y del auge y la descomposición de la guerrilla urbana. El radicalismo domina en muchos centros de enseñanza superior, y su alegato se centro en el fracaso categórico de la vía legal. *Remember Tlatelolco*. La Liga 23 de Septiembre, por ejemplo, es consecuencia innegable del 68 y de la exasperación revolucionaria.

La cuarta lectura del 68 se conoce a partir de 1978. Una gran marcha estudiantil vuelve a Tlatelolco, se disipa el cerco de ocultamiento y emergen realidades impensables diez años antes, por ejemplo la presencia de un contingente gay, que si no es recibido con vítores, sí se integra sin mayores problemas. Ya en 1978 el Movimiento Estudiantil es una formación simbólica de primer orden, no obstante y gracias a las interminables querellas sobre los hechos y su interpretación. Además, el énfasis puesto en el antiautoritarismo se desplaza a la exigencia de muros de contención del presidencialismo, esa doctrina del "Unico Hombre Libre" en el país.

La quinta lectura elige como punto de partida lo que no pocos describen como amortiguamiento de los significados del 68. Entre 1978 y 1993, el neoliberalismo cobra vuelo, se convierte en la teoría que desdeña por "locales y localistas" fenómenos como el 68, se burla de los intentos de justicia social, ironiza a costa del fraude electoral de 1988, no admite ni como modelo antiguo al "idealismo romántico" del Movimiento, desdeña movilizaciones basadas en reclamos de derechos humanos y civiles, le atribuye al 68 el delirio de la guerrilla y sólo le concede la calidad de experiencia generacional. Y todo a nombre del salto salinista al Primer Mundo.

La sexta lectura es consecuencia del 94, del EZLN y el subcomandante Marcos, de los asesinatos políticos, del deterioro inocultable del priísmo, de la emergencia del PAN (y su cauda de intolerancias), de la vida errátil del PRD, de la necesidad de allegarle un pasado formativo a la transición a la democracia. Se desprende el velo "romántico" del 68, y reaparecen el humor, la imaginación, la oposición irónica, los apuntes de la sociedad civil. A diferencia de otros movimientos, el 68 no es relegable con una frase o un gesto. El cinismo puede declararlo obsoleto, pero sin democracia todos, los activistas y los cínicos, exhiben su obsolescencia, y por eso el 68 recupera su actualidad, al incorporársele al Movimiento palabras clave que no manejó, pero que le corresponden: democracia, pluralidad, tolerancia.

La séptima lectura es parte del resumen internacional del siglo XX. ¿Cómo no revalorar y jerarquizar al 68? A la tragedia se le adjunta lo que parecía relegado, el impulso multitudinario. Por vez primera, se intenta leer y se lee al Movimiento en su conjunto, y allí son muy valiosas las aportaciones de líderes del CNH como Raúl Álvarez Garín, Roberto Escudero, Tita Avendaño, Luis Tomás Cervantes Cabeza de Vaca y otros, que continúan el ejemplo de *Los días y los años*, de Luis González de Alba, el primer libro de un protagonista, ampliamente leído.

Gracias a los rasgos de ingenuidad del 68 es posible enfrentar y criticar el vasto desencanto. Reconocer los méritos del 68 es subrayar los deméritos del cinismo post-militante, post-activista, post-cívico. El 68 fue una movilización básicamente de izquierda; al recuperarla, se descubre lo prestigioso del pasado de un sector hoy tan combatido por "premoderno".

El 68 no murió por nuestros pecados. El tono semirreligioso y de martirologio que dominó en un tiempo las evocaciones cede el paso al espíritu totalmente secularizado del 98. Al recuperarse panorámicamente el Movimiento, tantos años fragmentado por el peso enorme del 2 de octubre, ya se comprende lo que tanto importa: la mezcla de relajo y seriedad, de compromiso y desenfado, de individualismo y espíritu comunitario, de voluntad épica e instinto de conservación.

Post-scriptum
IV. La memoria del 68

¿Por qué sigue importando el 68? Entre otros motivos por los siguientes:

—El 68 es la experiencia fundamental de una generación juvenil en la ciudad de México, que la vive de distintas maneras pero que la recuerda con orgullo muy similar (quienes fueron activistas y quienes ni curiosidad tuvieron identifican al 68 como el año de su encuentro a fondo con la realidad mexicana).

—El 68 es el primer movimiento estudiantil moderno, donde una vanguardia se pone al día con los sucesos de París, las universidades norteamericanas, Londres, Praga, y es una gran experiencia nacional.

—El 68 sólo ocurre en la capital, por la estructura represiva del Estado, pero afecta a los centros de enseñanza superior del país entero.

—El 68 le infunde a sus participantes la sensación del cambio súbito de la mentalidad y la psicología. No se sienten héroes pero sí partícipes de la resistencia al autoritarismo, y por eso en momentos el Movimiento alcanza un nivel épico. Si la sensación de hazaña es irrecapturable a la distancia, en 1968 es elemento clave.

* * *

Al arraigo del 68 lo explican dos hechos: su sitio privilegiado en el árbol genealógico de la disidencia en México, y la impunidad judicial y política que rodeó y sigue rodeando a la matanza. (Social y culturalmente, los represores del 68 son hoy cadáver, polvo, sombra, nada.) En la definición del 68, un rasgo básico es la grotecidad del Poder Judicial que disuelve en fantasmagorías jurídicas la matanza, y efectúa y exalta los procesos más amañados que se conocen. Si 68 es el heroísmo y la tragedia y la alegría juvenil y el descubrimiento de la capacidad de resistencia, también es la energía de la represión sin sociedad que la contenga y el espectáculo del horror cortesano del PRI, el Poder Legislativo, el Poder Judicial, la mayoría de las publicaciones, la radio, la televisión, los empresarios, las agrupaciones de profesionistas, la derecha, etcétera. Si el 68 admite algo parecido a una síntesis, ésta tiene que ver con los vislumbres de la sociedad civil (nunca muy claros, porque la palabra totémica del 68 no es democracia sino revolución, pero inequívocos) y con la extinción de los últimos impulsos generosos de la Revolución Mexicana, entonces ya casi un telón de fondo al que el 68 le aporta el inexorable certificado de defunción.

Post-scriptum
V. El repertorio del 68

De los testimonios innumerables, y del archivo de las memorias personales y colectivas, se desprende un repertorio del Movimiento Estudiantil. Allí se encuentran:

—Representaciones extraordinarias de “El Pueblo”: estudiantes, maestros, trabajadores, padres de familia que le otorgan desigualdad y congruencia a las actitudes anónimas que se convierten en la voz comunitaria. Poniatowska cita a Esteban Sánchez Fernández, padre de familia: "Si el Movimiento Estudiantil logró desnudar a la Revolución, demostrar que era una vieja prostituta inmunda y corrupta, ya con eso se justifica".

—Los líderes del Consejo Nacional de Huelga, con su valor civil, su coraje, su sectarismo, su voluntarismo jactancioso que les permite resistir la cárcel. Son personajes y son emblemas de la resistencia.

—El ámbito de la vida cotidiana, tal y como lo expresan las esposas, las madres, las hijas, las compañeras de los presos políticos y las víctimas.

—La confianza en la legalidad de la protesta, que en un tiempo es juzgada cándida en extremo, y luego reconocida como la única actitud congruente.

—El catálogo de represiones. Mientras los represores hacen las veces de diques de la subversión la rabia no los deja, es su máscara, su rostro más exacto, su razón de ser. Son o pueden ser agentes judiciales, policías, granaderos, soldados, integrantes de la Brigada Blanca, terroristas oficiales, porros, halcones. Su oficio es la disponibilidad persecutoria, y su espacio libérrimo el aura de impunidad, el "derecho de pernada" sobre rostros, cráneos, costillas. Su idioma es el de las macanas, los gases, las cachiporras, las varillas, los bóxers, los revólveres, los rifles, las bazucas, las botas, los puños desde donde fluyen la furia y el enfrentamiento pugilístico; su habla ocasional —sin preocupaciones morales y jurídicas— se integra con girones de leguleyo y jactancias de señor de horca y cuchillo de ese pueblo instantáneo que son los detenidos; su impunidad les autoriza a golpear, intimidar, detener sin órdenes de aprehensión, secuestrar, torturar, asesinar. Es el poder a dentelladas, a sus anchas en las calles, en los separos, en las patrullas, en la indiferencia ante el dolor, en la brutalidad a la que sólo sacia más brutalidad. "¿Con que no quieren policías ni granaderos? Pues chínguense, hijos de su puta madre".

—La izquierda partidaria con sus rollos, dogmatismos, balandronadas, sentimientos utópicos (en cualquier sentido del término), valentía, generosidad e intransigencia autodestructiva.

—Los brigadistas y manifestantes de coraje alimentado por su primera visión panorámica de México, y por la cadena de represiones, detenciones ilegales, asaltos a las instituciones de enseñanza superior, invasiones militares, despliegue bélico en la ciudad entera.

En síntesis, el proceso de radicalización interrumpido el 2 de octubre. Luego se vive el pasmo o, en un número pequeño pero significativo de casos, el resentimiento suicida. El Movimiento se disuelve, no con un sollozo sino entre disparos.

—La derecha irritada ante "la falta de respecto a las instituciones". (Hoy también representantes de la derecha honrada y valiente.)

—La inmersión en el "rollo", el culto abstracto a la revolución, el antiintelectualismo, la improvisación de teorías y alegatos, el reto intransigente a fuerzas muy superiores. Pero nada de esto influye realmente en los motivos de la represión, y sí permite gestos magníficos ante los represores y los jueces, que no envejecen así correspondan a una sensibilidad muy localizada en el tiempo.

CRONOLOGÍA

PERIÓDICOS DE LA ÉPOCA	DOCUMENTOS DEL GENERAL GARCÍA BARRAGÁN
43 Agitadores consignados: devolvieron autobuses los universitarios antenoche.	29 de julio. Misión Azteca. Orden de alerta; Orden de Operaciones núm. Uno: desalojar estudiantes en la zona de Perú a Corregidora y del Carmen a Argentina, en refuerzo a batallón de la policía militar; Informe sobre la misión encomendada.
Cierre indefinido de la UNAM y el IPN; intervino el ejército. Corona, Echeverría y el procurador explican el caso.	30 de julio. Orden de Operaciones núm. Uno: el Batallón de Fusileros Paracaidistas más una compañía del Tercer Batallón de Infantería con misión de desalojar estudiantes frente a la Vocacional 5. Informe sobre la misión encomendada.
Ante 20,000 alumnos el rector pidió prudencia y unidad.	1 de agosto. Orden de Operaciones núm. Uno: vigilar manifestación de estudiantes sobre Insurgentes Sur y calles adyacentes". Oficio sobre remisión de propaganda recogida en Vocacional 5. Informe sobre la misión encomendada.
Dramático llamado a la serenidad hizo al país el Presidente. Deplora los sucesos y reclama unidad.	2 de agosto. Oficio sobre un soldado al que "se le disparó" el arma e hirió a un transeúnte.
Llamado de Massieu a maestros y estudiantes del politécnico.	8 de agosto. Orden de Operaciones núm. Uno: orden de alerta en prevención.
Esta tarde habrá manifestación. Esperanza de que se reanuden las clases.	13 de agosto. Orden de Operaciones núm. Uno: orden de alerta para vigilar manifestación estudiantil. Partes sobre operación. Plan Brigada: desalojar estudiantes del Zócalo; plano anexo.

Tres aspectos del conflicto estudiantil. Se permitirá la manifestación, esto, aunque los organizadores no han pedido autorización. Intégrase una comisión de 36 estudiantes para las pláticas. Ni sede ni día aún, para las pláticas. Continúa en pie la propuesta del Lic. Echeverría.	27 de agosto. Instrucciones de combate.
Manifestación, mitin y nuevas demandas de los estudiantes. Izaron en el Zócalo la bandera rojinegra.	28 de agosto. Oficio sobre remisión de rollos fotográficos decomisados.
Solemne acto de desagravio a la bandera en el Zócalo, ayer.	29 de agosto. Orden de Operaciones núm. Uno: desalojar estudiantes de la Plaza de las Tres Culturas y de la Vocacional 7.
No estrobarán la Olimpiada, dicen. El Consejo de Huelga parece ahora más dispuesto a dialogar.	30 de agosto. Informe sobre rotación e incorporación de tropas.
Orden y tranquilidad deben mantenerse por encima de todo. Clara respuesta de Díaz Ordaz a las demandas estudiantiles.	2 de septiembre. Informe de actividades de custodia presidencial y otras.
Ley en mano, responde el gobierno a los huelguistas.	18 de septiembre. Orden de Operaciones núm. Uno: Ocupación de la Ciudad Universitaria. Dos planos anexos.
Las tropas desocuparon Zacatenco y el Casco de Santo Tomás.	25 de septiembre. Instrucciones para guarecer la Ciudad Universitaria.
Barros Sierra acepta quedarse; pedirá el retiro de las tropas.	27 de septiembre. Directivas a las que se sujetará el servicio que guarece la Ciudad Universitaria. Croquis anexo.

Declaran los huelguistas que buscarán soluciones pacíficas.	29 de septiembre. Instrucciones para el personal del agrupamiento en la Ciudad Universitaria.
	29 de septiembre. Oficio del general García Barragán, ordenando hacer entrega de las instalaciones de la Ciudad Universitaria.
Diálogo que prosigue.	30 de septiembre. Acta de entrega de instalaciones de la Ciudad Universitaria.
Funcionarios y maestros laboran ya en la UNAM.	2 de octubre. Orden de Operaciones núm. Uno: Misión para desalojar a los estudiantes de la Plaza de las Tres Culturas, empleando la prudencia. Croquiz anexo.
No habrá estado de sitio, afirma García Barragán. Recio combate al dispersar el ejército un mitin de huelguistas. Veinte muertos, 75 heridos y 400 presos.	3 de octubre. Informe del teniente coronel Edmar Euroza Delgado sobre su misión, y en la cual resultó herido el general brigadier José Hernández Toledo.
El compromiso olímpico se cumplirá, dijo Carrillo en la ONU. 6 octubre de 1968. Señalan a Madrazo y Humberto Romero como instigadores. También acusan a Elena Garro, Braulio Maldonado y E. Gorostiza. 7 octubre de 1968. Existe base para llamar a declarar a los presuntos conjurados. La Procuraduría así lo informó anoche.	5 al 7 de octubre. Parte de novedades durante la estancia de la Unidad en Tlatelolco.
Acusan a un funcionario de dar armas a los huelguistas. Cargos también al MURO y al PC. Piñeiro Guzmán, de la SCT, es el señalado por un detenido.	8 de octubre. Parte de incorporación de la Unidad procedente de Tlatelolco.

Parte de Guerra. Tlatelolco 1968 terminó de imprimirse en junio de 1999, en Gráficas La Prensa S.A. de C.V. Prolongación de Pino 577, Col. Arenal, C.P. 02980. Composición tipográfica: Patricia Pérez Ramírez. Cuidado de la edición: Marisol Schulz y Ramón Cordoba.